赤線本

監修・解説
渡辺豪

イースト・プレス

はじめに

渡辺 豪

私たちの国は二十世紀のなかば、売春を禁じた。

昭和三三（一九五八）年、『売春防止法』完全施行——

太平洋戦争で敗戦を喫した翌年の昭和二一（一九四六）年から、同法が売春を禁じた昭和三三（一九五八）年までを通じて、数え切れないほどの赤線と俗称された娼街が、日本には存在した。

戦前から続く娼家の多くは、戦後はカフェー、キャバレー、貸席など地域によって様々に看板をかけ替え、男性は戦前と同様に公然と買春することができた。政府はこうした買売春できる街を、必要悪として黙認する姿勢をとっていた。

いつしか赤線と呼ばれたその街は、混乱のさなか国土中に無数に散らばり、こぼれ落ちた宝石のように、原色のネオンが都市空間の片隅を彩った。

赤線は、わずか十二年間だけ存在し、そして幻のように消えた――

本書は、赤線が存在した当時に発表された作品を主軸にして編んだアンソロジー集である。後述するように、赤線をよく知らない読者にも楽しんでもらえるよう注意を払って編んでいるから、「赤線、売春街……なんだか恐そう……」と、なかば恐いもの見たさで手に取った読者も、安心して読み進めてほしい。もちろん、既に多くの知識を蓄えている読者にとっても、充分な読み応え(ごた)があるよう仕掛けを凝らした。

売防法から六十余年が経過し、日本人は赤線について語るべき言葉を失いつつある。「赤線とは何か?」との問いかけに、今どれだけの日本人が言葉を継げるだろうか。

ある人はこう答えるかもしれない。「戦後の売春街を、警察が地図上に赤い線で囲った」と。ただし、それは語源の一説に過ぎず、What(何か?)には答えていない。辞書的な意味での正確さを別にしても、実感をもって説明できる日本人は、やはり少ない。

売防法施行当時、二十代だった世代がいまや八十代後半に差し掛かり、日本人の平均寿命を超えるタイミングに突入している。往時を知る世代の多くは、鬼籍に入りつつある。

本書に収録した『驟雨』の著者・吉行淳之介(平成六〈一九九四〉年没)が存命であれば九六歳を迎えている。同様に『娼婦焼身』の野坂昭如(平成二七〈二〇一五〉年没)ならば九十歳である。
かつての娼家も主（あるじ）を失えば、遠からず取り壊される。過去の一時期までは、いたるところに残されていたようすが——記憶や娼家——も、ここ十数年で急速に失われようとしている。

この事実のみならず、実のところ近年の私たちは、赤線にまつわる読書機会に恵まれてこなかった。これこそが、私たちが言葉を持ち合わせていない理由ではないか。

ある事物が時代の波に洗われて消え入る刹那、人々はそれを惜しむのか、耳目（じもく）はいっとき集まる。赤線も同様に、あるものは懐古趣味的な切り口から、あるものは歴史ガイドや紀行の体裁をとり、少なくないタイトル数の本が近年はリリースされている。むしろ私たちは、赤線に関する情報量には恵まれているのである。

それらの本は、例えば訪ねた現地で声を拾い集める。しかし私は、現在を足場に赤線をたぐり寄せるには、もう遅すぎるのではないかと、悲観的にそうした本を眺めている。よすがすらも失われて、限りなく小さくなった母集団からサンプルを抽出する手法は、果たして有効なものだろうか？　帯を飾る言葉には象徴性はあるのだろうか？

本すなわち紙に固定された情報は、媒体が持つ固定力の分だけ信頼される。その点、紙の固定力は他のメディア（例えばネット）と比べて、とても強い。私たちはほとんど無意識的に「本に書いてあることだから」と疑いを差し挟まずに受容する。いつしか他の本に引用され、さらに再生産・複製されていく。量はやがて定説さえ生む。

　本という権威性を前に、資料批判の精神は後退したまま、消え入ろうとする過去と哀別するときの私たちは「こうあってほしい」と、ともすると都合よく過去を思い描き、差し替える。

　五十年後、あるいは百年後、赤線に興味を持った未来の人々が、赤線の記憶・記録が残されていた最後の世代、すなわち私たちの世代が扱った情報を眺めたとき、彼らからの謗りを免れているだろうか。


　一方で、赤線があった当時の作品群を丁寧に掬い集めてみると、直接に赤線と関わりを持った人物によって、多岐にわたる視点・視野・視座から、多様な形態をとって、質的にも量的にも充実して、書き（描き）残されていることが分かる。

が、実は意外なほど流通は少ない。絶版であったり、そもそも単行本化されず、掲載誌に一度載ったきりで埋もれていたりする。

　なぜか私たちは過去の作品、すなわち旧作には目もくれず、新しもの好きである。これは商業出版の課題でもある。同工異曲の中身を、書き手や文体を替えるなど装いを新たにして、繰り返し再生産してきた。

　私たち読者も、新しい本に惹かれてしまう。「新作」とは、発行日が現時点から近い、というプロダクト的な意味での新しさであり、価値の新規性は必ずしも約束されないにもかかわらず。

むしろ旧作こそが赤線と並行した作品であり、最も鮮度が高いのは旧作にほかならない。退色した現代から接近した目線では、到底捉えようのない鮮やかさを持つ。

しかし、見過ごしにされてきた。これは惜しい。

流通が乏しくなった理由を、作品自体に求めることもできよう。平たく言えば「作品の商品価値が失われた」と。だが、むしろ作品そのものではなく、解説を含む作品まわりの作りが、時代に合わせて刷新されずにいたことが、理由ではなかったか。

改めて当時の解説を眺めると、文芸的味わいといった（とりわけ男性視点での）情緒に傾斜していたり、あるいは文芸評論然とした高みにあった。

半世紀以上が経過し、もはや容易に時代性を共有できない現代の私たちにとって、当時のままの解説は、作品を紐解く助けになるとは限らないことに気づいた。作品に添えた解説には、必ず同時代的な前提意識がつきまとう。

情緒に限らず、文芸評論で頻用される概念用語でさえ、いやむしろ概念こそ時代の影響を受けやすく、廃れやすいことを私たちはよく知っている。作品を高みに置き忘れてきた。

「作品まわりの作り」には、編集や造本も含まれる。作品の選考基準や、帯を飾る買売春をロマン化した謳い文句など、これまで本の買い手であり、売春の買い手でもある男性視点に寄り過ぎていた（言うまでもなく、男性視点の排除が、読書体験の向上を約束するとは限らない。ただし、赤線での買売春にロマンを重ねることができる世代の男性人口は、もはや多くない事実を直視したい）。

こうしたことが、赤線と同時代にあった作品、換言すれば「最も鮮度の高い」はずの旧作を、私たちの読書機会から遠ざけてきたのではないか。
失って久しい過去を懐かしむ現代の声ではなく、過去に生きていた現代の声へ耳を傾けたい。本書の収録対象は、赤線があった当時に世へ出された作品をはじめとして、赤線と深い関わりのあった人物による作品に比重を置いた。

厚生省（現厚生労働省）の調べによれば、売防法が成立した同じ年の昭和三一（一九五六）年当時、日本（米軍占領下にあった沖縄県を除く）には、一一七六箇所もの赤線があった。業者数（=店舗数）一万五二六二軒、娼婦五万四五七九名を数える。

限られた紙幅で、千を超える赤線のすべてに合焦させることは到底叶わない。当然ながら本書は辞典や図鑑を目指すものでもない。作品の選考にあたっては、以下を一例にして作品を類型化し、バランスの調整を試みた。

- 舞台（大都市と地方都市、消費都市と産業都市、東京の中の都会と僻地）
- 時代（戦中〈前赤線期〉、戦後、線後）

・作品形態（文芸、ルポ、紀行、漫画、歌謡曲、写真、対談、エッセイ、評論）
・営業形態（カフェー、ダンスホール、船上）
・書き手の属性（性別、世代、職業）
・作品の流通性（有名作、未単行本化作品）

収録作品は、「物語」が読者を誘う効用を期待して、いくらか文芸に比重を置いた。象徴的な作品は、同時に多くが有名作でもあり、少なくない読者が目を通した作品だが、恐れずに収録した。冒頭に述べた通り、これから赤線なるものに触れる読者にこそ、本書は手に取ってもらいたいからだ。赤線作品に馴染み深い読者が過去に精読した作品であっても、配列や対置する作品によって、味わいに変化を与えるのがアンソロジーの妙味であり、編者の務めとして、これに努めた。

なによりも、収録した多くの未単行本化作品を強調したい。どのような読者にとっても新しい出会いと、充分な読み応えを提供したいと願った。

まずは、著者陣を一瞥するだけで、「あの人が赤線を書いて（描いて）いたのか」と、きっと驚かれよう。

巻末では、可能な限り解説に紙幅を割いた。

当時の解説を眺めると、意外なほど舞台となった街の説明は少ない。眼前に赤線が存在する時代には「なぜ存在するのか？」といった疑問はむしろ湧いてこず、「存在がどう作用するのか？」といった疑問が作意に繋がったのか。赤線は混乱期の産物であり、むしろ当時こそ街のバックグラウンドを正確に把握することは難しかったのではないか。各種アーカイブや研究の蓄積が進んだ現代こそ、舞台背景の把握は容易であり、現代こそ添え得る情報のひとつである。

本書の解説では、舞台となった赤線が成立した背景や、街の特長、働いていた娼婦たちの去就といったことにも力点を置いた。

このことは、ジェンダーやセクシャリティが大きく揺れる現代にこそ、むしろ叙情的な読書感覚を共有（共感できずとも理解）するために必要な大前提と思われたからだ。

なお、作品の掲載順は読書体験の質を高めるよう熟考を重ねたが、読者諸氏の琴線に触れたタイトル、馴染みある著者、縁ある土地から、作品を読み進めてくださっても構わない。

目次

編集付記

本文表記は原則として新漢字を採用しました。

また読みやすさを考慮し、適宜ルビを付しました。

収録に際し、エッセイ、ルポ等において、掲載当時の見出しを省略したものがあります。

本書には、今日の観点からは考慮すべき表現、語句などが含まれる箇所がありますが、作品が発表された当時の時代背景や作家性を鑑み、作品を尊重する形で原文のまま掲載しました。

驟雨

吉行淳之介

ある劇場の地下喫茶室が山村英夫の目的の場所だったが、舗装路一ぱいに溢れて行き交う人々の肩や背に邪魔されて、狭い歩幅でのろのろと進むことしか出来ない。日曜日の繁華街は、ひどい混雑だった。しかし、そのことは、彼を苛立たせはしない。うしろに連っている群衆が、彼の軀をゆっくりした一定の速度で押してゆく。彼はエスカレーターに乗って動いていているような気分でいるつもりだった。

厚いズックの布地を赤と青の縞模様に染分けた日除けを、歩道に突出している商店が行手にあらわれた。近寄ってゆくと、それは時計屋だった。

約束の時刻は午後一時。彼は店内を覗いて、時計を見ようとした。

夏の終りの強い日射しに慣らされた彼の眼に、店の内部はひどく薄暗かった。壁一面に掛けられた大小形状さまざまの柱時計は、長針と短針があるものは鋭い角度にハネ上り、あるものは鈍角に離れたりして、おもいおもいの時刻を示していた。背後から押し寄せてくる人の波は、彼に立止ることを許さない。その壁面に、あわただしく視線を走らせて、正しい時刻を選び出そうとした。そのとき、彼は胸がときめいていることに気付いたのである。

　彼は自分の心臓に裏切られた心持になった。胸がときめくという久しく見失っていた感情に、この路上でめぐり逢おうとは些かも予測していなかった。これでは、まるで恋人に会いに行くような状態ではないか。

　これから会う筈の女の顔を、彼は瞼に浮べてみた。言葉寡く話をして、唇を小さく嚙みしめる癖のある女。伏眼がちの瞼を、密生している睫毛がきっかり縁取る。やや興味ある性格と、かなり魅惑的な軀をもった娼婦。

　その女を、彼は気に入っていた。気に入る、ということは愛するとは別のことだ。愛することは、この世の中に自分の分身を一つ持つことだ。それは、自分自身にたいしての顧慮が倍になることである。そこに愛情の鮮烈さもあるだろうが、わずらわしさが倍になることとしてそれから故意に身を避けているうちに、胸のときめくという感情は彼と疎遠なものになって行った。

　だから、思いがけず彼の内に這入りこんできたこの感情は、彼を不安にした。

　舗装路上をゆっくり動きながら、彼はその女と待ち合せをするに至る経緯を思い返した。

　一ヵ月以前、彼は娼婦の町にいた。店の前に佇んでいる一人の女から好もしい感じを受けたので、彼は女の部屋へ上った。

煙草(たばこ)に火をつけ、ゆっくり煙を吐きながら部屋のなかを見廻している彼の眼に、小さな額縁のなかの女優の顔が映った。映画雑誌のグラビア頁から切り取られたらしいクローズアップで、レンズを正面から凝視している北欧系の冷たい顔は、その一部分が縦に切り捨てられ、従って片方の眼は三分の一ほど削りとられている。

そのトリミングの方法は、女優の大きな眼に、青白い光を感じさせる効果を挙げていた。娼婦の手によってトリミングされた写真を見ることは、彼にとって初めての経験であった。そして、その娼婦は、大きく見開かれた女優の眼に、青白い光を燈(とも)したのだ。彼女自身の眼のなかに、同じ青白い光を見ようとして、彼は女に視線を移した。その光は、この町とは異質な閃きを、彼に感じさせたのであった。

女は、しずかに湯呑を起して茶を注ごうとしていた。急須を持ち上げた五本の指のうち、折り曲げたままぐっと反らしてある小指に、女の過去の一齣(ひとこま)が映し出されているのを彼は見た。

「きみ、茶の湯を習ったことがあるね」

「どうして、そんなことをお訊ねになるの」

鋭い咎めるような口調でその言葉を言い、続いて、小さく下唇を噛んだまま女の眼が力なく伏せられた。

彼は、やや興味を惹かれた。しかし、それはこの町と女とのアンバランスな点に懸っているので、女をこの地域の外の街に置いて真昼の明るい光で眺めてみたら、その興味は色褪せる筈だ。むしろもっと娼婦らしい女の方がこの夜の相手として適当だったのだが、と遊客としての彼は感じはじめていた。

やがて下着だけになって寝具の中へ入ってくる女の姿態には、果して娼婦にふさわしくない慎しみ深い趣きが窺われた。

しかし、横たわったまま身を揉みながら、シュミーズを肩からずり落してしまうと、にわかに女はみだらになった。

鏡の前に坐って、みだれた化粧を直しながら、「また、来てくださるわね」と女は言った。その声は、もはや彼の耳には娼婦の常套的な文句として届いた。そして、女の軀は彼の気に入った。飽きるまでに、あと幾度かこの女の許に通うことになるだろう、と彼はおもった。

勤務先の汽船会社の仕事で、彼はちょうど翌日から数週間東京を離れなくてはならなかった。

鏡の中で、女は彼を見詰めて言った。

「いつお帰りになるか、旅行先からお手紙をくださいませんか。宛名はね……」

と、女はゆっくりした口調で、娼家の住所と自分の姓名を告げ、「わかりましたね、……ですよ」と、もう一度、彼の記憶に刻み込んでゆくように、一語々々念入りに繰返した。その教え訓（さと）すような口調は、この町から隔絶したなにか、例えば幼稚園の先生の類を連想させた。一瞬のあいだに自分が幼児と化して、若い美しい保姆の前に立たされている錯覚に、彼はふと陥った。

その記憶が旅情と結びついて、彼に手紙を書かせたのである。

ある湾に沿った土地の旅館で、彼は待ち合せの日時を便箋に記した。地味な茶色の封筒を選んで、女の宛名を書きつけたが、そのときの彼女の名は、手紙を相手にとどけるための事務的な符号として直ぐ彼の脳裏から消え、女の姿態だけが色濃く残った。一方、彼の心の片隅には、白昼の街にこの女を置いて、先夜娼婦の町において女に感じた余情を、拭い去ってしまおうという気持も潜んでいた。

地下喫茶室の入口が眼に映った。

自分が書き送った一方的な逢い引きの約束を、娼婦が守るかどうかということへの賭に似た気持が、このように心臓の鼓動を速くしているのだ、と彼は考えようとした。

彼が地下へ降りて行ったとき、明るく照明された室内の片隅の椅子に、女はすでに坐っていた。地味な和服に控え目の化粧で、髪をうしろへ引詰めた面長（おもなが）な顔の大きな眼に、職業から滲みこんだ疲労と好色の翳がかすかに澱（よど）んでいた。

指定の場所へ女が来たことが分った後も、彼の感情のたかぶりは続いていて、女の向い側に坐って唇を開いたが、気軽に言葉を出し兼ねた。女は、その様子を見て、

「わたし、義理がたい性質でしょう」

と、くすりと笑いを洩らして言った。そして、相変らず黙ったまま見詰めている男の眼をみると、その言葉の陰翳が相手に伝わらないのを恐れるかのように、一つの挿話をつけ加えた。

「ほとんど毎週、金曜日のお昼にお会いする方があるのよ。いつも、お魚の料理を食べに連れていってくれるの。ちょび髭の、肥った人でね、とってもお人好しなの」

女の顔を見詰めたまま話を聞いていた彼は、無表情を装って、

「そう、それは結構だ」

と答えたが、心の中では、「これでは、まるで求愛をして拒絶されたような按配だ」と呟いていた。そして、先刻時計屋の店頭で不意に彼の内部に潜りこんできた感情が、このような終点に辿りついたことに、ふたたび驚かされていた。

下駄穿きの気楽な散歩の途中、落し穴に陥ちこんだ気持に、彼はなっていた。

山村英夫は大学を出てサラリーマン生活三年目、まだ暫く独身でいるつもりだった。明るい光を怖れるような恋をしたこともあったが、過ぎ去ってみればそれも平凡な思い出のなかに繰り入れられてしまっていた。

現在の彼は、遊戯の段階からはみ出しそうな女性関係には巻き込まれまい、と堅く心に鎧を着けていた。

そのために、彼は好んで娼婦の町を歩いた。娼婦との交渉がすべて遊戯の段階にとどまると考えるのは誤算だが、赤や青のネオンで飾られた戦後のこの町に佇んでみると、その誤算は滅多に起らない気分になってしまう。以前のこの地帯の様相には、人々に幻影を育ませる暗さと風物詩になる要素があった。しかし、現在のこの町には、心に搦みついてくる触手がない。そして、ダンサー風の女たちは、清潔に掃除されピカピカ磨き上げられた器械のように、店頭に並んでいる。

このような娼婦の町を、肉体上の衛生もかなり行届いているとともに、平衡を保とうとしている彼の精神の衛生に適っていると、彼は看做していた。

この町では、女の言葉の裏に隠されている心について、考えをめぐらさなくてはならぬ煩わしさがない。例えば、「あなたが好き」という女の言葉は、それに続く行為が保証されている以上、そのまま受取っておけばよいわけだ。

その彼の心が、眼の前の女の言葉によって動揺させられていることは、彼にとっては甚だ心外な出来事なのであった。

最初、無表情を装っていた彼の眼は、いまは波立っている彼自身の内部を眺めはじめたので、その視線は女の上に固定されたまま全く表情が窺われなくなった。

「そんなに、じっと顔を見ては厭」

その言葉で、外側へ呼び戻された彼の眼に、女の白い顔が浮び上った。

「どうして」

「あなたとお会いしていると、恥ずかしいという気持を思い出したの」

「なるほど、それはいい文句だ。商売柄いろんな言葉を知っているね」

その言葉を、彼は軽い調子で口に出すことができたので、二人のまわりの空気がゆらいでほぐれていった。

やっと彼は、遊客という位置に戻ることが出来たので、それからの会話はなだらかに進んでいった。といっても、彼が女の身の上話を求めたりしたわけではない。彼はむしろ、明るい猥談の類を話題にした。

その話題が一層女の心を解いて、彼女も娼家に現れた人間ポンプのことを話した。「人間ポンプ」というのは、特殊な胃袋を観せものにして舞台に立っている男で、呑みこんだガソリンに点火して唇から火焰を吐いたり、幾枚も次々と胃の腑へ納めた剃刀の刃を重ね合せて口から取出したりするのである。

そして、彼女の話は、主にその男の異常体質に関してであった。

その話を聞いているうちに、彼は女が露骨な言葉を使うのを巧みに避けていることに気付いた。そのことは話の猥雑な内容と奇妙に照応して、官能的な効果をあざやかに彼の心に投げかけた。

彼は次第に寛（くつろ）いだ気持になったつもりだった。みだらになったときの女の姿態がふと脳裏を掠めた。軽薄な調子で、言葉が出ていった。

「きみは面白い女だな、僕の友人たちを紹介しようか」

女はにわかに口を噤んで、睫毛を伏せてしまった。寂しい顔がよく似合った。

自分の言葉がフットライトとなって、女の娼婦という位置をその心のなかに照し出したことが、女をにわかに沈黙させたのだ、と彼は気付いた。しかし、眼の前の女が彼一人で独占できない、多くの男たちを送り迎えしている軀であることを、今更のように自分自身に納得させようという気持も、その言葉の裏に潜んでいたのだ。そのことには、女と別れたあとで彼は気付いた。

ふたたび訪れた沈黙を救おうとするように、あるいはそれに抵抗するかのように、女はゆっくりした口調で話しはじめた。

「こういうこと、どう考えますか。たとえば、わたしがあなたを好きだとしてね、あなたに義理をたてて、次にお会いするときまで操を守っておくことが出来るかどうか、ということ」

操を守っておく、という表現の内容はすぐには分らなかった。娼婦の場合、それはオルガスムスにならぬようにする、と考える以外には解釈のしようがなさそうである。娼婦には、唇をあるいは乳房を神聖な箇所として他の男に触れさせずに、愛人のために大切に残しておく例がしばしばある。しかし、オルガスムスをとって置くということは、娼婦の置かれている場所が性の営みに囲繞されているだけに、彼の盲点にはいっていたようだ。

新鮮な気分が彼の心に拡がっていった。と同時に、微かな苛立ちをも感じた。

「そんなことは出来ないだろう」

「そう、やっぱりあなたはオトナね。だから好きよ」

あなたが好き、女のそんな言葉がまたしても彼の心にひっかかってくる。彼は膨れあがってくる想念に捉われはじめた。

操を守っておくためには……、他の男の傍で快感が軀に浮び上ってくると、彼女はそれが高潮してゆくのを抑えようとする。そのときには必ず、愛する男の姿が女の脳裏に浮ぶ筈だ。あたかも身を守る楯であるかのように、密着している他の軀との間にその男の姿をすべり込ませて、彼女は迫ってくるものを禦ごうとし、自分の内部で湧き上るものを抑えようとする。他の軀からそそぎこまれようとする快楽の量と愛する男の幻影とがしばらく拮抗し、ついに愛人の面影の周囲がギザギザになり、やがて罅割れて四方へ淡く拡散してしまう。

その想像から、えたいの知れない苦痛を感じて、彼はおもわず、

「操を守ってもらうような男にはなりたくない」

と呟くと、口説かれた女が巧みに相手をそらすように、女はかるく笑って、言った。

「あら、ずいぶん取り越し苦労をしてるのね」

その言葉は彼を不快にした。単なる娼婦の言葉が自分の心を傷つけているという事実が、一層彼を不快にした。彼の心は、それに反撥した。

彼は、もう一度、女をはっきり娼婦の位置に置いてみなくてはならない、と考えた。女をホテルに誘って、その軀を金で買ってみよう。

彼はそのとき、女の眼が濡れた光におおわれているのに気付いた。巧みに相手をそらすような言葉とは釣合ぬものが、その光にある。恋をしている女の眼の光に似ていた。彼は不安になり、そして不安になった自分に擽ったい気持を覚えた。いままでの話題が、女の欲情を唆ったまでのことなのだろう、煽情された光なのだろう、と彼は女を見詰めた。

女は彼の視線に気付き、軽く唇を噛むと下を向いて乱れた呼吸をととのえていたが、急に顔をあげると笑い声をたてた。

その声は、周囲のテーブルの人々が振向くほど、華やかで高かった。

しかし、その笑い声は不意に消えて、ふっと寂しい表情が女の顔を覆った。その顔を見て、喉もとまで出かかっていた誘いの言葉が、彼の唇でとどまった。眼に見える掌（てのひら）が彼

の口に押し当てられて、出てゆこうとする言葉を阻んでいるかのようだった。このとき彼は、相手が軀を売る稼業の女であることが、かえって女をホテルへ誘うことを躊らわせているのを感じていた。

　ともかく戸外へ出よう、と彼は思った。

　女を促して立上ると、裏の出口へ向った。この地下の喫茶室の裏口は、狭いコンクリートの階段が細い裏通りに口を開いていた。

　喫茶室の内部からの視線も遮られている人気ない階段の下に佇んだ女は、彼の顔をちょっと窺い、小走りに一息に駆けあがってしまった。下駄の乾いた音が、あたりの堅い壁に反響した。短冊形に外の光が輝いている出口に、逆光を受けて佇んでいた女は、彼がゆっくりと昇ってくるのを待って、

「今度お会いするまで、わたし、操を守っておくわね」

と囁くと、微笑みを残して急ぎ足に去っていった。取残された彼の心に、このときはっきりと、女が固有名詞となって這入りこんできた。海浜の旅館で彼が書き記した封筒の宛名のなかの「道子」という女の名が、ぽっかり彼の瞼に浮び上ってきた。

　晩夏から秋が深くなるまでの約一ヵ月半の間、山村英夫はかなりの回数の朝を、道子の部屋で迎えた。

そのために必要とした金の遣り繰りのために、彼は月給の前借をしたり、曽祖父から伝わった「水心子正秀」の銘刀を金に替えたりした。但し、この刀に関しては、女のために先祖伝来の品を手離すという気持ではなく、彼には山村家の家系を自分で断絶してしまおうという密(ひそ)かな気持があって、その方へ力点が懸っているのだと、自分の行為を解釈していた。

だが、金を工面してつくって女に通ったという事実は、動かせない。そして、それはすべてあの日曜日の別れ際に道子が囁いた「操を守っておく」という言葉のせいだ、と彼は考えようとした。

その言葉は、彼を苛立たしい気分にさせた。その苛立たしさは、道子の言葉によって導き出される風景から与えられる、肉体的な不快感であると彼は思った。彼自身の影像が道子と見知らぬ男との肉体の間に挟まれて、あるいは圧縮されあるいは拡散しかかっているあの風景。その不快感から脱れるためには、道子の傍の見知らぬ男たちを排除して、彼自身がずっとその位置にいる以外に方法はなかった。

彼はその苛立たしさを、あくまでも生理的なものに看做そうとしていたが、しかしそれだけでは済みそうにない症状が次第に濃厚にあらわれはじめた。

午後十一時。

この夜も、彼は道子の部屋へ泊ろうとして娼家の入口に歩み寄っていった。

店頭に佇んでいる女たちは彼の顔を見覚えて、誘いの声をかけることはなくなっていたが、目立って背の高い女が、傍を通り過ぎて店内へ入ってゆこうとする彼の耳もとで囁いた。

「ちょっと。頸(くび)すじのところをつまんで呉れない。はやくお客があるおまじないにさ、あんたにやってもらうと縁起がいいのよ」

彼は立止って、肩先までかかっている女の髪を持ちあげた。漆黒の豊かな毛髪が、人の好さそうな平凡な顔を縁取っていた。

頸すじの筋肉をつまみ上げながら、

「どうして、僕だと縁起がいいのだい」

と、彼は訊ねてみた。

「どうしてもさ」

「それなら、もっと縁起のいいように、お尻を撫でておいてやろうか」

「バカ、おねえさんに叱られるよ」

道子がこの店へ来てから、すでに二年間が経(た)っている。一方、女たちの移り変りは激しいので、彼女はこの店での最古参になってしまった。従って、他の女たちからは「おねえさん」と呼ばれていたが、その女の口調には、そのためばかりでない好意が感じられた。

約十分後、風呂へはいるために彼と道子が階下へ降りてゆくと、その背の高い女が面映げな若い男を従えて、意気揚々と登ってくるのに出逢った。

女は片眼をつぶって彼に合図をおくり、狭い梯子段の途中ですれ違いざま道子の腰を強く掌で叩いた。道子の笑い声が、華やかに彼の耳をうった。

風呂から上って先に部屋へ戻り、窓に腰をおろして街の光景を見下していた彼に、道子は黙って冷たい牛乳瓶を手渡すと、

「ね、また暫くつきあって」

と言いながら、ダイスの道具を取出した。

その夜は、彼には悪い目ばかり出た。一方道子は大そう運がついていた。五つの骰子（さい）が、机の上で乾いた音をたてて転がって止ると、何かしら役のついた骰子の目が並んでいるのだ。

彼女は興に乗って、幾度も繰返して骰子を振りつづけている。

不細工に大きい木製の骰子を五つ、ボール紙の筒のなかへ入れて、小さい机の上に振り出す。女はすでに、かなりの額の貯金を持っているらしい。部屋の調度品も、よく選ばれたものを揃（そろ）えていたし、いま骰子を転がしている机も紫檀（したん）であるが、このダイスの道具だけは粗末だった。

もしこの遊戯の道具も金のかかった品であった場合、彼女の身をとりまく侘しさは却っ

て深いのではなかろうか。彼は次第に、輪郭がはっきり定まらない、とりとめのない物思いに捉われていった。

街では、舗装路をひっきりなしに歩む遊客の靴音と、男を誘う女たちの嬌声が、執拗に繰返される主旋律のように響いていた。

にわかに、罵りあう声が、街の一角から巻起った。彼の物思いは、破られた。

悪罵の言葉のなかから、飛び抜けて鮮明な女の声が浮び上って、

「どうせ、あたしは淫売だよッ」

と叫んだ。続いて、男の濁った声が、

「へえ、おまえ淫売だって。インバイて、いったいどんなことをするんだい」

「ヘン、そんなこと知らないのか。淫売てのはね」

と、そこで女の声が詰った。

彼はひどく切迫している自分の心を知った。彼には、道子の顔が正視できない。伏せた眼に、机の上の骰子の目が映ってくる。四つの骰子が1、残りの一つが5を示している。

数秒前、彼女が振った骰子なのだ。

街全体がにわかに静寂になって、次の言葉を待っているように思えたとき、戸外の女の声が急に勢いづいた語調でふたたび叫びはじめた。

「そりゃあ、淫売てのはね」

彼は、彼自身がこれから定義されるかのように緊張した。甲高(かんだか)い女の声が、次の言葉を発した。

「そりゃね、インをバイするのさ、ハハハ」

「アッハッハ」

酔っているらしい相手の男の明け放しの笑い声が続いて、室内の彼の緊張は急速にとけていった。

彼は、5の目の骰子を素早く親指の腹で押して、1の目に変えると、

「おい、きみ、すごい目が並んでいるじゃないか」

と、道子の肩をかるく押した。

「あら、わたし呆んやりしてしまって……。まあ、すてき。全部1じゃないの」

そう言ってから、道子は大きな笑い声を立てた。その笑い声は、平素と同じく暗い翳のない華やかさだった。しかしこの場合、声に籠った量感は、彼女の笑い声から暗い翳を拭い去るためのもののように思えて、却って佗しく彼の耳に響いた。

別の日の朝、九時過ぎ。

彼は道子と一緒に、娼家の裏口から出ようとしていた。

道子の部屋に泊った翌朝は、彼は一層怠惰な会社員になり、彼女とともに朝の街へ出てコーヒーとトーストを摂ってから、十一時近くに出社する。

狭い路地で道子と軀を押し合うようにしながら背を跼めて、裏木戸を開けようとしていると、外側から戸がひらいて彼の眼前に老人の顔があった。扇形に拡げた幾冊かの薄い印刷物をもった手を煽ぐように上下させながら、皺にかこまれた口をすぼめて、来年の運勢暦だから買ってくれ、といった。

不意を打たれて恥じらった彼の眼に、冊子の表紙に印刷されている「何某易断所本部」とか「家宝運勢暦」とか筆太の文字が映ると、おもわずポケットの金を探って購ってしまった。道子が肩越しに覗きこんで、はやく自分の運勢を調べて呉れ、といった。彼は歩みを遅くして、その冊子をめくって彼女の星を探した。そのときはじめて、道子が四つ下の年齢であることを知った。

道子の運勢の載っている頁を探しているとき、自分では全くこのような暦を信じていないのにもかかわらず、彼は良い星を彼女のために願っているのに気付いた。

この時刻の娼婦の町には、人影はほとんど見られない。毛の短い白い犬が彼の方へ首を向けて、短く吠えた。その声がガランとした街に、深夜の鳴声のように反響した。

街はネオンに飾られた夜とはまったく変貌して、娼家はすべて門口を閉し、化粧を落し、疲れて仮睡んでいる。夜には無かった触手がその街から伸びてきて、彼の心に搦みつこうとする。このときの彼の眼には、道子が昔ながらの紅燈の巷に棲む女、大時代な運勢暦に一喜一憂する女として映り、その女の心を慮って彼は道子に良い星を願ったのであろうか。

ともかく、この彼の心は、道子へ向ってはっきりした傾斜を示していた。運勢暦の、彼女の年齢が当っている「九紫火星」の頁に、大盛運という活字と、真白い星印を見たとき、彼は安堵の感を覚えた。

九紫火星の欄(らん)には、さらに旭日昇天という文字とともに稚拙な挿絵がついていて、水平線上に輝いている朝日に向って勇ましく進んでいるポンポン蒸気のような船が描かれてあった。

道子はそれを見て、「ずいぶん、ハデな絵ねえ、来年はいくらかいいことがあるのかしら」と、控え目の笑顔を示した。彼はこのとき初めて、彼女の笑い声に哀切な翳を見たように思った。

それでも、喫茶店の椅子に坐ったときには、道子の口はほぐれて、「はやくこの商売から抜け出したい」と語りはじめた。

「ママさんにはね。どこかの支店を委(まか)せるからやってみないかって、言われているのだけど、どうせ廃めるのならキッパリ縁を切りたいの。貯金がもっと出来たら、花屋さんをやろうかと思ってる。うんとお金があったら、お湯屋さんの方が儲かるそうだけど。手相を観てもらったら、わたしやっぱり水商売に向いてると言われたけど、お湯屋さんて水商売のうちかしら」

と言って、彼女はいつもの華やかな笑い声をひびかせた。

彼は、道子のいなくなった町を思い浮べてみた……。

そのときは、自分は道子の花屋へ何の花を買いに行くだろう。だんだらのチューリップなどが陽気でよい。銭湯を開業したら、手拭とシャボンをもって一風呂浴びに行くわけか。

彼の耳に、ふたたび道子の声が聞こえてくる。

「一度廃めたら決して戻ってこないようにしたいわ。廃めたひとたちの殆ど全部が、また戻ってきていますものねえ。そんなことになったら、わたし、自分に恥ずかしいの」

そして、彼女は眼を伏せ、呟くように言った。

「つらい、ことですわねえ」

別れて、電車に乗り、座席に坐って先刻の道子との会話をぼんやり反芻しながら手に持っていた運勢暦の彼自身の星を探してみた。四緑木星、小衰運という星で、故障した自動車の下に仰向けに這い込んで修繕している男の絵が載っている。『本年貴下は本命年になりました。俗に八方塞がりといいますが……、云々』という文字を拾い読みながら、先刻道子のために暦を開こうとしたとき自分の心に動いたものについて、彼ははじめて考えをめぐらせはじめた。

そのとき、隣席から話しかけてくる声が、彼の物思いを断切った。

「珍しいものをお持ちですな。お若いのにおめずらしい、御研究になっているのですか」

首をまわしてみると、古びた詰襟(つめえり)の服を着た中年の男が、落ち窪んだ眼窩(がんか)のなかで眼を光らせていた。

彼は曖昧に、いや別に、と答えた。しかし、以後終点までどうやら偏執的なところの感じられるその男から、運命の神秘についての退屈な講義を聞かされ続けなくてはならなかった。

十月も末に近づき、山村英夫のいる事務室の窓からは、鈴懸の街路樹がその葉群のてっぺんを、黄ばんだ色に変えてゆくのが見られた。

その季節のある朝、出社した彼が少女の淹(い)れてくれた熱い茶を飲みながら新聞を眺めていると、隣席の古田五郎が白い角封筒をさしのべてきた。

古田五郎――。その男と山村英夫とは、麻雀の打合せとか、悪事の相談とかのときには円滑に会話が弾むのであったが、それが済んでしまうと沈黙がやってくる。

山村英夫は、この男と同じ範疇の語彙で会話できるのは麻雀と娼婦についてだけだ、と考えていたが、数ヵ月以前から娼婦についての話題は彼等の間から除かれた。それは、古田五郎に社の重役の娘との縁談が起ったためだ。彼はその縁談に頗(すこぶ)る熱心で、にわかに素行を慎みはじめたのである。一方、その縁談によって出世の約束手形をポケットへ入れることが出来たかのように、以来彼の同僚にたいする態度は横柄になった。

白い封筒をはさんだ古田の指に、金の婚約指環が光った。果して、封筒からは金縁の堅い紙片があらわれて、古田五郎と何某の次女何子とが十一月△△日に結婚披露宴を行う旨が、印刷されてあった。

「君には、社の同僚代表ということで出席してもらいたい」

「出席するよ」

古田五郎は、ゆっくりした大きな動作で腕をうごかしてロイド眼鏡を外(はず)し、水色の縞のはいったハンカチでレンズを拭きながら、凝っと上眼使いで相手を見て、

「ところで、服装は背広でも結構だが、式服ならそれに越したことはない。なにせ、相手の家があのとおりなんでね、ハッハッハ」

人間の男の充足した表情を露わに示して笑っている顔を、ぼんやり眺めながら、山村英夫は「このようにして、また一組の夫婦が出来上ってゆくのだな」と感じていた。

その華燭(かしょく)の宴が迫ったある午後、関西の造船所と連絡しなくてはならぬ急用が出来て、山村英夫はにわかに出張することになった。

披露宴の前夜までには帰京できるように予定をつくりながら、独身者の気軽さで鞄(かばん)にタオルを入れただけの旅仕度をして、彼はそのまま東京駅へ向った。

古田五郎の結婚式の前夜、予定どおり旅行から戻ってきた山村英夫は、娼家の一室にいた。

道子は彼と一緒に風呂へ入り、煤煙で汚れた彼の髪の毛に石鹸を二度つけ直して、丁寧に洗ってくれた。道子が彼にたいして抱いている感情の基調をなしている好意は、この日は上昇して恋慕の情に近くなっているかのような風情が、彼女の態度から窺われた。

それは、彼が身につけて持ち帰った旅のにおいが、道子の感傷を唆ったためであったかもしれない。しかし、彼女のこのような状態に気を許してはいけない。たとえば、ある夜、彼は道子と数日後の正午にあの地下喫茶室で待ち合せて、映画を観にゆく約束をした。道子が忘れないように、壁に懸っている製薬会社の大きなカレンダーの約束の日付の上に、彼は鉛筆で印をつけようとした。そのとき、道子は彼の手をそっと抑えてこう言った。

「あら、いけないわ。ほかのお客さんがヘンに思うから」

彼は部屋に戻って、窓に腰かけた。

道子の部屋は、二階からさらに短い階段を昇った中三階にあって、そこから彼は町のたたずまいを見下した。この町を歩いている男たちは、大部分が靴を履いた背広姿である。女たちは殆ど洋装で、キャバレーの女給と大差ない服装だ。

高い場所から見下している彼の眼に映ってくる男たちの扁平な姿、ゆっくり動いていた帽子や肩が、不意にざわざわと揺れはじめた。と、街にあふれている黄色い光のなかを、燦きながら過ぎてゆく白い条。黒い花のひらくように、蝙蝠傘がひとつ、彼の眼の下で開いた。

町を、俄雨が襲ったのだ。大部分の男たちは傘を持っていない。

色めき立った女たちの呼び声が、地面をはげしく叩く雨の音を圧倒し、白い雨の幕を突破った。

「ちょっと、ちょっと、そのお眼鏡さん」

「あら、あなたどこかで見たことあるわよ」

「そちらのかた、お戻りになって」

めまぐるしく交錯する嬌声。しかし、その誘いの言葉は、戦前の狭斜(きょうしゃ)の巷について記した書物に出てくる言葉から殆ど変化していないことに、彼は今はじめてのように気付いた。

彼はその呼び声を気遠く聞きながら、夜はクリーム色の乾燥したペンキのように明るいだけの筈であるこの町から、無数の触手がひらひらと伸びてきて、彼の心に搦みついてくるのを知った。

夜のこの町から、彼ははじめて「情緒」を感じてしまったのである。

すっかり脂気を洗い落してしまった彼の髪は、外気に触れているうちに乾いてきて、パサパサと前に垂れ下り、意外に少年染みた顔つきになった。

その様子をみた道子の唇から、

「はやく、あなたに可愛らしいお嫁さんを見付けてあげなくてはね」

という言葉が出ていった。

しかし、道子は「可愛らしいお嫁さん」を見付けられる環境には置かれていない。その言葉の意味は何なのだろう。

彼は疑い、そしてたじろぐ気持も起ってきた。その間隙に不意に浮び上ったものがある。

「そういえば、明日は古田五郎の婚礼で、僕も出席するわけだった。それもなるべくモーニングを着てという次第だ」

脳裏に浮んだこの光景は、彼の顔に曖昧な苦笑を漂わせた。

その笑いを見て、道子は言った。

「あら、あなた、もう奥さんがおありになるのね」

彼はおどろいて、女の顔を見た。女の眼は、濡れていた。

たやすく軀を提供するだけに却って捉え難い娼婦の心に、触れ得たのかという気持が彼の胸に拡がっていった。

甘い響きをもった声が、彼の唇から出ていった。

「バカだな、僕はまだ独身だよ」

道子は不意を打たれた顔になった。

かがやきはじめた女の瞳をみて、彼の心は不安定なものに変っていった。

道子の傍で送ったその一夜は、夢ばかり多い寝ぐるしいものだった。

その夢のひとつで、彼は道子を愛していた。それまで道子が娼婦であることが彼の精神の衛生を保たせていたのだが、ひとたび彼女を愛してしまったいまは、そのことが総て裏返しになって、彼の心を苦しめにくるのだった。

瞼の上が仄あたたかく明るんだ心持で、彼が眼を開くと、あたりには晩秋の日光が満ちていて、朝の装いをして枕もとに端坐している道子と視線が合った。彼女は眩しそうな優しい笑顔を示して立上ると、彼に洗面道具と安全剃刀を渡して、言った。

「はやくお顔を洗っていらっしゃい」

ずっと以前から道子という女とこのような朝を繰返している錯覚に、彼は陥りかかった。

しかし、階下の洗面所から再び部屋へ戻って、乱れている髪を整えようと、櫛を探すため鏡台の引出しを開けたとき、そこに入っていたものが彼の眼を撲った。使い古した安全剃刀の刃が四枚、重なり合って錆びついているのだ。

その四枚の剃刀の刃から、数多くの男の影像が濛々と煙のように立昇り、やがてさまざまの形に凝結した。道子に向って、あるものは腕をさしのべ、あるものは猥らな恰好をした。

はげしく揺れ動くものを、自分の内部に見詰めながら、彼は何とかして平静を取戻そうとした。しかし、鋭い鉤が打込まれているのを、認めないわけにはいかなかった。それでも、彼はその状態から逃れ出そうと企んでいた。

道子は、駅まで送ってくる、と言った。二人の吐く息が白く、道路の改修工事で掘りかえされた土に霜柱が立っていた。十一月中旬のこの朝としては、おそらく例年にない低い気温なのであろう。途中、繁華街に並行した幅広い裏通りの喫茶室に、二人は立寄った。ヒュッテ風の建物の階上へ昇ってゆくと、室内には午前の光がななめに差し入って、光の縞のなかで細かい塵埃がキラキラ舞っていた。窓際の席に一足さきに歩み寄った彼は、光を背にした位置を占め、前の椅子に道子のくるのを待った。

前の椅子の背には、日光がフットライトのように直射していた。何気なく、道子が彼と向い合って腰をおろしたとき、明るい光が彼女の顔を真正面から照し出した。

彼は企んでいたのである。皮膚に澱んだ商売の疲れが朝の光にあばきだされて、瞭(あきら)かな娼婦の貌が浮び上るのを、彼は凝っと瞶めて心の反応を待っていた。

眩しさに一瞬耐えた道子の眼と、彼の眼と合った。彼女は反射的に掌で顔を覆い、その姿態のまま彼の傍に席を移すと、ゆっくり腕をおろし、やがてハンカチでかるく頬をおさえながら、

「コーヒーちょうだい」

と、低い声で給仕に呼びかけた。

背けた視線を窓の外へ向けた彼は、道子が彼の企みに気付いたのかどうか、思いめぐらしていた。「ただ眩しかっただけなのだ、この密かな企みに気付くなんて、そんなことがあり得るだろうか」

そのとき、彼の眼に、異様な光景が映ってきた。

道路の向う側に植えられている一本の贋アカシヤから、そのすべての枝から、夥しい葉が一斉に離れ落ちているのだ。風は無く、梢の細い枝もすこしも揺れていない。葉の色はまだ緑をとどめている。それなのに、はげしい落葉である。それは、まるで緑いろの驟雨であった。ある期間かかって少しずつ淋しくなってゆく筈の樹木が、一瞬のうちに裸木となってしまおうとしている。地面にはいちめんに緑の葉が散り敷いた。

道子は、彼の視線を辿ってみた。

「まあ、綺麗、といっていいのかしら……。いったい、どうしたのでしょう」

「たぶん、不意に降りた霜のせいだろう」

と彼は答えながら、その言葉を少しも信じようとしない自分の心に気付いていた。

彼は、今夜はなるべく黒っぽい背広に着かえて、隣席の同僚の華燭の宴に出席することにしよう、と物憂く考えた。

披露宴は滞りなく終り、満悦の表情を隠さず示した古田五郎は、新婦を伴って熱海へ発っていった。

　東京駅のプラットホームに取残された山村英夫は、道子という女に向って傾斜している自分の心を見詰めて、暫く佇んでいた。

　彼は街へ出て、映画を一つ観た。その外国映画には、キラリと光る鋭さを地味な色合いの厚い布でおしつつんだような演技を示す女優が主演していた。そのJ・Jという女優が道子に似ていると、彼は以前から思っていた。以前にそのことを彼が告げたとき、道子は、「わたしは誰にも似ていなくていいの。わたしは、わたしだけでいいのです」と言った。その言葉には、昂然とした語調は伴っていなかった。彼は狼狽して、「贅沢を言うなよ。J・Jぐらいで我慢して置きなさい」と笑いに誤魔化そうとしたのであったが。

　映画館から出て、しばらく一人で酒を飲んでいたが、やがて彼の足は、あの道子の棲んでいる、原色の色彩が盛り上り溢れている地帯へと向いていた。

　午後十時、彼が道子の娼家へ着いたとき、彼女の姿は見えなかった。呼んでもらうと、暫くして横の衝立（ついたて）の陰から道子の顔があらわれた。

　軀は衝立のうしろに隠れ、斜にのぞかせた顔と、衝立を摑んだ両手の指だけが彼の眼に映った。ちらりと露（あらわ）れた片方の肩からは、慌てて羽織った寝巻がずり落ちそうになっていた。

　道子は、囁くような声で言った。

「いま、時間のお客さんが上っているの。四十分ほど散歩してきて、お願い」

それから彼の顔をじっと見詰めて、曖昧な笑いを漂わせながら、

「ほんとうは、今夜は具合が悪いんだけど。わたし、疲れてしまったの。さっき、自動車で乗りつけてきた人が、ホテルへ行こうというの。初めての人だったけど、面白半分、行ってみたらねえ……、とっても疲れちゃったの。だって、あなたがくるとは思わなかったんですもの。今朝、お別れしたばかりだったから」

この四十分間の散歩ほど、彼のいわゆる「衛生」に悪いものはなかった。

縄のれんの下った簡易食堂風の店に入って、彼はコップ酒と茹でた蟹を注文し、そこで時間を消そうとした。しかし、蟹の脚を折りとって杉箸で肉をほじくり出しているうち、自分の心に消しがたい嫉妬が動いているのを、彼は鮮明に感じてしまった。

それは明らかに、道子という女を独占できないために生じたものだった。道子を所有してゆく数多くの男たち。彼女の淑かな身のこなしと知的な容貌から、金にこだわらぬ馴染客も多いそうだ。

娼婦の町の女にたいして、この種の嫉妬を起すほど馬鹿げたことはない。それらは当然の事柄として、女に付随しているものなのだ。理性ではそう納得しながらも、嫉妬の感情はすでに動かし難く彼の心に喰い入っていた。

この場に及んでも、彼はその感情を、なるべく器用に処理することを試みた。「嫉妬を

飼い馴らして友達にすれば、それは色ごとにとってこの上ない刺戟物になるではないか」

　二杯目の酒を注文した彼は、寛大な心持になろうとして、次のような架空の情景を思い浮べた。……それは、道子に馴染んだ男が数人集って、酒を酌みかわしているのである。

「いや、なんとも、あの妓（こ）はいい女でして」「まったくお説のとおりで、これをご縁にひとつ末長くおつき合い願いたいもので、ハッハッハ」……そんな馬鹿げたことを空想している彼の脳裏に、ぽっかり古田五郎の顔が浮び上った。

　いま、彼の頭のなかで響いた「ハッハッハ」という笑い声は、古田五郎が商取引のとき連発する笑い声の抑揚であったからである。

「あの男なら、やり兼ねないことだ」と考えると同時に、彼の心象の宴会の風景は、みるみるうちに不快な色を帯びはじめた。

　酔いは彼の全身にまわっていた。

　捥（もぎ）られ、折られた蟹の脚が、皿のまわりに、ニス塗りの食卓の上に散らばっていた。脚の肉をつつく力に手応えがないことに気付いたとき、彼は杉箸が二つに折れかかっていることを知った。


『文學界』（昭和29年2月号、文藝春秋）初出

抹香町

川崎長太郎

川上竹六も、既に五十歳であった。

父親は十五年前、母親の方は六年前に亡くなって居り、弟がひとりあるだけで、女房子供なしの独身者である。

このところ、十余年、屋根もぐるりもトタン一式の、吹き降りの日には、寝ている顔に、雨水のかかるような物置小舎に暮し、いまだに、ビール箱を机代りに、読んだり書いたりしている。終戦後の、出版インフレなどで、竹六のチビ筆も、彼一人の口すぎには、どうにかことかかぬ程度のものは稼げてきたようである。戦争中、軍徴用(ちょうよう)にひっぱられ、人足として、どぶ掃除から、こやし上げまでさせられた覚えもある身状の彼には、好きなことを、好きなように書いて、それで兎に角食って行けるということは、有難涙にむせんでもいい位であった。神よ、わがつたなき文運を護らせ給え、と、そんな虫のいい文句の、口をついて出る場合も、間々ないではなかった。

粗衣にも、粗食にも、馴れっこの、貧乏ダコが十分かたまって居り、定量配給の食パンに味噌をつけ、そいつを、近所の漁師の家から、度び毎貰ってくる茶で流しこんだり、どこからか手に入れてくる、外食券をもって、食堂へ出かけ、汁に魚のアラ煮などついている、丼めしをかっこんだりするような平生にも、さのみ不足がましい顔をしない。

着るものとて、寒い折は、ジャンパーに、自分で覚束ない針を運んだ、つぎの当っているズボン、夏場には、徴用免除の際、背負ってきたワイシャツに半ズボン、といったいでたちで、かぶり古した戦闘帽をのっけ、東京へたまに、用達しがてら赴く場合にも、兵隊靴か下駄を突っかける位のことである。袖のついたものは、たたんだり、洗濯したりするのが面倒とあり、年に二三度、手を通すか通さないかである。又火種を貰ってきて、火をおこすのも手数と称し、真冬でも、火鉢ひとつ置かないで過ごしてしまう永年の習慣であるが、とるとしで、これには少々まいっているらしい。

白毛は、さほどではない。しかし、上歯下歯とも、半分以上、もう抜けてしまっていた。顔に、シミがふえるかわり、老眼の方は進んで、眼鏡をかけても、思うように、針目度に糸の通らないような時が出来てきていた。十三貫弱、五尺一寸の小男で、がかえのないところから、それほど目立つわけではないにしても、関節のこわばりは、進退動作の間にも読みとれそうであった。みたところ、血色は悪くなし、別にこれといった病気もないようであるが、竹六本人は、親譲りの中気が、いつ吾が身を見舞うか、それを寝ても、さめても恐れていた。予防法として、さしづめ、酒を絶って居り、すすめられ、二三杯やると、後頭部の一部がしこってくるのである。これを手近な、不吉な徴候と見做し、煙草、コーヒー、肉類その他禁物とされているものは、出来るだけ差控え、好きな入浴にも、冷や冷やしながら、足を入れるという塩梅で、実に味気ないようであった。

血行を、よくする為め、中気には、一番いいといわれる運動として、竹六は午前中、雨の降らない限り、外をほつき歩くことを日課としていた。ところ嫌わず歩き廻るのである。町中の大通り、裏通り、近在の田圃、丘、海岸、海沿いの路、鼻の向いた方角に歩いて行くのであるが、生来、蛇の嫌いな小心者は、暑い時は海より、寒さに向っては山よりと、そのコースを換えるようであった。気にいったところを、勝手気儘にとおり過ぎる心持ちは、一寸たとえようがないようであった。東京にいた当時も、よく出歩く癖があり、口の悪い友人から「散歩人」などという異名のつけられていた彼として、いわば魚が水にかえったような工合でもあった。町人や、何かのうしろ指も頓着するどころか、飴玉や時にはふかし芋など頬張りながら、場末の大通りなどふらふら歩いている時に限って、生き甲斐を覚える、といったふうであった。この点から、一日中の時間を、自由に使い分けられる、文筆稼業の有難味が思い知られたり、身軽な独身者のみょうりということも、沁々頭にくるようであった。したが、ひとつは、その為めにしている、病気のことに気がつくと、自然、出る足幅も縮みがちになるのを、如何ともなしがたかった。それに、中気になるならないは別として、いずれ先の知れた寿命、又生身の体の、いつどんな病気に襲われるか、という心配、冬でも、火の気ひとつない小舎の中では、いったん病みついた身柄を横たえるべくもない筈で、その時は、近くに居、先祖代々の位牌も預っている弟の家へ、ころがりこむしか手がないようであった。兄弟の間に、そのへんの了解は成り立っている、という条、そんな場合は、想像するだに、あまりいい気持のするものではないらしかった。頃合いを見はからい、自殺でもしてのけるのが、後腐れのない、一番の上分別、と思い詰めることも、屡々(しばしば)であり、パンをきったりする菜切ぼうちょうの刃が、不気味に光る瞬間もないではなかった。しかし、まだまだ、死ぬのもいやのようであった。では、何の張合い、未練あって生きていたいのか、ときかれれば、第一骨肉のひっかかりのない上に、五十年の、日蔭臭(くさ)い生存を経ている竹六として、その返答も渋りがちであった。生きるということは、苦労の方が多いから、それだけ損、と考えるような哲学を、いつとなし心得ている人間でもあった。

祖父母、父母から、十歳の折まで、一粒種として、我儘一杯に育てられた竹六は、それがかえって一生の仇ともなっていた。ひとみしりが強く、変屈で、強情で、根は内気で、甘ちゃんで、いくつになっても、世馴れた、角のとれた、如才ない、大人というものになりきれない、人となりのようであった。世間を嫌い、ひとづき合いを憚(はば)かり、万事に引込思案であり、物欲も、肝心の文才にも乏しい彼では、つまるところ、赤い畳が二枚敷いてあるだけの、小舎より外に、恰好な住み場所のない境涯を余儀なくされたのも、当然な成行きであった。軍徴用に行き、見ず知らずの他人の中で、二年近く、もまれぬいてきてからというものは、余計その性癖に甲羅が重なり、気心のしれた、古くからの友達を訪ねることも余りせず、ささやかな竹六の文名でも、田舎町では珍しいわけで、いろいろな会合へ、ひっぱり出そうとして水を向けるが、これ等は避けるようにし、土地の文学青年の来訪も、日をふるに従い、段々少なくなる模様で、それを却ってわずらいが少なくて済む、と、白眼がちの痩我慢で納って居り、近所づきあいはじめ、一人きりの弟とも、用の外、あまりうちとけた話はしない。東京へ出ても、そのでんで、時に雑誌社一軒位に寄るかして、あとは昔歩きつけた上野や、隅田川べりの焼け跡をぶらつき、あかりのつき出した、銀座の裏通りでのこりの時間をつぶし、外食券食堂で腹をこしらえ、帰りの汽車に乗りこんだりするような足どりであった。

そんな男でいて性得、女の嫌いなたちでないどころか、致命的といっていい位の二本ン棒である。竹六の、二十年間にわたる文筆生活にしては、嘘のように少ない作品であるが、その多くは、彼と女との、愚にもつかぬいきさつを扱ったものであった。それでいて、女と同棲した経験は、あとにも先にも、僅か一年足らずであり、東京でもそうだったように、故郷にあっても、女共の多くいる食堂に、毎日現われ、都合のつく限り、町はずれの魔窟へも足を運んでいた。それが、終戦後は、人がかわったように、女をはりに出かけたり、買いに行ったりすることまで、ぱったりなくなってしまっていた。歩きながら、路々見る、山の景色、海のいろ、四季の花、陽をあびて並ぶ路ばたのごろた石の方が、余ほど風情あり、心にうつるかのようであった。と、しても、眼は当人とは別ものの如く、若い女をみれば、やはりさそわれるようであった。かれかけた泉が、ポタリポタリ滴を落すように、独り寝の床で、知らない女や、見覚えのある映画女優等夢にみて、情を催すことも時たまあった。それを竹六は「この方が、芸術的だ」などと、臆面(おくめん)もなくたわけたことを、ひとに洩らしたりした。

外を歩くだけでは、締めつけるような、退屈、寂莫、空虚がこぐらかった、切ない胸苦しさの始末がつかない、ある日のことであった。

「抹香町」へでも行ったら、多少気が変るかも知れないと、酒を絶っている竹六は本当に久しぶり、その方角を目ざした。九月なかばの、どんより曇った、風のない、いやに蒸し蒸しする午後五時頃であった。

昔、田圃であった一廓(いっかく)には、トタン屋根の平屋ばかり、三四十軒ごみごみ並んで居り、一間道路や、三尺路地には、ちらほら、ひやかし客など歩いていた。家々の入口や、門のように柱のたったあたり、うちわもった女達が、しゃがんだり、立ったりして、蓮っぱな声を散らしていた。終戦前と、さして変っていない、横文字の小さな看板を、申し訳のようにくっつけているだけが目新しいような店先を、竹六はむさぼるような、遠慮のない目つきでみて行った。電気で縮らせた頭髪、塗りたくった、胸のむかつくような脂粉の顔、和服、洋服とまちまちだが、どれも安っぽく、あくどく、けばけばしいそんな、なりや、化粧によくはまっている、野卑な丈夫そうなみだらがましい女達。同情より、いっそ頑な反撥を覚え、消毒液の匂いまで、段々鼻についてき、竹六は吐気を催すような気分になった。何か、もの欲しげに迷いこんだ、自分の酔狂もいまいましくなり、ついでに、いいとししながら、アロハシャツの青年などと一緒に、路地をまごまごしている己の姿が、みじめっぽいもののように写ってきた。しかし、両脚は、彼の思惑や、顰めッ面と関係なく、次から次へと廻って行くのである。

まだ、あかるいのに、往来にしゃがんで、四五人かたまり、線香花火をしている女もあった。和服の下駄ばきで、相手の肩先を抱き、セメントの路面を床がわり、覚束ないステップを踏んでいる一組もみえた。

路が十文字になり、ふと右手に眼をやると、そり返った四分板塀の傍に立つ女が、竹六の注意をひいた。女は、旧式な腹掛けをし、半股引に地下足袋という、百姓とも、人足ともつかない小柄な六十爺の、一杯機嫌と覚しい、皺だらけの赫ら顔に、鼻を押しつけるようにして、何か話しのうけ答えしている。爺さんは、まっ黒い大きな手に、アイス・キャンデー三四本摑み、時々そいつをしゃぶりながら、大口あいて、悦にいったようにしゃべりたてている。それに、一々うなずいてみせる女のもの腰は、親身なものとそうしているような、いともねんごろな有様であった。

近くを、ひと廻りし、ひき返してくると、今度はその女一人、店の入口の、門柱の前に、ぽつんと立っていた。

黒い、艶々した水髪を、無造作に撫でつけ、房々と肩へかかっていた。典型的な瓜実顔で、鼻すじがすっと高く、大きくも小さくもない、切れ長の眼が、重く落ちつき、紅の口もともしまりがよく、薄化粧の下には、羽二重のようにすっきりした地肌がすけてみえた。四肢のつまり気味な、胴ながのかたぶとりといった体に、粗末な着崩れした浅黄色の上衣、腰巻ぜんとしたずんどうのスカート、素足に安下駄を穿いて、としの頃、二十歳を二つ三つ過ぎたふうであった。スカートから、はみ出している、ほっそりした牛乳色の、すねふくらはぎまで、さもしげに眺めてから、

「上ろう。」

竹六は、としらしい、つぶれたような太い声を出した。内心、意外な掘り出しものに、面喰った形でもあった。

「え。」

女は、眼だけ細くし、だまって、竹六の先きになった。ワイシャツに、半ズボン、チビた下駄を突っかけた竹六は、自分とそう背丈けの違わない腰の肉づきもゆたかな女の、あとから玄関に這入り、四坪ほどのたたきに、縁台や、口のかけた花瓶まで置いてあるとこ

ろへ足を入れた。

女は、上りはなから、三尺幅の廊下に立って、竹六を眼で呼んだ。行儀よく並ぶ、女の履物近くに、下駄をぬぎ、どっこいショ、というふうに、竹六は上りこんだ。

廊下の突き当りには、建てつけの悪い、ガラス障子が並んで居り、しおれたような木の緑が、二三本、中庭みたいなところに立っているのがのぞかれた。突き当って、左側には、廊下に沿って、三つばかり部屋が続き、かび臭い、紙障子がひっそりとしていた。右側はすぐ、骨のところどころ丸出しになっている襖で、女は襖をギッと音させ、あけた部屋の中へ、吸いこまれるようにして行った。竹六も、そのあとを追い、ひょいと、襖の手前から、鍵の手に曲っている廊下に目をやると、鉄のへっつい、真鍮のたがのはまったおひつ、ジャガ芋の山盛になっている笊などが片寄せてある板の間から、水道口や流し場まで、はすかいにみえた。

三畳の、細長い部屋には、よごれたシイツをした布団に、手拭でくるんだ坊主枕が、二つ控えていた。まわりは、押入れひとつない煤けた壁で、天井も低く、北側にだけ、曇りガラスの障子が二枚はまっていた。

掛け釘に、女のものらしい、棒縞の単衣がぶら下がり、それと並んで、口を紐でしめくくる小さな袋が吊してある。一日中、ひのあたりそうもない部屋には、唐紙一重隣りの板の間の匂いでもしみとおって居そうであった。

竹六は、布団のはしへ足をかけるより先、

「あすこをあけないか。」

と、顔つきでその方を示した。女は、しっとりしたもの腰で、北側の障子を引きよせる
と、目隠しのように、洗濯ものが立ち塞がった。

「ア、疲れたッ。」

そんなに云って、竹六は床の上へ長くなり、尖った眼で、天井をみやり、ぐったりして
しまったような恰好である。

「疲れますわね。」

女は、彼の頭近くに、膝頭(ひざがしら)を突き、鷹揚な、いたわり加減の言葉であった。

「あなた、煙草をおすいになる?」

「ああ。」

きいて、女は立ち、小さな袋から一本巻煙草をつまみだし音なしい歩きつきで、部屋を
出て行き、間もなく、火のついたものを手にもったなり帰ってきて、今度はちゃんとした
坐り方で、竹六に煙草を渡した。

「やあ、ありがとう。」

安煙草の味いは、殊の外のものの如く、彼は、ゆっくりそれをすい始めた。

「お金。」

女は、眼で笑って、それを云った。竹六はズボンのポケットから大きな紙幣を二枚ひっぱり出し、

「これでいいの？」

「ええ。」

と、うけとってから、女は切れ長の眼を、今度は駄々ッ子が菓子でもねだるように心持ち高びしゃな調子で、

「お小使。」

竹六は、前より小さい紙幣を二枚出してみせた。

ニコッと、うなずきながら、それをとると、女は立って、部屋を出て行く、暫くして帰ってくると、スカートをぬぎ、上衣はそのまま、会釈しながら、彼と並んで横になり、坊主枕に房々した髪をあてがい、唐草模様のしてある、薄い掛布団をひっぱり寄せた。

二人は、少しの間、硬くなっていた。遠くから、豆腐屋のラッパの音など、かすかにしてきた。

「君は、ずっとここにいるの。」

「いいえ、つい、半月ばかり前から。」

「その前は？」

「お婆さんのとこにいたの。」

「じゃ、こんなところにいるのは初めてなんだね。」

「ええ。」

「道理で、一寸様子が違うと思った。」

竹六は、改めて、鼻すじや、化粧していない細い頸の、まだ、そう手垢のついていない、涼しげな肌色に、すいつくような眼をよせた。知らず、彼の左腕は、女の撫肩の下へのびるようであった。

「お婆さんのところから、どうしてこんなところにきたの?」

「それは――」

女は、しさいあり気に口ごもり、円味のある頤をゆすってみせた。

「お父さんや、お母さんは居ないの?」

「ええ。両方とも。わたし、お父さんの顔も、お母さんの顔も知らず、お婆さんに育てられたの。」

「ほう。小説みたいだね。」

「お婆さんの家の近くに、ひとり姉さんが居ます。」

「うん――君の名は?」

「松ちゃん。フ、フッ。」

「松ちゃん? で、お婆さんの家は、どこなの。遠くなの?」

「富士の裾野の、西形というところ。」

「静岡県（隣県）の？」

「そう。富士駅から五里ばかり山よりなの。富士川を渡し船で渡って行くの。まわりは、蜜柑畑に、お茶畑ばかりだけど、迚も景色のいいところなの。」

「富士川を渡しで渡ってね。お婆さんのとこは、何しているの？」

「お百姓。」

「君は、そこで生れたの？」

「いいえ、大阪」

「ふーん。」

尋常一様でなさそうな、女の生い立ちが、強く竹六の好奇心をそそり、端麗ともいえる、その横顔をまじまじ見直すようであった。

「あと、半月位すると、姉さんが迎えにくることになっているの。」

女は、ぽつんと、問わず語りであった。

「半月位すると？」

「そう。」

竹六は、ぐっと、息をのむようであった。二人の枕もとから、二間と離れていない店先で、ガヤガヤした若い者達の騒ぎもしてきた。

「君は、こういうところへ居る女じゃないんだな。——君が居なくなったら、ひとつ、西形というところを尋ねて行こうかな。」

「ええ。」

「何か、土産ものでもさげ、渡し船にのっかって。面白いな。」

「ええ。きて頂戴。お土産もの貰えれば、お婆さん、喜ぶわ。」

「行こうかな。君は、逢ってくれるね。」

「ええ。」

「君の苗字は。」

「朝日奈。」

「朝日奈。——富士の裾野には、ゆかりのありそうな姓名だな。」

店先の騒ぎは続いているようであった。

「尋ねて行こう。きっと尋ねて行く。」

永い間探し求め、九分九厘まで諦めていた「青い鳥」を、思わぬところで、やっと見つけた、とでも云いたそうに、竹六は見境なくたいへんなのぼせ方であった。やせた、皺っぽいその顔が、火のようにほてり、小さな眼は、憑き者がついたように、あやしくすわってしまっていた。

「君は、行けば、間違いなく、逢ってくれるといったけど、その証拠を何か。」

「大丈夫よ。」

「いや、口約束だけじゃ心細い。その証拠を。」

「そんなもの、わたし。」

「何かないかなあ。たしかに君のものだというもの。君のそうだ、髪の毛でも。」

「そんな──」

蛇の如く、巻きついてくる男の腕に、息がつまりそうになり、女はしきりに、ふくらんだ胸のあたりを波打たせた。

「髪の毛がいい。髪の毛がいやなら、髪にさす、ピンでも、何んでもいい。俺は、それを持って尋ねて行く。ピンでもいい。あるだろう。」

「ありません。そんなもの──」

女は、かすかな慄(ふる)えをみせる声を立て、顔色のなくなった顔を、強いて竹六からそむけようと、のけぞるように、体を突っぱらせた。

「いや、ないことがあるものか。ね。おくれよ。おくれよ。」

向う向きになった女に、からみつくような姿勢の、口を相手の頬に押しつけ、竹六ははげしい息づかいであった。

と、襖の向うで、女の名を呼ぶ声がした。竹六は、幾分、我に返ったように、両腕の力をゆるめた。女は、床を出、大して取り乱したふうでもなく、散らかった水髪に手をやり、それをなおしながら、ゆっくり部屋を出て行った。襖の向うで、一寸の間、女同志の話し声がし、すぐ部屋に這入ってきた、上衣にパンツひとつの女の、雛人形のような瓜実顔は、石のように重く硬ばり、その眼はすっかり乾ききっていた。

襖のそばに突っ立ち、竹六をねめつけるように見下し、名ざしにきた客でもあるらしく、

「帰ってッ！」

と、ひとこと、まるで狂犬でも追いこくるような見幕である。苦しげに、ひきつる、竹六の顔から、女はじッと眼をそらさず、

「又きてッ。」

と、更にひと鞭というところであった。半ズボンを、はいたなりでいた竹六は、いきなり、床から起き上った。そして、バラバラになったものを、つなぎ合せるような手つきで、着ているものの恰好を改め、ようやく自分をとり戻したかのような、ぎこちない足どりで、しょんぼりと、部屋を出て行った。女は、ものを云わず、上りはなまで、送り出した。

中一日置くと、竹六は、表面ケロリとしたような顔をし、「松」という女を買いに行っていた。

前日の、ああしたことは、もう云わない、と、自分から取消しにし、上ってみると、先方もさのみこだわりもなく、商売に不馴れな女は、床のことなど、まるでのみこんでいな

いとしか思えない稚拙さで、それでいて、竹六も顔負け、といったようなところを持っていた。

　彼の足が、三四日遠のいたある夜、いつも早寝の彼は、「松」という女を、夢にみたようで眼がさめた。一度出た女の映像は、中々に消えそうでなく、これにうなされるといった塩梅で、迚もそのまま眠りにくいようであった。彼は、二畳の居どころ一杯になっている、ぼろ布団からはい出し、裸電燈をひねり、カーキ色の上衣に、ペラペラなズボンと、軍徴用以来の支度をし、ビール箱の机の上の、ハッピーをとって、ポケットに押しこみ、雑誌を送ってくる時の袋の中から、大きな紙幣を鷲掴みして、スイッチを又ひねった。すっかり、暗くなった小舎の、梯子段をあぶなかしい腰つきで降り、外へ出ると、防波堤ひとつ向うの、海から吹いてくる、あるかなきかの風に、秋冷を覚えるようであった。

「性欲は困る。」

「全く困るなあ。」

と、誰に云うともなし、そんな口こごとを、ぶつぶつ噛みながら、大通りの方へ歩いて行った。間もなく、かれきるのは目にみえているものを、そうと知らず、持てあまし気味な五十男であった。

　大通りには、ところどころ、電燈がぼんやりついているだけで、人ッ子一人通っていなかった。時計というものを、生れてこの方、もったためしのない彼には、深夜の独り歩きは、気味のよいものではなかった。急ぎ脚になり、大通りから横丁、又大通りに出た。客のまるきり見えない、大型の新しいバスとすれ違ってから、少し行くと、向うに交番の赤い電燈が光っていた。

その前を、避けるように、竹六は路地に這入り、寺の門前に出、いくらか幅のある路について、どぶ川の橋を渡ると、平屋ばかりごみごみ並ぶ一廓であった。

ここも、水をうったようにひっそりして居り、人影ひとつなく、どこの店も戸をしめ、うろついているのは、宿なし犬位のものであった。

白茶けた、四分板塀のある、女の家の、ちゃちな門も、ぴっしりしまっていた。塀についてそこが台所口になっている、くぐり戸に手をかけたが、ちゃんと鍵がかかっている模様である。彼は戸をたたき始めた。暫くすると、中から、

「どなたですか。」

と、かすれたような、低い声である。「松」という女のようでもあるし、又そうでないようであった。何んと、名乗っていいか、見当もつかず、根が内気な竹六は、だまって、あっけなく、くぐり戸の前から、消えてしまうのであった。

それから、三四日して、宵のうち行ってみると、女は姉が引取りにき、それと一緒に静岡県へ帰った由を、仲間の女がつたえた。調子のついたその足で、竹六は別の家の女を買い、邪魔ものでも、捨ててきた面持ちであった。富士川の渡しに乗るなどは、とんだ骨折

り損といったようなしらけた気色であった。「抹香町」へ、ぴたり彼の足がとまり、前にまして、午前中の日課が、かけ替えないものになった。

段々畑に、蜜柑が色づくにつれ、嫌な虫の出る心配もなくなり、南は海、西から東へ、屏風のように聳える山々、それらを一望する丘の細路など、竹六は毎日、登ったり下ったりしていた。木の根ッこの並ぶ菜畑を眺めて、ふっと俳句のようなものを胸に浮べることがあり、蜜柑畑に忍び入り、たわわな枝先へ、手をのばすようなまねもした。

そんなに、のんきそうに、身も世も忘れたつもりでも、いったん、中気のこと、病んでだらしのないものになってしまってからの体の処置、チビた筆にすがって食って行く心づかいその他、あれこれ数えたてれば、照る日も俄かに曇るようであった。無論、彼とて、太平無事な時代に生きていた人間でもない筈であった。

その時は、その時と、気をはり、先々のことはなるべくみない振りして、まずもって健康第一、そんなポスターにでもある文句に忠実に、彼は散歩の脚をのばし続けた。

木々の紅葉が、はえる季節になっていった。

小春日のある夜は、映画女優や「松」と云った女の代役みたい、先年亡くなった母親が、ひとり寝の夢に現われ、ふっくらした、白い胸もとへ、竹六を抱き寄せ、何ごとか囁いたりするのであった。

『別冊文藝春秋』（昭和25年3月、文藝春秋）初出

対談 灯火(ともしび)は消えても

川崎長太郎×吉行淳之介

記者　この間ある漁業会社の重役さんに聞いたんですが、遠洋漁業に出ていると漁夫は性的な飢餓状態におちいる。それで寄港地では船が入ってくると、婦女子に夜間外出をしないで下さいというような貼り紙を出すんだそうです。海上労働者の人達は全然知らないことで、知ったら怒るだろうという話でした。それから、今は設備の整った施設がないためにいい加減な所へ泊ってしまうので、病気になる人が非常に多いのだそうです。そこで大急ぎでペニシリンを手配して、ヘリコプターで船に運ばせているというような話も聞いたのですが、そんなことから、漁業会社なんかではむしろ赤線要望論みたいなものがあるようですね。

川崎　その寄港地は具体的に名前を挙げませんでしたか。

記者　北洋関係の会社ですから函館とか青森のどことかいうような所だろうと思います。

川崎　小田原あたりでも、今サンマとか何かの漁で北海道とかオホーック海近くに行っているようですネ。一ぺん小田原を出ると、やはり三月か半年くらいしないと帰ってきませんネ。薪炭とともにそっちの用も寄港地で足しているわけでしょうナ。

吉行　今ではどんな漁船でも、すぐ赤道くらいまで行くでしょう。それで十日なり一月なりしないと帰ってこない。近藤啓太郎が千葉県の鴨川にいるのですが、あそこでもやっぱりそういう婦女暴行が、今はどうか知らないが、赤線廃止になった頃ふえたそうですよ。それがいわば通説でしょうネ。

記者　漁港に限られたことではなく、都会地でも婦女暴行は増加しているんでしょう。

吉行　しかし全然遊廓などへ行かないタイプというのは、もとからありましたよ。それでしろうとに悪いことをするというのがネ。遊廓へ行っていたタイプの男というのは比較的善良な男でね。恥しがって口説けなかったりしてネ。そういう連中ですよ。

川崎　その方が純情派かもしれないナ。

吉行　だから今の全学連のデモのエネルギーは赤線廃止の影響だという公式的な言い方には賛成できない。善良なやつが苦しんでいるわけですよ、われわれのようなネ。

記者　川崎さんもその善良派の一人で……。

川崎　善良（?）ですけど、もう爺ィになりましたからネ。抹香町がなくなりましてネ、その後女買いをしてないです。なくなって、去年一ぱいですネ、東京から半玄人の人が月に一ぺんとか二月に一ぺんとか現われまして小説にも書いておきましたけど、一晩泊ってあしたの朝戻っていく。それで調節がとれていましてネ。その人が来なくなってからはさっぱりです。……赤線がなくなっても、それは小田原にだって非合法なものはあるわけなんで。ある場所も、どういう手づるでわたりをつけるかも知っていますが、ちょっとめんどくさくなっちゃったんですネ。どうもやっぱりこう億劫（おっくう）でしてネ。又何となく肩身が狭くなっちゃったような気もしてネ。出すものは出すにしろ何か負担を感じましてネ。そのくらいなら我慢しちまえという……やっぱりそれは年ですかネ。抑制可能なんですネ。ずっと抑制しているわけですがネ。

記者　しかしやっぱり懐しいというか……。

川崎　それは、上るにしろひやかしにしろ、あった方が、散歩のついでにあの一角を徘徊するだけでもおもしろいですネ。

吉行　今、抹香町はどうなっていますか。旅館か何かになっているんですか。

川崎　旅館が半分、それからアパートになっているのもありますネ。

吉行　普通の人が住んでいるんですか。

川崎　ええ。それで割に高く貸しているそうですよ。六畳一間三千円から四千円、これは、借り手があるそうです。旅館は素泊りで二百五十円から三百円。しかしこれは元が元だというので客足が遠いし、駅からも離れているし、街道筋からも引っ込んだ所ですからネ、素泊りが殆んどないらしくて、ちょっと苦しいらしい。でもやっぱりよく聞いてみると、ためこんじゃっているらしいのだナ。廃止になるのを見越したわけでもないのでしょうけどネ、相当あくどいやり方でためこんだ店は町中へ飲み屋を出しているとか、喫茶店を経営するとか、そういうふうに手足を伸ばしているのも相当あるんですネ。中には非常に困っていて、どうしようかとでかい家だけを持てあましてる人もいるらしいですけど、大体はやっぱり流行っているうちにためこんでというあれで、女どもの方が割が悪いわけです。経営者側より結局女どもの方が割が悪いという結果になっているんじゃないですかナ。

吉行　鳩の町で僕が仲よくしていたおやじというのは、区会議員か何かになりましたネ。仏様みたいなポーズしていたわけです。今ポリエチレンの加工業にかわりましたネ。……この前、安岡と話していたら、安岡が戦前の玉の井を知っているんですョ。川崎さんはあれですか、戦前はずっとやっぱり玉の井…。

川崎　三十七の時に小田原へ引っ込みましたけど、それまではずっと東京にいたわけで、遊廓はあまり知らなかったですネ、玉の井が多かったですネ。

吉行　抹香町というのはそのころからございましたか。

川崎　ええ、小田原にずっと元からあった。

吉行　あれは実際の名前ですか、抹香町。

川崎　新玉(あらたま)とか新開地とか言ってますがネ、しかし旧幕時代の地名ですと抹香町だったんです。昔、刑人の首を刎(は)ねた刑場で、刑人の供養で線香をあげるという意味で抹香町。

記者　それは戦後も……。

川崎　私なんかは古い人間ですから抹香町々々と呼び習わしているんですが、抹香町で通用する人もあるし、若い者は新開地とか新玉とか言っています。新玉三丁目となっていますが、明治で町名が変りましたから。

吉行　処刑地で、そこへ住む人がいないので、私娼窟を作ったんですナ。

川崎　ええ、明治初年は不毛地だったんですネ。水がじゅくじゅくわいていて、田にも畑にもならない。罪人の血がしみ込んでいるというのではっぽり出されていたんですネ。大正の末頃から、私娼がぼつぼつ素人家に現われる。障子のすき間から女の子が招くという……。それがだんだんふえてきて、風紀上おもしろくない。私娼は昔の刑場の跡へかたまれと云う訳です。替地みたいなものですネ、それで一角をなして、発展しちゃったんですネ。前からあった遊廓の方は没落し、新興勢力がとってかわりまして、ずっと廃止になるまで栄えていた。タイル張りの風呂もでき、テレビも据えつけ、やめた後も急に路頭に迷わなくてもいいほど、経営者ためこんじゃった。流行ったんですネ。

○

記者　吉行さん、玉の井は知らないとおっしゃってましたけど……。

吉行　戦後の玉の井は知っていますョ。ただ場所が移動しているから。鳩の町が玉の井よりちょっと南に出来まして、新しい玉の井はちょっと北の方にできたわけですよ。玉の井元の場所じゃないのです、戦後は。玉の井の玉ちゃんというのがいて、通ったことがあったな。駅まで送ってきてくれたりして、よかったですナ。(笑)僕は川崎さんの作品はほとんど逃がさず読んでいるのだけど、あそこへ出てくる抹香町の女の人ですネ、あれはその後全然消息は不明ですか。

川崎　最後につきあった人は三四年くらいになりますネ、ずっとその人一人とつきあっていた。老娼婦、四十五、六の人ですネ。その人は廃止直前ちょっとした物持ちのおやじにひかされて小田原うちにいるということになったのです。女の言うのには、妾宅でなくて前そこの店にいた女が大工のかみさんになって、その大工の家の一間を借りて当分そこにいてみるというような話だったですネ。小さな川ひとつ距(へだ)てた町うちなんです。その近くに防波堤があるんですョ。私はよくそのへんも散歩するんですが、散歩してもちっともその女に会わないんですネ。ちっとも会わないので、どうしたかナと思って、今でも謎みたいになっていますし、ちょっと誇張して言うと、シコリみたいにもなっていますがネ。会わないところを見ると、小田原うちじゃどうも前々のなじみ客やなんかうるさいから、旧なじみを追っ払う意味で、おやじさん在の方の然るべき所へ小さい家でも見つけて囲っているんでしょうネ。村のはずれとか隣り村の引っ込んだ所とか。六十なにがしの、そっちの方は役に立たなくなった爺さんで、茶のみ友達半分、変態性欲半分で、相当しげしげと足は運んでいたらしいです。身代は伜夫婦に譲っているとかいうようなわけでしたが。

記者　しかし結婚生活なんかに入れるのはよほど恵まれた人でしょう。

川崎　それはもう百人に一人、千人に一人でしょうネ。小田原にもいることはいますし、二三人知っています。二十年くらい前、抹香町にいた女が街道筋の農具屋の店にいついて立派なかみさんになっている。やっぱり子供がありませんがネ、ちゃんとかみさんでおさまっていますネ。向うさんも僕を覚えていて、前はちょっと顔そむけていましたが、近頃では僕の顔見ても平気な顔していますがネ。

記者　一たんああいう職業についた人は、どうも正業につけないといわれますが。

川崎　吉行君も「娼婦の部屋」でそれを書いているわけですネ。

吉行　あの子は運の良い方で、親切な旦那がついて、ある喫茶店のレジスターをやっています。もう何年も、その仕事をつづけています。僕がときどき書くでしょう。そうすると電話がかかってきてネ、あの辺でやめといてくれといって。そうすると僕も懐しくなって、何かお土産持って一年に一度くらいか訪ねていく。そうすると非常に貞淑なものでしてネ。僕は偉いと思ったけど、女というのは尽す気持になるとこっちから合せられるというのだナ、セックスの面で。感服して〝婦人の鑑〟じゃないかなと思いましたネ。（笑）

記者　お二人のお話を伺っていますと、うまくいった例ばかりですが……。

川崎　それは逆の方が数でいけば圧倒的に多いわけでしょうナ。

記者　そういう人のことは分らないですか。

川崎　徳田一穂さんの所に玉の井の女が飛び込んできたことがありますネ。玉の井を抜け出して、昔なら廓抜けですネ。一穂さんもそれを助けようというわけでかくまった。玉の井のごろんぼうが何度も徳田邸へ押しかけてきて玄関へ坐り込んだそうです。結局あの人も故郷の青森へ帰りましたが、途中一ぺん玉の井へ舞い戻っているんです。その間の事情はちょっと口では尽せませんが、一ぺん玉の井へ戻って、戻っちゃ一穂さんの立場もありませんから、先生同道でこっちから迎えに行ったりして。結局あの人は実家へ身軽で帰れたんだから運がいい方でしょうが、彼女としては所期の目的は達しなかったわけですネ。一穂さんの女房にというのは欲ばり過ぎるとしても、どこか世話されてつながっていきたいという、そういう意欲はあったのですが、結局実家へ帰っちゃった。振出しへ戻ったわけですネ。振出しへ戻ればいい方で、玉の井の別の女なんか「お前どこの女だ」ときくと「秋田だ」と云う。「お前年をとっているようだけど、この先どうするんだ」と畳みかけますと「私は骨になって故郷へ帰るんだ」と言ってました。骨にならなきゃ秋田には帰れない。そういう成行きが大概の娼婦の場合に当てはまるということじゃないでしょうかナ。当人承知するしないに拘(かか)わらず骨になって生れ故郷に帰るか、養老院へ辿りつくか……。

吉行　骨になって生れ故郷に帰れればまだいいので。ある例は、骨になっても何にも身寄りがないので、持ちものを全部娼家の経営者が売って、その金で骨にして、そのまま骨壷を置いてあるという、その感じに近いのが多いでしょうネ。

川崎　吉行君の言う〃婦人の鑑〃の例もあるけれども、大なり小なり十字架背負っているわけですネ、キザな表現ですけど。

吉行　さっきの話じゃないけど、なかなか抜け切れないですネ。また戻ってきてしまう。元の場所に戻らずに、花園町みたいな所へ行ったのもあったでしょうネ。花園町というのは大体ヒモつきでしたネ。だからちょっと性質が違って、一回抜けて、ヒモがついて、逆にそっちへ売り飛ばされるという形もあったでしょうネ。

○

川崎　娼婦を書いた作家には、僕みたいなのは別として荷風先生という大張本人がいるけれど、徳川時代に当時の私娼を書いたものはあるんですかナ。芸者とか女郎以外に、夜鷹とか、いわゆる青カンですネ。

吉行　それを書いた小説……そう言われればあまり聞かないですネ。西鶴の「五人女」なんていっても、あれは客の遊び方の心得みたいなものですからネ。

川崎　大正期には、宇野さんの「苦の世界」室生さんの「蒼白き巣窟」どちらも私娼が女主人公です。

記者　宇野先生の「子を貸し屋」は十二階下の白ッ首で、志賀直哉の「暗夜行路」にも出てきます。それから荷風の前に下村千秋さんの「天国の記録」というのがありますネ。

川崎　あれは玉の井のことでしたか。あれが一番早かったかナ。昭和になって間もなく、私娼をかいた井東憲という人の「地獄の瘠せ馬」がありました。

記者　それから、葉山嘉樹の「淫売婦」

吉行　倉庫の中でアンペラか何かにくるまっている女の話ですネ。

川崎　あれはちょっと観念的で作りものという感じでしたけど。私娼を扱った小説は案外あるようでないですネ。

吉行　荷風さんのあとは川崎さんですネ。

川崎　いや。（笑）荷風を私は玉の井で度々みかけたんです。で、先生その後「濹東綺譚」でしょう。私は当時同人雑誌へ書いてたんですが、同人雑誌に玉の井のことも書きました。

吉行　川崎さんのあとは……。

記者　八木義徳氏の「運河の女」、あれは横浜の真金町ですか。

川崎　あれは早かったたな。

吉行　戦争直後でしたネ。僕はまだ情痴という感じがよく分らなかったもので、結末が見えすいているのに何でこうまで……と、ちょっといらいらして読んでいた。

川崎　苦情をつければ、何か形容詞がハイカラで、それはありましたけど。そうだ。戦争直後じゃ八木君の一連の「運河の女」ものでしょうナ。

川崎　吉行君なんか「濹東綺譚」を読んでどう感じますか。

吉行　「濹東綺譚」は好きです。

川崎　しかし僕は生意気なことを言うと「羽根をむしられた女」の所に行くのに、先生も「羽根をむしられた男」のような変装していくわけですネ。ほんとはそうでないくせに、化けて行っている。そこに私ら腑におちない面があるんですがネ。私ら抹香町に行くとき、変装だの正装だのというような余裕はなかったですからネ。

吉行　荷風さんのは風物詩と考えています。女でも風物と同じなんですよ。そこに距離がなくなると風物でなくなるので……。だから女はその辺の川とか橋とか樹木と同じの扱いですネ。そういう点じゃたしかに川崎さんのおっしゃるような所はある。

川崎　風物や季節の移り変りで非常に引き立ったものになっている。でも、女とのやりとりが少しきれいごとじゃないかな。

記者　武田麟太郎さんの「大正琴の音がする」という批評があったわけで、あの時代の玉の井の実際はもっとハイカラになっていたでしょう。たとえば、お雪さんのような日本髪の女は殆んどいなくなっていたとか……。

川崎　うん、それもあるし、もっと切迫感もあったわけですからネ。

吉行　灰の中に銅貨を隠したなんて話になってくるとネ。まあ荷風さんは自分の好みだけ抜き出して書いたんでしょう。だから、「濹東綺譚」の末尾は、風物の移りかわり

にたいしての不満ばかり並んでいる。レストランにセルロイドの値段表が出ていると
か……。

川崎　しかし荷風は「腕くらべ」で新橋の芸者が振り出しでしょ。それから「つゆのあとさき」で女給、「日かげの花」で私娼を取り上げ、最後に玉の井に行ったわけですネ。いつも趣味が先に立ったものとは言い条、その荷風の足跡おもしろいですネ。初めは金のかかる新橋芸者を題材にして、だんだん金のかからない所の女に焦点を合していったということが面白いと思うのです。

吉行　刺身を食っているうちにだんだんクサヤの干物が食いたくなるという感じじゃないですかネ。やっぱり趣味ですネ。

川崎　それはどうしても趣味が先立つことでしょうけれど、先生の意図には……。

吉行　それはやはり川崎さんの、笑うときケケケですか、カカカですか、「鳳仙花」でしたか。あの笑いの表現は実に大したものだと思った。

川崎　（テレて横を向く）（笑）

吉行　僕は荷風の戦後の作品で一つの想像をしていて、これは結局どうも外れたらしいのですけど、いつも十枚ほどこれからどうなるというところまで書いて、尻切れトンボでしょう。これはワイ本を書いていて、その枕だけをわざと中央公論などに載せて、バカなやつだと笑っていたんじゃないかと思っていたんですよ。荷風のシニシズムがぴったりでしょう。全部これからというところで終っている。だからあの方が亡くなったら出てくるんじゃないかと思っていたんですよ。そうしたらなかった。

川崎　赤線がなくなってから、赤線まがいの女の人を書いている人、今ありますか。

記者　赤線が終りそうになった頃から芝木好子さんと池田みち子さんが追っかけ始めて、なくなった後のことは池田さんが書いています。

川崎　田村君が何か仲介というかコール・ガールの話を書いているし、結局この系統の小説、当分続いていくでしょうかナ、そういうものが存在している以上は。

吉行　つまり文士のアウトサイダーの気質といいますか、これがどう受け継がれていくかということですネ。

川崎　吉行君なんかも「娼婦の部屋」であaいう巷と落差ができた――落差があるから仕事をしたわけでしょうけど、だんだん落差がひどくなるものかネ。

吉行　僕は文士の疎外者の気質というのはやっぱり受け継がれていくと思うのです。そうすると娼婦はなくなったにしても、何かの形で――売春ということに限っても、それはなくなりっこないのだから、何かの形で書く人が出ると思いますネ。

川崎　あの連中がいなきゃピントが合わない訳ですナ。

記者　さっき忘れていたんですけど、田村泰次郎氏の「肉体の門」、あれはパンパンを書いた小説のはしりで、作品としても傑作だと思いますが。

川崎　そうだ。「濹東綺譚」があって、それから戦後田村君の「肉体の門」

○

川崎　小田原の話になりますが、夜ふけ駅前にポン引きの類いが出ている所もあるそうですネ。

吉行　今はいわゆる秘密売春は非常に入り組

んできていましてネ、必ず後ろに搾取している、直接つながっているヒモがいたり何かするのが分ってるから女に情が移らないナ。店の前に立っていたのは、あれはただ立っているだけですからネ、後ろに何もないわけで。それから手続が複雑になると金も高くなるし。

記者　衛生設備は悪いし、いいところない。(笑)それから今は、アンマとかその道の正規でないものが非常にあるわけでしょう、トルコ風呂とか。

吉行　トルコ風呂なんというのは一番下賤なものですネ、あれはけしからんものですよ。ご存じですか。あれはネ、要するにマスターベーションの設備でしょう。一方的なものですよ。無礼だとしか思えんナ。向うは着衣でいてネ、失礼ですよ。それでそうすれば実に簡単なことで、前の娼婦の何倍もの金を稼いでるでしょう。上品そうな言い方をしているくせに、いきなりムンズとつかんできてネ。それならそれで最初からもっとやさしくすればいいのに。あんなバカな話はない。(笑)

記者　それとか、例のシロシロとかシロクロとか、ショウが非常に流行したでしょう。

吉行　あれは結局スケコマシ――いわゆるやくざの組織の末端にスケコマシというのがいるでしょう。それがその辺からひっかけてきて、僕ちょっと調べたのだけれど、「修業部屋」というのにほおり込んで、監視しなくてもまた元の所へ戻ってくるくらいに仕込んで、やくざの稼ぎの一部としてやらすわけですネ。だからあんなのは、ラジオ体操を見るみたいなものですよ。

記者　この頃は見せものが流行しますが、昂奮の跡始末はどうしてくれるんですか。

吉行　ワンセットといって、頼めばしてくれるでしょう。ただどうせエサの女だから、それはもう全然事務的なものでしょう。

記者　そういう話を伺うと、やっぱり昔の方がいいということになりますか。

吉行　そうですネ。この前安岡と対談やって、結局赤線の女は〝婦人の鑑〟という結論になっちゃいました。

記者　川崎さんを老人扱いするわけじゃありませんが、手続が面倒だと億劫でしょう。

川崎　肩身のせまい思いまでしてネ。やっぱり抹香町とか玉の井に行きつけた習慣ですネ。あれは大っぴらでしたからネ。大手を振らないまでも、蔭でこそこそ小さくなってという恰好はいやですネ。それまでしてもという感じが先に立ちますネ。やっぱり年ですかナ。

吉行　もう一つは、連れてこられたのを断わることはできるけれど、遊ぶということができないでしょう。以前は選択するのに全身全霊の情熱をこめて、ぱっと見る時の感応するかしないかというのに情熱をかけていたでしょう。あの感じがなくなったわけですよ。

川崎　全然受け身になっちゃうわけですか。

吉行　その感じがないから、僕なんか元の二丁目なんか覗いてみる気もしないし……。

川崎　あまり機械的な関係になっちゃったら興がないですね。

吉行　だから僕は感応するまで一里くらい歩いたことがあるナ、ああいう場所をぐるぐる。川崎さんの作品を読んでいると、その感じ、ありますネ。

川崎　うん。——どうも（テレかくしに頭をかく）

（笑）

記者　こういうことを話題にすると一部の読者から道徳論が出てくると思うのですが。

川崎　家庭とそういう関係と両立するかどうかということですか。吉行君なんかの場合は両立していたわけでしょうか。

記者　家庭の婦人なんかは、赤線がなくなって当然喜んでいるわけでしょうネ。

川崎　喜んでいるでしょうネ。

吉行　それはアサハカだから。亭主が道楽者だと、男なら許すというんだ。男娼の方がもっと危険なんですよネ。そういう感じで、つまり素人よりは赤線の方がいいというのももちろんいるはずですよ。赤線の女なら許す。娼婦との間は精神的な交流がないという錯覚を持っているわけです、素人だって交流がない場合だっていくらだってあるのに、あるというふうに浅薄に受け取るわけですよ。だから喜んでばかりもいない人もあるんじゃないですか。

○

記者　川崎さんの作品を拝見しますと、素人の方が相手だった場合もあるわけですね。

川崎　素人の女といっても、私がまともに関係したのは飲み屋の女中さんと名古屋辺の女工さんで、かけ込んできた女みたいな人ですネ。二人とも貧乏人の娘であり、女であるということで、一緒くたにしていましたネ。体臭から云っても素人商売人のけじめがあまりつかなかったですナ。「硬太りの女」というのは私が受身で強姦されたみたいないやな思い出を持っていますけど。

吉行　道徳といったって作家というのは大体自分が一つの宇宙を作って、それを支配しているつもりですからネ、自分の感覚が即ち世界のモラルですよ。だから知っちゃいないですよ、ほかのことは。

川崎　私も初めから娼婦の腹の上を渡って歩くということを終生の方針としてたわけじゃない。ある小説にも書きましたけど、女房に仕事をさせ、私はごろごろしていて、結局別れました。それはこっちが無能なんで、浮気な女を手元にしっかり縛りつけておけなかったわけです。その女と半年ばかり世帯もちました。それからずっと独身という結果になっていますけど、その女となぜ別れたかというと相手の不貞と云うことより、こっちに働きがなかったからだ、貧乏だったからなんですネ。そう思っている貧乏が、情けない話、五十近くまでずっと続いた訳です。働きがないためにその女と別れたんだ。貧乏している以上、女房と云うものを持っちゃいけない。そう自分自身戒め、いわば納得づくで独りできちゃったんですネ。その間、淫売買いで間に合せていました。ふところが多少あたたかになると、としとっちゃって、世帯もつのも一寸手おくれ……。吉行君あたりの場合はちゃんと両方やっているらしい。ここに彼我の落差があるわけだ。

吉行　いや、それはちゃんといっているかどうかは……。

川崎　一応ちゃんとやっている形の中には入りますがネ、葉山君でも下村君でも田村君でも「運河」の八木君でも、失礼なことを言うとここにいらっしゃる吉行君も、一応家庭というものをなしちゃった。私娼小説書いた当座はなくても、後でなしている。こっちもほんとにつなぎのつもりだったが、とうとうつなぎだけの人生みたいな結果になりましたネ。

吉行　僕は逆で、家庭を持ってからです。

川崎　ほう、ちょっとおもしろい問題だナ。

○

吉行　それは、やっぱり、ちゃんとした家庭をなしたという感じがなかったことが一つでしょうネ。もう一つは、とにかくそういう形があるのだから、相手の運命をあまり狂わすことはしたくないという気持がある。そうすると商売女ということになる。もう一つは、僕は素人の女にたいしてはいろんな言っちゃいかんこと一ぱいあってネ。それは言った方がほんとなのに、言っちゃいかんことがたくさんあるので、きらいなんですよ。そういう意味で娼婦というのはほんとのことを言えるし、それが理解してくれるということがありましてネ。もっとも娼婦にもいろいろありますけどネ。それで斯道に研鑽これ努めたということがあるんですネ。（笑）

川崎　吉行君の場合、そういう型の娼婦が一番気に入ったというわけですね。さっきも〝婦人の鑑〟という言葉が出ていたからネ、私のはずっと散文的だナ。そういう意味でつなぎというような結論が出ちゃうようなところがありますが。

吉行　しかしそれにしちゃ、作品の感じからいうと、まだ何かあるようですよ。

川崎　それは精神的なにかのつながりですネ。いわば呼吸の合う瞬間、轍にあぎとうフナのそれみたいなものはある時はありましたネ。若い時からそう云う覚えはありました。それが全然なきゃ、作品にするほどの意味も張り合いも感じなかったわけでしょう。しかし今日、抹香町もなくなり、ああ云う連中を探しに行くのもめんどうだし、肉体上の自信もアヤフヤなんですネ。

記者 中山義秀さんが川崎さんのことを赤線がなくなってお気の毒だと書いておられましたが。

川崎 商売のタネがなくなっちゃって、とネ。

吉行 商売のタネがなくなったから気の毒だというものの考え方はおかしいですネ。僕なんかもそういうふうに言われたことありますよ。

川崎 「お前、書くことなくなっちゃっただろう」私もジカにそういうこと言われたことありますネ。

吉行 要するに、風俗を書いているわけではない。風俗がなくなったって、書く精神に対応するものはありますもの。

川崎 しかし正直なところ、始めに言った半玄人の人もぱったり来なくなりましたし、赤線もなくなって、女買いに行くのもめんど臭くなったとなると、ちょっと女というものが全般的に霞んでしまい、女を書くにも気ぬけがしてしまうようです。これは淋しいことですよ。義秀さんが言うように、抹香町がなくなって、タネ切れはもちろん、人間としてもあっけらかんとしたものになっちゃった。

吉行 まあそうおっしゃらずに。(笑)

川崎 多年馴染んできたああいう型の女と手を握れなくなったということ。こっちの不精もあり臆病もありますけどネ。それで自然と余計女と云うものから縁が切れてしまう。たしかに老衰現象の一面ですよ。血気旺んならうちならじっとしていられるものですか、草の根分けても行くですよ。(笑)やっぱり老衰現象ですネ。しかし無理して芝居ぶってもしょうがないからナ。斎藤実盛のまねなんかみっともねえや。

『風景』(昭和36年2月号、悠々会)初出

報道写真にみる赤線 解説 渡辺豪

赤線とは、戦後のGHQによる公娼廃止から売春防止法が施行された昭和33年までのわずか12年間だけ存在した売春街のこと。戦前の公娼街（遊廓）をルーツに持つ赤線、戦前の私娼街をルーツに持つ赤線の2系統ある。東京では、前者が吉原・新宿・北千住・品川・調布など、後者は玉の井や亀戸などがこれにあたる。本項では、当時の貴重な報道写真をもとに、様々な街景を形成した赤線について、ビジュアルを通して迫ってみたい。

新宿二丁目 昭和戦前期から戦後にかけて、モダンさで並ぶところのなかった娼街。撮影時は娼家68軒。吉行淳之介『驟雨』は当地を舞台にした。道も広々としていて、娼家外観もデコラティブ。（東京都新宿区、昭和24年）

玉の井 新宿二丁目の娼婦が洋装であるのに対して、当地は和装も多い。遊客もラフなノーネクタイ。新宿二丁目と比して娼家が低層で間口の狭いことが分かる。いかにも下町の娼街といった趣。（東京都墨田区、昭和28年）

鳩の街

東京大空襲で焼け出された業者が、戦中に移転して産業戦士向け慰安所を名目に再興した赤線。戦後は進駐軍将兵が訪れ、好景気に沸いた。アーチにはPIGYON STREETの文字も。（東京都墨田区、昭和28年）

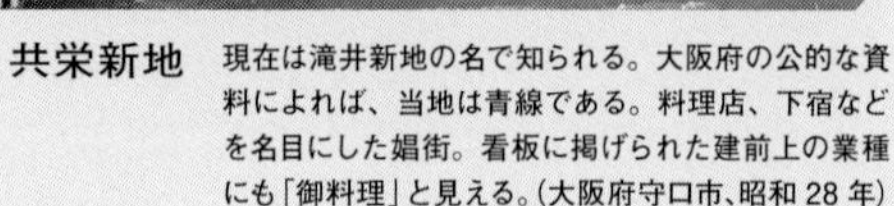

共栄新地

現在は滝井新地の名で知られる。大阪府の公的な資料によれば、当地は青線である。料理店、下宿などを名目にした娼街。看板に掲げられた建前上の業種にも「御料理」と見える。（大阪府守口市、昭和28年）

花の街

同市の郊外には戦前からの公娼街（遊廓）もあったが、宇都宮空襲で焼け出された市街地の私娼街・剣ノ宮が、昭和21年に宇都宮城址の裾地へ移転して再興したのが赤線・花の街。（栃木県宇都宮市、昭和32年）

木ノ江　江戸の北前船時代から続く、瀬戸内海の船上売春・オチョロ船。娼婦らしき二人の女が乗船している。後朝の別れの後だろうか。（広島県豊田郡大崎上島町、昭和 33 年）

浜脇　別府温泉発祥の地とされる浜脇。三階楼が櫛比する通り、「松竹」「東雲」「幸楼」「あけぼの」といったネオンで描かれた屋号､遊客を当て込んだギターとアコーディオンの流し。えもいわれぬ情景となっている。（大分県別府市、昭和 28 年）

松島 明治2年、外国人居留地のため設けられた松島遊廓は、戦前、吉原と比肩する規模を誇った。大阪大空襲で灰燼に帰し、移転して再興。撮影は冬だろうか、コートや羽織を着込んで佇む娼婦は、遊客の途絶えた通りを眺めている。（大阪府大阪市、昭和29年）

飛田
売防法から10年目の飛田。娼家の軒先に暖簾を垂らすスタイルは現在に通じる。いささか閑散としている印象は否めない。画面奥には「トルコ温泉」のタワーも見える。（大阪府大阪市、昭和43年）

吉原 吉原の娼家で起きた娼婦殺人事件を伝える写真。22 歳の娼婦が被害者となった。犯人は 17 歳の少年で、のちに逮捕されている。事件現場となったアールデコ調の特長をよく備えた当娼家は現存している。（東京都台東区、昭和 29 年）

亀戸

戦前は玉の井と比肩した都内最大の私娼街・亀戸。東京大空襲で全焼したのち再興したが、戦前の勢いを取り戻すことはできなかった。うらぶれた様子が伝わる。写る屋号は「玉起」だろうか。（東京都江東区、昭和 28 年）

吉原 輪タクの奥に見えるのは、娼家・八号館。3月の東京大空襲の後、最も早く営業を再開した娼家（野坂昭如『娼婦焼身』参照）。吉原周辺のモグリ娼家に客を奪われるなどして、輪タクにも閑古鳥が鳴いている。撮影の昭和24年には娼家230軒にまで復興している。（東京都台東区、昭和24年）

調布
甲州街道・布田五宿の飯盛女がルーツ。昭和31年3月6日、売春防止法の成立を待たず、都内で最も早く紅灯が消えた赤線となった。小沢昭一はロケの合間を見て当地で遊んだ。視察する婦人代議士には神近市子の姿も認められる。（東京都調布市、昭和31年）

千住 当赤線を撮影したこともある小沢昭一は「コツ（千住の愛称、南千住の小塚原刑場から）はまわしを取るのが有名」と記している。まわしとは、遊女が一晩に複数の遊客を相手にすること。五木寛之の『赤線の街のニンフたち』にもこの街が登場する。画面奥にうっすらお化け煙突。（東京都足立区、昭和 33 年）

品川
空襲を免れたことから、戦後も古色蒼然とした娼家が東海道沿いに軒を連ねていた。井伊直弼を討った水戸浪士や、英国公使館を焼き討ちした高杉晋作と伊藤博文が密談場所とするなど、幕末の歴史を刻んだ娼家・土蔵相模。写真は昭和 16 年にホテル相模に改築された後の姿。（東京都品川区、昭和 32 年）

柳町新地　明治 43 年に当地へ移転してきた新柳町遊廓は戦災を免れている。アーチに描かれているのは博多小女郎だろうか。娼家・一楽の娼室は、天井まで届く 36 枚の鏡を壁一面に貼り合わせた猟奇的な内装で有名だった。アーチには旧名・柳町を用いていることが分かる。(福岡県福岡市、昭和 29 年)

洲崎パラダイス
本書カバーにも用いた洲崎パラダイスのネオン・アーチ。現 東陽 1 丁目のほぼ全域が公娼街（遊廓）だったが、戦後は画面中央の通りを挟んで向かって右側半分だけが赤線として復興。『洲崎パラダイス赤信号』の舞台となった。(東京都江東区、昭和 32 年)

解説　消えた赤線写真

本項では新聞紙が掲載した赤線の写真を集めた。『朝日新聞』『産経新聞』『毎日新聞』各社から写真を提供して頂いた。各社が所有する写真すべてを掲載することは無論叶わなかったが、赤線写真は、そもそも総体が少なく、貴重なものとなっている。

昭和31年、厚生省の調査によれば、赤線は全国に1176箇所、店舗（業者）1万5262軒と相当数にのぼっている。これほど遍在しながら、残されている写真は限りなく少ない。

戦後の赤線写真の少なさに比して、実は戦前の遊廓写真は絵ハガキとして相当数が流通していた。背景には私製ハガキの許可と、日露戦争がある。

明治33年に私製ハガキが許可されると、遊廓を写した絵ハガキが多く販売される。明治38年に勝利した日露戦争がナショナリズムを醸成し、これをきっかけに国内の名所旧跡を写した絵ハガキが人気を呼んだ。遊廓もそうした絵ハガキのひとつである。当時は遊廓が「日本文化」であり「景勝地」と見做されたことにほかならない。当時の絵ハガキは『遊廓をみる』（筑摩書房）で見ることができる。

近代化とともに変容した人権意識の現れか、各地の遊廓では顔見世（遊女を店先に陳列させること）が禁じられ、代わって写真制がとられていくが、赤線の写真が少ないことも、こうした人権意識の変化の現れであろうか。同時にありふれた景色は「写す価値がない」と思い込まれていたこともあろう。現代の私たちが、歌舞伎町や渋谷センター街を記録する意識を持たないことと同様である。

編者は売春防止法の前後、各紙がどのように取り上げているのか調査したことがある。主要紙が掲載した写真は、報道媒体であることを反映してか俯瞰した視点に偏っていた（本項掲載の写真も引いている）。例えば娼婦が客に媚びを売るシーンなど、低い目線の写真は『内外タイムス』といった男性向けレジャー娯楽紙、あるいはカストリ雑誌に多く見られた。そうした発行社の多くは既に倒産しており、フィルムは消失している。

視覚記録という形態では、都内の赤線を網羅的に撮影した、唯一のカラー映像が現存している。当時、警視庁職員だった小野常徳なる人物が撮影したフィルムがそれで、売春防止法で潰える数百年来の公娼制度を、関係省庁が記録しないことに堪りかねた小野は、私費（現在の価値で約500万円）を費やして撮影を敢行した。現在DVD『赤線 1958/S33』（カストリ出版）として復刻されている。全国網羅的に赤線跡を撮影した拙写真集『遊廓』（新潮社）は、現在、新刊書店で流通する唯一の視覚記録集である。

【参考文献】内務省警保局『公娼と私娼』（昭和6年）／福岡協和会『筑前博多』（昭和13年）／「集団廃業の街 ルポ調布特飲街」『読売グラフ』（昭和31年、462号）／『栃木新聞』（昭和32年2月16日付）／大阪市民生局福祉課編『大阪と売春』（昭和32年）／大阪府民生部『大阪の婦人保護　第1部売春の実態』（昭和36年）／舟橋左斗子「遊廓があったころ」『町雑誌 千住』（平成15年、14号）／下川耿史・林宏樹『遊廓をみる』（平成22年、筑摩書房）／『赤線 1958/S33』（平成31年、カストリ出版）／渡辺豪『遊廓』（令和2年、新潮社）／小沢昭一「遊廓に行くと、人柄が出ちゃう」『東京人』（平成21年4月号、都市出版）

「赤線地帯」のセットで

濱本浩

1

私達の車が、大映多摩川撮影所の門を潜ったところで、怪しげな年増が、おいでおいでをしてゐたのである。飛び切り華手な半纏を羽織った厚化粧の女であった。車から降りた私達に「売れ残りだから安いわよ。買ってくださいよ」と呼びかけた。その娼婦が、溝口健二監督の「赤線地帯」に出演してゐる三益愛子さんであった。三益さんの役は、四十すぎてから息子のために身売りした、愚かな母親である。有名な母ものスターは、この作品でも、そんな役柄で出てゐるのである。偶然にも、その側に長男の浩君が、ぼそッとして立ってゐた。このあいだ島耕二監督の「虹いくたび」に初演して評判になった新人である。

セットで、私はもう一度、三益さんと話をしたがこの大スターは出番を待つ間にも、息子のことばかりを問題にしてゐるのであった。そして時間の都合で、出番が切れるだらうと、助監督から教へられると、文学座の「二人だけの舞踏会」を見るのだと云ってさっさと出て行った。

その日、私は「赤線地帯」で競演する四人

のスターに面接した。ミッキーといふ、少しばかりふうてんらしいモダン娼婦役の京マチ子さんは、セットの中で話しかけるわけにはいかなかった。夕食の時間に楽屋で逢ひたいと申し込み、一時間も、ストーヴの消えた宣伝課で待機して、やっと面接することができた。京さんは、従来にも、「痴人の愛」や「野良犬」で、同型の役柄に出演してゐるので、「同じケースに陥らないように注意してゐる」と云った。五分間の談話にも、芸道一途(いちづ)な京さんの性格が伺える、やっぱり逢ってよかったと思った。

若尾文子さんの場合は、所内の試写室から出て来るところを宣伝課のOさんが見つけて、呼んで来たのだ。大部屋の連中に混って、にこやかに歩いて来る若尾ちゃんは、諺に云ふ鶏群の一鶴の観があった。然し、若いこのスターは、待ち伏せた少女ファンに、突然サインをせがまれても、気軽に書き流して、少しも嫌な顔をしないところなどは、大女優の素質を持ってゐるにちがいない。

若尾さんの演ずる「やすみ」は、美貌で冷酷で、がりがりの娼婦だ。従来まったく経験しない役柄だけに本人の苦心もひととほりではなかった。「例へば眉(まゆ)を濃く、口紅を厚く塗ると、田舎者の善良さを表現できます。でも、やすみの場合はまるで見当がつきません。いろいろくふうしても、なかなか先生のお気に入りません」と、嘆く。先生といふのは、監督の溝口さんである。

溝口さんの仕事に出演する俳優たちが、溝口さんを畏敬することは、大変なものである。出演スターの中でいちばん年下の川上康子さんは、少なからず昂奮して私に訴へた。「溝口先生に使っていただくだけでも、女優冥利と感謝して居ります。きびしい先生に叱っていただいて、何よりの勉強になりました」と。

後刻、私は溝口さんの部屋を訪ねて、その言葉を伝へた。すると溝口さんは上機嫌になって、「よろしい。それではもっと叱ってやらう」と、笑った。その笑顔の中に、若い俳優連に抱く、老監督の慈愛を、私は泌々と汲みとることができた。

この映画に登場する、六人の娼婦が、各々異った性格と境遇を持ってゐるように、これを演技する六人の女優も、またそれぞれの性格と環境を持ってゐることを、私はのべたかったのだ。従って、人妻のインテリ娼婦を演技する木暮実千代さんを取り逃がしたことは、甚だ遺憾であった。木暮さんは、数年前まで私と同じ西荻窪に住んでゐたので、逢へば、旧友の三益さん同様に、気易く感想を聞けたであらう。

2

この頃の撮影所は、だらしがなかった戦前とは違って、撮影の時間割も、殆んど完全に励行されてゐるらしい。昼食後の休憩時間を利用して、溝口さんの私室を訪ねてみた。聞くところによると、この撮影所で私室を持ってゐるのは、溝口さんだけだとのことである。私室と云っても、溝口組のスタジオ兼研究室に相当するもので、寧ろ公室と呼ぶべきかも知れない。

壁面には、赤線地帯の製作日程。配役。撮影ダイヤが、掲示されてゐた。別のところには、美しく彩色した、衣裳の絵コンテが貼ってあった。美術担当の水谷浩さんが描いたものであらうか。

溝口さんは、専用の大椅子にどっかりと腰を据えてゐた。老巨匠の貫禄(かんろく)十分であった。

「赤線地帯」は、売春禁止法に関聯（かんれん）する問題映画ではない。例へば塵箱の内容を公開する如く、売春の実態を幾つかの角度から、有りの儘に描写し、人世の縮図として提示したいだけのことだと、溝口さんは云ふのである。

さて参考までに、この映画に売笑婦役として活躍する、二人のスターの感想を紹介しよう。アプレ娼婦ミッキー役の京マチ子さんは、娼婦の生活は娼婦自身の責任でなく、貧困な政治の負ふべき責任であり、且つ人類の連帯責任でもあるといふ意見であり、始めて娼婦役を引き受け、始めて赤線を見学した若尾文子さんは、私は何をしても、あの人達を非難する気になれません。ひたすら同情するばかりですと、素直な感想をもらしてゐた。

溝口組の公室には、名カメラマンの宮川一夫さんと、第一助監（チーフ）の中村俊也さんが控へてゐた。そこへ、第二助監（セカンド）の増村保造さんがはいって来て、ストリッパーが来ましたが、だいぶんへとへとになってゐるようです。と報告した。入浴の場面で、京さんの代役に使う踊子である。いったい誰であらうかと、私は興味を持った。

「さうか。行こう」

溝口さんは、そこで悠々と腰をあげた。

3

入浴シーンを撮影する、第四ステージの扉（ドア）に、本日の見学は都合により、御遠慮下さいと、断り書きが貼り出してあった。

セットは、吉原の娼家「夢の里」の、本部屋と浴室が、廊下を挟んで、組み建ててあった。廊下の一端を中庭に利用するのか、造花の白梅が、今さかりと咲いてゐた。

午後の撮影は湯殿の場面である。タイル張

りの浴槽には、電熱器を使って、ほんものの湯を沸かしてあった。

この場面では、京さんと、町田博子さんと、田中春男さんと、それに京さんの代役に雇はれた浅草フランス座の天津くるみさんが登場するばかりだのに、夥しい関係者が、狭いセットで右往左往してゐるのである。

一番に人数の多いのは照明係。大道具に小道具さん。第一、第二、第三と三人の助監督。ストップウォッチをぶらさげた美人スクリプター、結髪係。撮影技師に、その助手達、俳優の附人まで加へたら、四十人ではききさうになかった。

「湯加減を見てくれ」と、溝口さんは差図する。俳優が裸体になって飛び込むのに、熱すぎても、ぬるすぎても、実感が出ないからだらう。

湯加減ばかりではない。浴槽に浮んでゐる湯垢を、すくいとって置けと、溝口さんは云ひつけてゐる。それも、直接にカメラを向けるわけでなく、摺硝子（すりガラス）の仕切障子を隔てて、間接に撮影するのに、なぜそんなところまで、神経を使ふのであらうか。浴槽から僅かに見える脱衣場の壁には、型どほり、吉原温泉の分析表が額縁にはいってゐる。

「このとほりですよ」と、溝口さんは云った。

「ほんとうは、そこのところに「女人像が立ってゐるんです。そのへんから、浴泉が湧いてゐるんです」と、にっこり笑ふ。

第二助監（セカンド）の増村さんが、廊下にかがんで黒板へ、その場面の台詞（せりふ）を、黙々と抜き書きしているのを、溝口さんは眼で教へて「あの人は伊太利へ留学してゐたんですよ。うちの助監督には、いろんな人がゐます、あの人――」と、照明係と打ち合せてゐた、背の高い好男子を、有名な陶芸家富本憲吉氏の息子さんだと教へてくれた。

神経のこまかいのは、溝口さんばかりではない。第一助監の中村さんも、なかなか注文がむずかしい。代役の天津さんが、真裸になって、湯桶の湯をさっと、肩にかける。その調子が気に入らないのか、幾度でもやり直す。そのたびに「済みませんが、もう一度やってください、すみません」と繰りかへす。浅草の演出家や振付師は、めったに、そんな叮嚀な言葉は使はない。浅草の踊子は、勝手がちがった様子で、素直に、そこを繰りかへしてゐる。

さて、愈々本番である。カチンコが鳴ると、大勢の人達は、ぴったりと息を呑み、浴槽の水音ばかりが、ぴちゃぴちゃと、その静謐を破ってゐた。すると、ミッチルの前に腹這うてゐたカメラマンの宮川さんが「ちょっと」と声をかけて、照明係の一人を呼び、「あすこの反射が気になるから、むかふのライトを消してみてください」と、廊下のタイルを指差した。どこに、そんな反射があるのか私には見当もつかなかった。照明係も、これですか、あれですかと、頻りに問題の照り返しをさがしてゐる。宮川さんと、溝口さんだけの眼に映った、一点のかげである。

溝口さんの「名作」は、さうして始めて生れるのであらう。私達作家にしても、一字一句もゆるがせにしてはならぬと、その時は大いに反省したのであるが、斯う締切が切迫しては、書き放しにするのも止むを得なかった。

『キネマ旬報』(昭和31年4月号、キネマ旬報社)初出

赤いガラス玉

高倉健

今回の旅は、いちばん多い年では、一年に十五本、
少なくても、年間八本くらいの映画を作って無我夢中で走っている頃、
本当に青春のまっ盛りの何年間か長い時間を過ごした、
思い出の京都に来ています。
そのせいでしょうか、
何年も、何十年も前のほんの小さなできごととか、
誰かの何気ない仕草とか、
胸の奥にずっと残っていたものが、思い出されてなりません。
これから紹介するのは、僕がまだ明治大学の学生だった頃の、
ある雪の夜の話です。

‡‡†

大学二年から三年の頃、
僕は、今のＮＨＫのそばの北谷町のアパートに移り住んだ。
そのあたりは、いわゆる連れ込み旅館が一軒ある他は、
長い土塀が続く住宅街で、米軍の将校たちの家族も住んでいるような、
環境に恵まれたところだった。
その一角に、僕の住む木造二階建てのアパートがあった。
上下四部屋ずつ、八部屋のうちの大部分を明治大学の学生たちが占領。
二階は九州出身のワル、一階は名古屋出身のまじめ学生という具合に、
どういうわけか二階と階下では、その気風がくっきりと色分けされていた。
僕ら二階の九州組は、名古屋組の米びつからしばしば米を拝借した。
と言えば聞こえはいいが、
食べたまま絶対に返すことはなかったのだから立派な泥棒である。
キャベツをぶった切り、それをゆでたものをおかずに、いただいた米を食べる。
青春の食欲というのは豪快だ。
豪快といえば、余談になるが、

明大の相撲部の合宿所には、さらに凄い食事があった。
明大スキー部の客人たちを迎えるという日のことである。
もてなそうにも、おかずになるものが何もない。調味料や油さえない。
このままでは明大相撲部の沽券にかかわると、一計を案じた先輩が言った。
「ポマードがあるだろ、ポマードで焼きめしを作って出せ」
どんな豪傑でも、このポマードライスの異様な味と香りに気づかないはずはない。
ところが、スキー部の客人たちは、
これを「うまい、うまい」とぺろりと平らげてしまったのだから驚いた。
上には上がいるものである。

さて、ある日のこと、二階の九州組にとって、とんでもない事態が起きた。

名古屋の連中が自分たちの米びつに頑丈な鍵をかけたのだ。

「この野郎、あいつらけちだ」

と、われわれは大いに憤慨したのだが、けちではない、
自分たちが泥棒していたのだから。


こうした無頼の館にあって、僕の隣の部屋だけは、明治の学生ではなく、

変わった人が住んでいた。
なんと女性である。
彼女は、武蔵野館というキャバレーに勤めるお姉さんだった。
このお姉さんは、とてももてる女性で、毎晩のように男を連れて帰ってきた。
そしてあたりをはばからず悩ましい声をあげる。
最も血気盛んな年頃の男が、その声を聴き、
平静でいられるはずがない。
友達を部屋に呼び寄せてはその声をみんなで鑑賞する、
などというような余裕を演じてもみたが、
本当のところは、鼻血が出そうなくらいに刺激されていた。
そしてその興奮を鎮(しず)めるために、
新宿の遊郭へ出かけることもしばしばだった。
昔の学生は経済的には決して豊かではなかったが、
遊郭へ行く金だけはどうにか工面するという才覚を持っていた。
そのかわり、腕時計がない、洋服がない、布団がない。
長期の休みで学生が田舎へ帰省して、
戻ってきた直後だけは、そうしたものが質屋から戻ってくるのだが、

それも一、二ヵ月のことで、再び元の木阿弥(もくあみ)となる。

これは、そんな青春時代のある大雪の夜の物語である。

「今日はこんな雪だから遊郭には誰も行かない。がらがらのはずだ。暇でしかたがないお姉さんたちは、『こんな日によく来たわね』ときっと大サービスしてくれるに違いない」


僕はそう言って、友達を熱心に遊郭へ誘った。

ところがみんな金がないのか、雪で億劫なのか、この誘いに応じる者が誰もいなかった。

しかし、ここであきらめきれないのが若者の一途さというものだ。

僕はたった一人で、新小岩の「東京パレス」に出かけたのだった。

新宿や吉原の遊郭に比べると、新小岩は格がはるかに落ちる。

しかし、かつての米軍施設だった木造二階建ての東京パレスにはダンスホールがあり、
カーテンで作ったようなドレスを着た女の子たちが、客と踊っていた。

また、客は廊下を歩きながら女の子を選べるというのも、

普通の店とは違うところだった。
消毒用のクレゾールの匂い。
特有の白いタイル。
いま思えばこんな物悲しいイメージさえも、
うきうきした気分を掻き立てるセットに過ぎなかった。
当時の遊郭では、部屋に上がるとお姉さんがお茶を淹れてくれたものだ。
この擬似夫婦、あるいは擬似恋愛のひと時が、
えも言われぬ温もりを感じさせてくれたのだ。
さて、「大雪で誰も来ていない」という僕のもくろみは大はずれ。
東京パレスの前は、同じ思惑の客であふれかえっていた。
少しでももてたい一心で、普段は着ない学生服を着込んでいた僕は、
店の前をうろうろ、うろうろと行ったり来たりを繰り返した。
「お～い明治、あんたもう何回目よ。いくら持ってるの？」
お姉さんの声が聞こえたが、こちらの有り金の額を聞くと、
「だめ。そんなお金じゃだめだね」
と、悲しい返事が返ってきた。
それでもあきらめきれない僕は雪の中を行ったり来たり。

見るに見かねたのだろうか、
一人のお姉さんが声を掛けてくれた。確か彼女は、黒い洋服を着ていた。
「いいよ。上げてあげる。
でもほら、今はこんな忙しいから、
そこの『雛忠』に行って焼き鳥でも食べておいでよ」
僕は言われたとおりその店に入り、粘りに粘った。
ようやく部屋に上げてもらったのは、夜中の二時を過ぎた頃だった。
ところが、一夜のノルマが残っていたのだろうか、お姉さんはまだ現れない。
チャルメラの音が聞こえた。取ってもらった支那(しな)そばを食べ、
部屋に置かれた雑誌をめくりながら、
さらに待ち続けた僕の部屋にお姉さんが姿を見せたのは、
もう明け方に近い頃だった。

どれぐらいの時間が経ったのだろう？
朝の風景の中に、雪は降り続いていた。

学生服を再び着込み、胸のどこかに割り切れない想(おも)いを抱きつつ、

すごすごとゴム長を履こうとしているその時だった。
お姉さんは、つけていた指輪をそっとはずすと、それを僕に差し出して言った。
「これ、質屋さんに入れてね、トーストでも食べて帰りなさい」
それはたぶん、赤いガラス玉だったのかもしれない。
けれども僕にとって、その指輪は間違いなくルビーの指輪だった。
言われたとおり、それを質屋に入れて手にした金で、
僕は友達に景気よくおごってしまった。
「どうだ、俺はこんなにもてたんだぜ」と自慢しながら。
今、この年齢（とし）になっても、時々ふと、あの指輪のことを思い出すことがある。
あれはいったい何だったんだろう？
自分を夜明けまでじっと待っていてくれた一人の貧しい学生に、
なんとか応えたいという女の想い。
なんとかしてやりたいという彼女の願い。
もしかするとあの指輪にこもっていたものは、
「遊女の心意気」だったのかもしれない。

〈ラジオ朗読文〉

‡‡†

自分の大学時代のこんな話までしてしまったのは、
これも世紀末のせいなんでしょうか？
それとも、自分の年齢のせいなんでしょうか？
あの雪の夜のあのお姉さんのことは、
今でも突然、ふっと心の中に過(よぎ)ります。
今頃どうしてらっしゃるのかなあとか、
そんなことも考えることがあります。
身体(からだ)を売らなければ生きていけない、
世界中どんな法律を作っても、
未(いま)だにこの哀(かな)しい生業(なりわい)は、本当にこの地球上から消えないいんだと思いますが、
その厳しい仕事の中で、
そういう環境の自分を夜明けまで待っていた貧乏学生に、
はずして渡した指輪。
その指輪にこめられた、
あのお姉さんの心のようなものをとっても感じます。

それは、錯覚かもしれません。
でも、あのお姉さんの心があの指輪にこめられていたと思うほうが、
自分はずっと温かい気持ちになれます。
あれ以来、五十年近い年月を越えて、もっと強烈なことが、
僕の中にもたくさんあったのですが、
雪を見ると、時々ふっとあの日のことが思い出されるのは……。
人間って本当に不思議な生き物だと思います。
あの時のお姉さん、まだお元気だったら、
どうかお幸せでいらしてください。
僕も一生懸命頑張っております。

『旅の途中で』（平成18年、新潮社）初出

娼婦焼身

野坂昭如

これが早春の、朝の乳色のモヤであるなら、明るむにつれてしりぞいただろう。だが、そこかしことめどなく立ちのぼり、漂い流れる白い煙は、陽ざしの強まるにしたがい、いっそうあざやかに映え、やがては高ぐもりのめでたき陸軍記念日の空に吸われ、そしてその下は、一面の焼跡であった。

眼路(めじ)のかぎり広がる赤褐色の野は、一筋かがやくいきものの如き大川を越えて、果ては海にいたり、一方は高架線の向う公園にまで続き、その海は、十日前の大雪をおさめたまま冬の色にしずまって、一艘(そう)の舟の姿もなく、公園の、樫椎ヒマラヤ杉の緑も街路に面したあたり、いちように赤く枯れている。

おびただしい大小の煙突と、白壁を焔に焼かれた土蔵と、沖がかりの船のような学校校舎、窓の周辺すべてくろずませた四つ角のビルがまず眼につき、つづいて半ば埋れたまま風にあおられて直立した無数の焼けトタン、さらに眼をこらせば、鉄製の椅子金庫冷蔵庫ストーブ自転車ミシン風呂釜灰皿火鉢スリ鉢ナイフフォーク日本刀仏像水晶の印時計扇風機、蛇の如くかま首もたげているのは水道の鉛管、みえかくれする白い色はむき出しのきんかくし、風にくずれるのは、形そのまま灰と化した洋書辞書のたぐい、人の姿はない。

人は、焼野と焼野の瓦礫（がれき）にせばまれ電線のうねる道をひたすら歩き、その風態をみてあれば、男は国民服にゲートルのそこかしこ焼焦げつくり、靴片方失いたるもの、水の入ったバケツ一つぶらさげたもの、しきりに眼をこするもの、鼻の先端天麩羅のころもの如くなりたるもの、顔中ススだらけ半裸体のもの、おいおいと大の男の泣く姿あれば、血のにじむ三角巾で顔の半面おさえたままもあり、だが男はたとえ老人少年にてもまだまし、足手まといの子供を連れた女の中には、頭からびしょぬれのままちゃんちゃんこで背負った赤ん坊ゆすりあげ、「お医者はいらっしゃいませんか、この子麻疹（ハシカ）ですの」とさけびたずね、両手をホールドアップ風にかかげ、「痛いよう、痛いよう」と泣きわめき、その手みればむき出しのまま赤くふくれていて、血のしたたらぬは火傷（やけど）の故か、もんぺのふとももも赤く染まった脚をひきずり歩く女、死児を抱く女、やかんぶら下げ、「どっかに水はないでしょうか」たずねる女、煙に盲（めし）いて子に手をひかれる女、いずれもまったく生気みえず、よろぼい歩く後を、「都民の皆様、敢闘御苦労さまでありました。皆様の必勝の信念により、被害は最小限度にくいとめられました。皆様御苦労様でありました」広報車がわめき散らす。

死体は、不思議とかたまって倒れていた。あきらかに親子とみえて、ボクシングのクラウチングスタイルに身をかがめ、その両手の中に猿の如き小さな黒焦げの体をかかえたのや、紙の角力人形のように両手両脚屈曲させて三人ずらりとならんでいるのや、防空壕の出口に片手かけたまま、一方を炎にあぶられて炭となりながら、別の半身はふだんのままで、その脚もとに家族らしい女子供のまといつく姿、黒焦げの交番に、寿司詰めとなった黒焼きの人間、モンペだけ焼かれ、陰毛むき出した母親と手をつなぎ、顔を半分失った少年、ねんねこの中の首のない赤ん坊と傷も火傷もみえずうつぶせのまま死んだ中年男。

たいていが二人連れ、三人連れで死んでいたが、時にはまったくすべて焼けおちた後で、そこへそっと置かれたように、真黒に焦げふくれ上って男女の区別もつかぬ、いわば人間丸太棒が、横たわり、その日の午後になると、顔に手ぬぐいを巻きつけ、軍手をはめた警防団の面々、焼けトタン引きぬいてはまず死体をおおい、手のそろったところで、今度は死体を乗せて、小学校、寺、強制疎開後の空地に運び、場所がないまま二重三重に積み上げて、初めは身体の向きをそろえていたが、とても百や二百ではきかぬ数だから、やがて投げやりになって、頭といっても特大の炭団同様の間から、枯枝のような生焼けの手脚がニュッと突き出る。

一夜明ければ八万三千人の死人、町屋落合桐ヶ谷代々幡堀之内の火葬場どうやりくっても間に合わず、例年よりは寒い弥生とはいえ、どこからともなくハエ蛆がわき、やむなく手近の公園で仮土葬、トラックに積みこみ上野公園、錦糸公園、猿江公園へ運んだが、吉原遊廓は、吉原病院の前庭わずかばかりの空地に積まれた死体、いわずと知れた娼婦のなれの果て、生きていれば楼主も遣手も、すねりゃなだめる、病めば水薬の一つも枕許へ置く、すべて資本のかかった、お宝生みだす金の鶏、それがこう人間丸太になっちまっちゃ、なにせ家族ですら見分けのつかぬ姿、「なんだい、お咲さん生きてたのかい」「ええ、言問橋からようやく向島の土手へ逃げて」「まあ、よかったよ、とするとこの仏様は誰なんだろう」おいらんのことなら尻のケバまで心得てそうな手練れの妓夫にも見当つかず、「歯の特徴でみるといいそうだよ、反歯金冠乱杭歯」どうです見覚えありませんかと、震災の経験生かした町内の鳶がいっても、棒でこじあけた丸太の口ん中は、これはまた思いきって赤く、「いやだよ、わかんないよ、そんなことといったって」どうせ生きてようが死んじまおうが、こうきれいさっぱり焼けちまっては証文巻いての店じまい、ナムアミダナムアミダと、仏よりは、いやなもの見た心の怯えに念仏唱え、それより罹災者特配の毛布乾パンが気にかかる。

文字通り一山いくらでお山までトラックで運び、吉原の娼婦だけで四百人近い犠牲者、往復するうち夜に入り、まだ燃えつきぬ買い溜めのコークスや木炭、あかあかと焔をあげ、かと思えば早とちりに土蔵の目張りはがしてボンと火が入り、暗闇の中のその鬼火をたよりに午後八時半、最後のトラックが上野へむかい、病院をはなれたところでバウンドして、これが仕事じまいと荷台の枠をはずし、荒なわで支えただけの、死体のてんこ盛り、たまらず一つころげおちて、硬直のせいかたてに頭脚と三つとんぼ切って、まるで今朝からあったように、焼跡の端に横たわり、もちろん誰も気がつかず、翌日これを見つけた警防団も、今更つい眼と鼻の、上野までかついで歩けば半日仕事、「いっそこの土地に埋めた方が仏のためだよ」「そうさね、どうせ吉原が昔にかえることなど、何十年先のこったか」いずれも国防色の洋服に凛々しくバンドをしめちゃいるが、名のある楼主二人、半ばやけっぱちの感慨こめて、くずれかけた防空壕へ足蹴もならず、前後持ちそえておとしこむ、「なにかへんな臭いしやしなかったかい」「そりゃお前、そろそろいたんでくるのさ」「いや、酸っぱいような、らっきょみたいな」「らっきょ？　らっきょかあ、あれもあてにゃなんなかったなあ」

昭和十九年の暮頃から、つまりそろそろ空襲が激しくなって、十二月二十七日二百五十機をはじめ連日B二十九の来襲を受け、特に明けて一月二十七日銀座を中心に爆弾攻撃受けてからは、「件」、くだんと読むのだが、頭牛人身の怪物これを信仰すれば命が助かるとか、溺れる者の藁がさまざまな形で流布され、このらっきょというのは、これを食べていれば命が助かる、ただし二人以上にこの効験を伝えなければならぬという、考えようによってはらっきょ栽培者の考えついた幸運のらっきょ信仰。それでも現実に、爆風にたたきつけられ、生埋めとなり、火だるまとなって百米駆け出したという犠牲者の噂に尾ひれがつき、語りつがれると笑いごとではすまされず、吉原は只でさえ憑きもの迷信には弱い土地柄、闇で二十円の花らっきょの瓶詰買いこんで、三度の食事にポリポリと頬をすぼめて嚙みくだくお母さんや遣手婆あに事欠かず、だが、この時に防空壕へおとしこまれた丸太棒の仏のらっきょの臭いは、昨日今日にはじまったものではなかった。

「なんじゃ、えらい臭いやんけ」焼けた夜にも吉原は、徴用工疎開やもめ軍人学徒動員で死地へおもむく一団さらに僧侶やら闇屋やら、さすが手なれた妓夫、といっても血気盛んなのはすでにとられて、人力車夫おでん屋にくら替えしていたポンコツ駆り集め、もはや妓夫台も写真もあったものではなく、燈火管制の薄暗い仲之町から江戸京揚屋角の五丁町、呼びこむより先に客が押しかけて、「へい政江さん、お客さまでございますよ」市松天井からぶる下った電気の笠の、黒い覆いをちょいと傾むけて、通路をしめす、客は脱ぐにてまどる配給の軍靴まがい、紐をゆるめて手に下げて、遣手に導かれ、引きつけ抜きで、ずいと女の部屋へ通る。

政江のその夜の最初の客は、時間遊び五円御祝儀五十銭、これもサイパン陥落までは、この町で小店の清梅楼三円だったのを、「戦時手当てさね。まさか脱脂大豆じゃまわしもとれないからね」闇米にあわせて、勝手に値上げ。いちげんの客だから床入りの前に金をうけとり、御内所へとどけて引き替えに以前ならばまず廓の衣、小夜衣アルマパラダイス敷島トランプとサックの色もとりどりに、あわせてくもの糸で織ったような京紙渡されたものだが万事節約欲しがりません勝つまでは、楼主の吉太郎手をまわしてどうにか補いつけたハート美人、それも使用済みを水張った金だらいへ浮かし、後で遣手が一つ十銭の手間賃で、まず違い棚の戸袋へ陰干し、ついで天花粉まぶし、すりこ木の柄に巻きつけ、胃腸薬アイフの缶におさめて、女も廻しなら、サックもまわし、紙はすべて客の持参が常法。

政江の部屋は四畳半、ねずみ色の壁にとってつけたような床の間、ねむたそうな達磨の軸、鏡台に茶簞笥、四方桐の和簞笥、唐火鉢は店のもので、あるかない炭に手をかざすにも、政江の燃料費月二円五十銭のうち。

床に入るなり二十二、三の男は、政江の口臭をいい立て、いわれつけてるから、「ごめんなさい、私らっきょがすきなのよ」「ふーん、これやるわ」ポケットからきらきら光る硝子のカケラとり出し、「これなに?」「こないして」男はそれを灰皿にこすりつけ、ついとまず自分の鼻にあて、満足気に政江の顔によせる。フッと甘い香りが浮び、「なによ」「撃墜したB二十九の風防硝子じゃ、こするとええ匂いするねん」また男はキイキイとこすりつけ、「ええ匂いやろ、プレゼントや」に「ありがとう」政江、その合成樹脂の一片をにぎりしめる、と男、体を寄せて来て、政江は常の如く、ひょいと手をのばし掃き出し口を開け、三月九日の冷たい風もさすことながら、どっと耳に入る嫖客の靴音やら、遣手の呼び声、もちろん燈火管制でつい三間向うの店の構えも闇に沈み、ただざわめく物音をたよりに、覚めている分別。

　いつしか帯もそらどけるどころではなく、やがて布団のうち火の如く熱くなるさわぎもない、男は下半身だけをあらわにし、政江はまたもんぺこそはいていないが、人絹の長じゅばん人絹の錦紗スフの腰巻きにしろ白木屋三階の衣料売場で切符十五点のしろもの、破かれでもしては大事で、ぐるっと思い切ってまくり上げ、蛙脚に男をあやつる、たちまち果てて、男は体をはなし、「便所はどっちじゃ」「あなた、おしっこ？」「うん」「それじゃ、わるいけどこれにしてくださらない」前をおさえたままついと防空カーテンをひらき、硝子戸あけて、眼かくしの板塀も、防火活動の邪魔になるからと取払った後の、わずかな出っ張りにおいたカンカラをとり、「どないするんじゃ」「畠の肥料に欲しいのよ」真赤に錆びたカンカラは味の素の大カンで、政江の客の一人に秋田の造り酒屋がいて、これに塩辛をつめ土産に持ってきてくれたもの。

　さぞかし要領得ぬ表情なのだろうが五燭の電球に黒いおおいをかけた室内、ただジョロジョロと音がひびき、いかにも寒そうな感じで、政江は布団の裾にまるめて脱ぎ捨てた男のももひき、うわべはみすぼらしい職工服だが、さだめし徴用に出る時、母親が裸電球低くおろして、夜なべで編んだのであろう純毛の毛糸で、それをなんとない心づかいきちんと折りたたみ、「これ、どこへおきよるんじゃ」「どうもありがと」カンカラからツンと糠の臭いが鼻を刺す、徴用工は栄養の補給に木曜日ごとビタカルゼなる粉末を支給されていて、今日は金曜日、めでたく五体かけめぐった末、今排泄されたらしい、ビタカルゼはなんのことはない糠なのだと、客の一人がいっていた。

吉原にも食糧難は容しゃなく押し寄せて、もともと役所にごまをすり、軍部をあやつることにかけてはそれぞれ、芸をもった楼主達も、なにせ絶対量が二合三勺から二合一勺、それすら十九年夏以後、月三十日のうち十七日が米で残りは脱脂大豆馬鈴薯甘藷メリケン粉、のうちはまだよかったがその暮、「戦うお台所の正月は朗らか」と新聞にはうたっても、鱒(ます)一人当り二十匁餅三百グラム大根八十匁納豆二十グラムこれも配給所へ予定の日に出かけて、いくども無駄足ふむ始末。生命の綱の道路を掘りかえして菜園には出来かねたが、疎開後の空地を利用しての、まさかこの土地で家庭菜園も奇妙で、戦時菜園とものものしく、一軒あたり四坪ながら二十日大根ちしゃ葉広島菜焼石に水ながら、食膳の色どりを増す算段。そして政江はここにらっきょを植えた。ほとんど手もかからず、荒地にもってこいのせいもあるが、政江にとってらっきょは、なにより故郷のきれっぱし。

「生命たすかるのも結構だけど、お客様にいやがられちゃしようがないやね」年中らっきょをはなさぬ政江に、迷信のあることを知りつつお母さんは文句をいったが、しかしこれは昨日今日にはじまったくせではない。

昭和十五年四月、十八歳になるのを待ちかねて、高等小学校卒業してから靴下工場へ勤める政江に、継母の竹代が因果を含めた。北関東の、県庁所在地に近い、もとは機(はた)屋の町、戦争が激しくなるにつれてさびれ、つれてここでちいさな居酒屋いとなむ竹代も商売上ったり。「無理に孝行強うるじゃないが、ここまで育てる幾年月、風にも当てず餓えさせず、一人あるきの出来るよう、春には春の、秋には秋の、時節に合うた髪かざり、金の成る木のあるじゃなし、無理を承知の工面して、苦労したのは誰のため、お前を早う女に仕上げ、その美しい女ぶり、見せてももらいまた楽しませてももらう、多少のおたから稼ぎ出してもらいたいと、こう思うこの母が無理か、若い頃から一日も、安楽気楽に過したことなく、知っての通りの火の車、このまま死んでは立つ瀬がない、そりゃまあ始めのうちは、いやなこともあろうよ、きらいでもあろうけれど、馴れてしまえばこれも女の道――」

五十四、五になっていたろうか継母の竹代が、白髪を染めた頭をふりふり、いかにも芝居でいえば多賀之丞といった態、西陽さす店先で徳利かたむけつつかきくどいて、政江はこのことを思い出すたび、田舎廻りの芝居の舞台と重なり、といってこういう場面をしかとみた記憶はない。

政江の物心ついた時は、その町よりさらに山へ入った水車小屋に爺さんと二人暮し。隣人といっても犬を飼っている百姓の家が、谷を隔ててあるだけで、その犬をみたさに時折りおとずれると、いかにも気の強そうな大女の女房が、半ばあわれみまたさげすみながら、「お前のおっ母さんもしょんないよねえ、流れ大工と逃げちまってさ」ときいたのが、たった一つ自分の身の上話、爺さんは一切黙して、小川から樋でひく水車の、秋には樋につまる落葉をすくい、春には山へ菜をとりに入り、そして水車小屋の前の砂地には、いつもらっきょが植えられていた。

たまに、休暇の兵士が山へ登ってきて、物珍しげに水車小屋をのぞいたが、この時爺さんは血相変えて追い払い、政江が人恋しさに、兵士にじゃれ、乾パンやようかんなどをもらえば、とりあげて木立の中に投げ捨てる、しばらくして政江が甘いもの欲しくて笹をわけて探すと、すでに黒や赤の蟻がびっしりとようかんにとりつき、そのまま爺さんの執念をあらわしているようで、政江は子供心に怯えた。爺さんが兵士を嫌うのも道理で、女房が、他に能もない粉挽き(ひ)に愛想つかし、一人娘を置き去りにして逃げた後、ようよう男手一つ、娘を育て上げれば、これがまた連隊の兵士と出来合って政江をはらみ、あげくの果ては身二つになるのを待ちかねたように、生後半年の政江を置き去りに、水車の修理頼んだ流れ大工と出奔、寄る年波に精も根もつき果てたが、とにかく貰い乳やら、手のものの臼で米を挽き、育て上げたのであった。

らっきょは、夏になると、葉が枯れてやがてちいさい紫色の花をつける、花は水車小屋の中の、ただ一つの家具、仏壇の中の鐘のような形で、政江がらっきょの花を、小川にひたして指でもむと、かすかな色が掌をそめ、女の子ではあっても、ただそれだけが色どり、そして朝夕の貧しい食膳に、必ずらっきょがそえられた。

小学校へ上る前に爺さんは死に、だからそれまでに、きっと村祭の、のぞきカラクリか、あるいは紙芝居でみたのであろうか。鬼のように怖ろしい継母が、色白やせがたの初々しい娘に、わけのわからぬながら因果含めるその情景に覚えがある、竹代にかきくどかれながら、政江は今の自分と同じような話を、どこかできいたことがある。いや、現在自分も、実はお芝居の中の主人公と、妙に実感のともなわぬまま、「お前はかわいい私の子、たとえお腹は痛めずとも、お前のいやがることなどすすめたくない、それをこうして頼むのは、心底工面につかれはて、年寄一人この所帯、どうしてこの後背負うていかれるものか」ちびりちびり飲みながら、真綿で首の口説き文句、ひょいと養女であることも利かせ、政江がこっくりうなずくと、「そうかそうか、すまんけど頼むて」不意に現実にもどって、「じゃ、もう一本いただきましょうか」歯糞だらけの歯をせせりつつ、空徳利を政江にさし出した。

爺さんの死の前後の記憶はほとんどなく、ただ戸板にのせられて運ばれて行くのを、悲しみもなくぼんやりながめていただけ、気がつくと竹代の家にいて、竹代をお母さんと呼ぶ、いわば姉が三人、いずれも次々に姿を消し、つまり、竹代は女衒とくんで、貧しい家の娘に目星つけ、仲介の労とれば、手のかからぬ孤児を引きとり、年が満ちるとたちまち売りとばす人買い。

「政江さん、お客様でございます」へいどうぞくろうございますから御気をつけなすって、職工と入れちがいに、やはり同じ年頃の勤め人、すでに布団の乱れはちりもとどめず、政江鏡台にむかっておくれ毛をかき上げ、「いらっしゃい」ふりむきざまわずかに頭下げる、「食べるかい？」客は布団の枕もとにすわりこむと、防空頭巾鉄カブトを脇に置き、帯芯製の防空袋の紐をとくと、中から、今時珍しい駄菓子を入れる白い袋から、いり大豆をとり出し、ひとつかみ政江に差し出す。

「寮で煎ったんだけど、燃料が足りなくて生のもまじってる、まあ、食べでがあっていいかも知れないけどな」なるほど三粒に一粒、青臭いのがまじっていて、歯にしんなりと当る、「あそびましょうか」男はこたえるかわりに花代を置き立ち上って上衣を脱ぐ、政江が金を持って廊下へ出ると、朋輩の久子、「いやな爺い、自分だけするめ食ってんのよ、臭いったらありゃしない」真暗な中を、すたすたと便所へむかい、その廊下の部屋ごとに、白い陶器の防火弾、縁を赤く塗り半分水の入ったバケツ、突き当りにはムシロと火はたき、すべて客が入っているはずなのに、物音一つない。

「君いくつ」「どうしてこういうところへ来たの？」「どこの生れ？」嘘と知りつつたずね、そしてしたり気にその嘘をきく男も、この頃はすくなくなって、話は空襲やら配給、そしてその年にあるものなら召集への怯え、「疎開はしないの？」「かえるところないもの」「アメリカさんは女性崇拝だっていうから、ここは大丈夫かな」「私達でも女かしら」「女さ、女だから」「くすぐったい、そういうことは、奥さんにしたげなさい」「いないよ、いつ死ぬかわからないのに」とりとめのない口説に、ひょいと思いもかけず体が燃えることもあり、男達のすべて青白く痩せおとろえ、にもかかわらず二合一勺代用食入りで、どうしてこうも不思議なほど、力強くふるまう。「どうせしおさめと思ってんだろ、しつこくていやだよ」久子も愚痴をこぼしたが、政江はたいていの客に、らっきょを与え、「これを食べてると爆弾除けなんですって、それから、一人でも沢山の人に教えてあげると、ますます効果があるそうよ」客と二人、一合六銭の公定闇で八十銭の酢につけたらっきょポリポリと齧(かじ)り合う時、心底満ち足りた気持になる、竹代のもとに引き取られてから、水車小屋に行ったことはないが、あのらっきょがそのまま残っていたら、今頃は、紫色の鐘の形をした花盛り。

　竹代に因果含められた翌日、まだ陽もあるのに戸をたてた店へもどると、竹代とむきあって背は低いが肩幅広く、片眼の男がいて、「政江さん、昨日の話ね、こちらの御人が万事面倒みてくれますから」引きあわされ、「まあ平さん、飲みましょ、前祝い前祝い」東京で客商売とだけきいて、まだ男女の道理もおぼつかない政江、じろじろ体をながめまわすその平さんには虫ずが走ったが、といって、竹代と別れ東京へ出ることに、淡い希望のようなものもたしかにあった。明日朝早いから、さあ二階で支度しなさいと、追い上げられて、これまで旅行一つしたことがなく、やたらとてぬぐいやら目覚し時計人形まで風呂敷に包み、「そんなのはみんな向うで買えますよ、当座の品物だけで大丈夫」何時の間にか平さん後にいて気やすく肩をたたき、酒臭い息を吐きかける、「あの、どういうところで働くのですか」「行ったらわかる、あんたと同じ年頃の女の人が沢山いてね、毎日、おもしろおかしく暮してますわ、心配しなさんな」その夜、竹代と平さんは一つ床に寝て、便所へ立った政江そのからみあった姿におどろいたが、うとうと寝つかれぬままにふと気づくと朝で、ソフトをかぶり黒いゲートルをまいて仕事師風の平さん、「じゃ、まあまいりましょか」別れをつげる友も特になく、心残りは水車小屋のその後、ふいに気になったが、時間せかされ汽車にのせられ、午後一時上野へ着く、「腹具合はどうですか、ざるそばでも食べといた方が」駅の食堂で食べたざるのうまかったことを、政江は今もはっきり覚えている。その後、この稼業に首までつかって、客の注文する台の物、相伴に与かったが、この時のざるにまさる美味は、ついぞなかった。

　タクシーに乗せられ、江戸一の口入れ屋の前で降り、平さんだけ中に入り政江は銘仙の着物が如何にも地味にみえて肩身がせまく、というのも午後二時近く、廓の女の風呂へ行き来する姿が、けばけばしく街路をかざっていたから。道路の中央の低くなった道を、駒下駄で歩き難く二丁ばかり、「ここのお店だよ、さ、お上り」左手のドアを入ると思いがけずに広い玄関で、上り框の前に硝子の長さ一間幅三尺ばかりの箱、中に唇と頬を赤く塗った写真が五枚、右の端にも出口があって、そこに床几が二つ、「あいよ、こちらへお上んなすって」二十七、八の男が腰をかがめていい、のれんのかかった左手のがらんとした部屋、平さんは奥へ入って一人ぼっち、心細く膝にのせた風呂敷包み、いわれた通り下着の替えにもんぺ三角巾富山の売薬米二升、いじくっていると、「もうちょい待って下さいね、今、おかみさんお風呂へ入ってなさるから」白髪をひっつめにし、襟にジョーゼットの布まきつけた小柄な婆さん茶碗を二つ運んで来て、一つは自分が飲む。とりとめのない話の内に、ちょいちょいと、「彼氏はいなさらんかったの」「月経は何日ですの」もじもじさせる質問をまぜ、ゴールデンバットちょいと吸っては消して耳にはさみ、すぐまたくゆらせ、三十分ばかりすると、「あいよ、こっちへどうぞ」太い女の声がして、婆さんあわてふためき、政江をせかせ、廊下の同じく左側、台所を見通す茶の間へともない、そこに神棚をしょって清梅楼のお母さんがいた。

「まずこれを読んでもらおうかね」卓袱台越しに、ハトロン紙の封筒から一枚の紙を渡され、みると、竹代と政江連名の借金証書で金額は八百円、向う四年間で返済することになっていて、「たしかにお渡ししたんだね」「へい」いつの間にか平さんがひかえ、「この通りお受けとりをいただいてまいりました」お母さんは便箋に書かれた竹代の領収書をわきにそえ、「真面目に働いてくれれば、四年どころか三年二年で済みます、この二通の書きつけ私が預かって、この金庫に入れておきますからね」恩着せがましくいって、「遠いところ御苦労だったね、お湯へいっといでよ、お松さん」先程の婆さんにあごをしゃくり、お松さんふたたび平服し、お母さんのなみなみならぬ権勢ぶり、政江にもわかり、すっかりちり毛立って、そうそうにお松の後を追う。

三月五日に空襲があって、後三日間は警戒警報が発令されただけ、これまでの例だと五日間静かに過ぎれば、必ず大編隊があらわれる、「ここで空襲になったら、どこへ逃げりゃいいんだい」ひとしきり後に、客がたずね、「ここの地下にも防空壕はあるけど、馬道から日本堤の警察の方へ行けば立派なのができてるわ、そこの町会の横にも土管式っていうの？　半分土に埋めた待避壕があるし」吉原はもともと火事の多い土地柄、空襲の気配すらない頃も、盛塩とならんで天水桶に山形に積んだ手桶が街の色どり、昭和十六年いち早くガソリンポンプ六台据えつけ、十七年四月十七日の初空襲以後は、ほとんど町筋のどこかしら訓練のない日はないほど。空襲警報発令中の赤旗の上に、訓練のしるしの白い布をそえ、楼主の殆どが警防団員、お母さんも凛々しいもんぺに白のエプロン、紺のうわっぱり、狭い道路に張り渡したナワの、中央に底を抜いたバケツを吊るし、さらに鈴をつけて、これすなわちバケツを発火点とみなし、これにむけて水をかける、首尾よく当りましたら鈴がチリンチリンと鳴るしかけ、政江達もおもしろがって打興じ、手押しポンプえっちらおっちら押すうち、ピピッと音をたて細い筒先から、断続的に水が噴出し、何を連想してか、けっけとわらいころげるのも商売柄のこと、「まじめにやって下さい、まじめに」ちょび髭生やした防火群長、実は組合の理事が、ことさら他人行儀な口調でしかる、だが、娼婦は所詮渡り者で、お母さん楼主にとってこそカマドの下の灰まで他人に指一本ふれさせたくない財産だろうけれど、四年の年期をさらに二年のばし、六畳の間にところせましと箪笥鏡台ならべ立て、それはたしかに客の花代四分六に分けて、さらに内湯に入れば入ったでとられ、サック代小間物代お内所各々への割前税金を払って、残った金から月々いくらの前借金の返済、その上に、せめて部屋など飾り立てる女心、これぞ血と汗の結晶、焼かれるくらいならいっそ心中するほどの愛着あってしかるべきなのだが、どっこい女の部屋飾りは、所詮結婚はかなわぬ、人並の家庭も手がとどかぬ、せめてその真似ごとの中に身を置いて自らをなぐさめる方便なので、いわばかりそめの財産、焼けりゃ焼けたで、いっそさっぱりすると、割切っているのが嘘のないところ。だから十九年の秋、お上が品物の疎開を呼びかけた時も、お母さんは、女の数が減って余った布団やら、幾棹もの箪笥の中身、馬力に酒を飲ませちゃ千葉埼玉に運びこみ、しかし娼婦はてんからとりあわなかった、体一つあれば、他にまとい飾るものはうたかたの結びかつ消えるようなもの、その日暮しの習性ともいえよう。

「きれいさっぱり焼けちゃったら、君達はどうなるの？」楼主は高円寺と野方に借家を持っていて、とりあえずそこに落着く手筈ではあるけれど、さて商売となると誰にも見当はつかぬ、「お客さん、泊ってらっしゃらない？」政江は答えず、さらに脚をからめてねだったのは、かねがねお母さんのうち合せ、今は三人しきゃいない女だが、他に男手はなく、逃げるなら泊りのお客さんの後くっついてけば、まだ安心だよとなり、これまでの空襲の見聞からしても、到底、女手だけで焼夷弾を消しとめる自信はすでになく、「震災の時にや、みんな吉原の弁天様の池で、溺れ死んじまったものだ、まあ、向島へ逃げるのがいちばんかねえ」蓮の煮つけを食べている時、グラッと揺れたというお母さん、以後蓮をいっさい食膳に近づけない。ひきとめるまでもなく、十時五十分に警戒警報が発令され、とたんに帳場のラジオがボリュームをあげ、ベルがひびき、「東部軍管区情報、敵数目標が相模灘南方洋上を北進中」とつげる、「空襲警報になったらお勘定はいらないのよ」ふくみ笑いして政江がいったが、それまでのぞめく足取りが、たちまち猛々しい響に代り、組合理事の、ヒステリックなさけび声がきこえた、「雨戸を開けて、硝子戸をはずして、不要の灯(あかり)は消して下さい」「不要の灯か、折角の顔がみられなくなっちゃう」政江はつと立上り、五燭の灯を消すと、まっくらがりの中でカーテンを開け、思いがけずに明るい夜で、爆風の被害をすくなくするため硝子戸をはずして押入れに立てかけ、吹きこむ激しい風に「ううっ寒い」雨戸をあけるのは、焼夷弾落下地点がはっきりわかるよう、そして、これが他の地区からの類焼ならば、雨戸に水かけて火の粉防ぐため、再びたてるとり決めだった。月はなかったが晴れた夜空に星が張りつめ、時折吹く風と風に鳴る電線の他は静まりかえっている、「お内所にいらっしゃる? お茶くらいあるけれど」「いいよ、ここで君と見てよう」客はふたたび袋の大豆を手渡し、「なんだい、こんなところにも水を用意して」小便のカンカラに手をのばそうとしたから、ダメちがうのよとさえぎるとたん下へおち、素(すっ)頓狂(とんきょう)な音を立てたが、別に、誰もとがめはしない。

三年前、政江はやはり真暗な部屋で、三日間を過したことがあり、それは二階の北の端の布団部屋で、お松さんに、「じゃまあ、このお部屋でとくと思案なさいよ」ピシャリと唐紙を閉じられ、あれは夏の頃、屋根に照りつける陽ざしがもろに部屋にこもり、たった襖一枚へだてていわば地獄、お母さんとさんざやりあった末の興奮しだいにさめてみると、天井のしみにしろ、三尺の押入れの、だらしなくそりかえった唐紙にしろ、いまにも蜘蛛油虫音立ててはいずり出そうな按配、「そりゃねえ、好きな人と結婚したいっていうのは、結構なこってすよ、その前に、すますべきものをすましてからにしてもらおうじゃないか、かくれてこそこそ乳くりあうってんなら、こっちも大目にみてもあげますよ、それをあんた、証文そのままに棒にしろったって、そりゃいいよ、警察へ駆けこんで保護してもらえば、こっちは弱い稼業さね、今日只今からだって自由な身にはなれるだろうさ、やりたきゃおやりよ、それで、そんな得手勝手で世間様が通るもんならねえ」鼻から二本煙こそ出さぬが、お母さんは煙管たたきつけながらいい、政江にしてみれば丸二年余り、稼ぎに稼いだつもりで、だからこそ残りの分は男に出させ、ようやく掴んだ人並みのしあわせにもどるチャンスを、たとえ七重に膝を折ってもと、頼んだ挙句のこの見幕、金庫のとびらを開けると、ポイとほうり出した帳面、右に収入左に支出、ことこまかに書きつらねてあって、とどのつまりは八百円の借金減るどころか二倍以上に増えている、「どうしてお母さんこんな勘定に」「おや御不審かえ、おっしゃいな、どこがどうおかしいのか、ことこまかに説明させていただきましょ、はばかりながら三十年の余この商売やってってね、おいらんにいいがかりつけられるようなことは、これっぽっちも覚えがないね」もちろんこれは、やれ銘仙じゃ色気がない、着たきり雀じゃもったいないと月末に反物かつぐ呉服屋の来るたび、なにすべてお前さんの稼ぎで返せばよろしい、お母さんといや身内も同然、水臭いことおいいでないよ、ほらどうですこの友禅こういうものを着せて、歩かせてみたいねえと、さらに枷負わせる手練手管、いやたとえこれに乗らずとも、お祭の寄附から近頃は公債の割当てまでが立替え払い、お国のためだかお内所のためだか、蟻地獄におちたのも同様、「よしなよ、あんな片輪者をさ、そりゃきちんと始末した時にゃ、私だっていい男衆探そうじゃないか、ねえ、お松さん」へえ、さようでございますとも、なにも片びっこを、と、調子に乗っていわれて、始めて政江口惜し涙が出て、「なによ片びっことは、名誉の傷痍軍人さんよ」「そうかい、わるかったね、で、その軍人さん、借金払って下さるのかい、名誉だけじゃ、世間様はともかくナカではねえ」

瓢箪から駒といった具合で、政江の客の洋服職人が、中支にいる友達へ慰問袋を送る、ついてはいちばんよろこばれるのが女性の写真だからと、ねだられて、なるべく素人っぽい一枚を渡すと、やがてその友達は手榴弾で足に負傷を負い、箱根の療養所へ送還され、ついては是非、慰問袋の女性にあいたいという、しぶる政江を拝み倒し、これもお国のためだからと洋服職人、友達のもとへ連れ、同じベッドをならべる戦傷者ヤイノヤイノとはやし立て、同じく洋服職人の白衣の勇士、すっかりその気になって、仲介の男に打ちあけ、二度三度逢ううち結婚してくれとの申し込み、さすがに政江あわてて、「こんなに汚れた体と知ったらお気の毒だし、私だって嘘でいい、私のことを想ってくれる人がいてくれるとうれしい、うまいことといって断わって」涙ながらに訴えたのだが、そしてどうしても思い切らぬ男に、すべての事情うちあけても、「いや、かまわない、過去は過去だ。俺は高田馬場に店を借りて、もう人台も運びこんである、義足だってミシンはふめるさ、傷者同士といっちゃわるいが、是非来てくれ」たっての乞いにほだされて、だが借金のことまでいい出せぬ、一心こめてお母さんに頼めば、私だって働いて月々いくらと残りを返していけば、あるいはと思えば甘い考えで、お母さんにもちかけた話。さんざからかわれ、「じゃ、私、死にます」「おや、おどかすのかい、ふざけるのもいい加減におしよ」ひらき直ったお母さんを、お松さんまあまあと押しとどめ、「さあさ、こっちへいらっしゃい、そりゃまあ若いうちはいろいろとね」ブックサいいつつ布団部屋へ押しこめられ、もうこうなっては涙も出ず、いやにカビ臭い四畳半、陽がおちると共にただもう気が滅入(めい)って、電気つけようにも球がなく、「ねえ政江さん、長いものには巻かれなきゃ、いくら逆立ちしても楯ついても、ここのしきたりにゃ歯は立ちませんぜ」妓夫がにぎり飯運んで、親切ごかしにいい、「どうです、あたしの顔立ててちゃくれませんですかい、まあわるいようにゃいたしません」よほど、おねがいしますと崩れおれたい瀬戸際をじっとこらえて、「ちぇっ、強情なお人だ」妓夫が引揚げると、あらためて政江裾をかき合せ、膝を胸に抱きしめて、畳の目の、もうあや目もわからぬ暗がりに、うずくまっていた。畳の目の一つ一つ日がのびるんだと、たった二畳しかない水車小屋の寝部屋で爺さんのいったことを思い出し、いくらのびても、所詮自分にまではとどかぬ、闇の女と、心底かなしく、それも道理でようやく二十歳、夜中に朋輩がらっきょをそえた弥助を運んでくれ「懐中電燈ないのよ、ローソクで我慢してね」ゆらゆら揺れる炎が、窓一つない壁に己が影を写し「えーお客様でございます」妓夫の声が別世界のもののようにひびく。

「ねえ、らっきょ食べない？」茶簞笥から、広口瓶いっぱいに漬けたそれも今は三分の一に減り、「どうせ焼けるんなら、置いといても仕方がないわね」「よく酢っぱくないねえ」「好きなんだもの」闇になれると、かえってさっきより明るいくらいで、二つ小皿にとって、後は指でポリポリとつまむ。「手のすいてる人、手伝っとくれ」いっとき喧ましかった防空情報しばらく静まり、お母さんの怒鳴る声がする。「君、行かなくてもいいの」「うん、お客さまがいらっしゃるもの」裏庭の穴に大きな支那火鉢を埋め、それに梅干梅酒つくだ煮米を入れて土をかける、証文類一切は組合の大金庫におさめる、その人手を欲しがっているので、政江はてんから手伝う気などない。男の手がもんぺの裂け目からしのびこむ、「数目標か、今日はやられるかも知れないなあ」「死んだ人、みたことある？」「空襲で？」「ええ」「一月の終りだったかな、有楽町に爆弾がおちた時、オートバイごと壁にぶつかって死んでるのや、脳味噌のはみ出して、まだ動いているのをね」「痛いのかしら、爆弾て」「さあ、当ってみなきゃわからないねえ」男の指は、他人の死を話題にしながらしつようにうごめき、「抱いて、もし、今日の空襲で死んだら、これが最後ね」「抱きあったまま死のうか」「嘘ばっかり」もんぺの紐を心せいいてほどき、男がゲートル解きにかかるのは、さすがいつ空襲警報鳴りひびくかしれず、前のボタンをはずして、そこに顔をうめる、男はあおむけに寝て、政江の肩口をひきよせようとするが、首をふって、尚、いとしそうに直立したものを愛撫し、これは、あの、ついそのまま音信の途絶えた傷痍軍人と、松葉杖の代わりに肩をかして箱根のケーブルカーに乗り、蟬時雨の林の中でのこと以来だった。はじめて男をいとしく感じ、自分から求めたのも、あれが最初であった。

清梅楼に来た日、お松さんと福乃湯で背中の流しっこ、ようやく重い口もほぐれて、そのまま茶の間の奥の六畳で、たのむ人はこのお松さんと、問わず語りに身の上話の末、ひょいと話題が変わって、「政江さんも、男と女のことわりは、御存知でしょうね」ごく当り前にいい、返事しかねていると簞笥から、一帖の絵巻物とり出し、眼にしたとたん、「え、久江さんえ、お客さま」「おことさんのお部屋弥助お注文」とかまびすしい物音とたんに消え、ただもううつむく耳許に「恐いことはありませんよ。明日、一緒に病院へまいりましょ、ほれ、綺麗な若侍ですこと」一枚一枚めくりつつ、早く帰りたければ、骨惜しみせず体やすめせず、何事もお内所大事に、お働きなさるこってすよ、私もこれでもう少し若ければと、政江の乳にふれ腰にふれ、ふれられたところは、まるで灸点おろした如くかっと熱くなって、つい息がはずみ、「男と女のすることに変りはありません、江戸の頃も私等の若い頃も、そして今もねえ、せいぜい可愛がってもらうことですよ、かわいがられてお金をいただき、親孝行ができる」お松さんの指は、ふとももに忍び入り身をすくめる政江を、あやすように抱きとりながら、ゆっくりとなでさする。翌日、病院へ連れて行かれ、診察というから、せいぜい聴診器を当て、脚気のあるなし調べるのかと思えば、うもすもなく内診台に導かれて、「はいズロースとって、上にあがる」看護婦がおそろしい力で両脚を、突き出た支えに乗せ、拍子に背台が後ろへ倒れ、ようやく身を起したが前にカーテンがおろされて、医師の顔はみえぬ、ついで冷たい金属のふとももにふれたと感じた瞬間、裂かれるような痛みが下腹にしみ入り、思わずうめくと、「我慢して頂戴、じきにすみますからね」お松さんが両腕をかかえ、だが痛みはますます強まるばかり、恥も外聞も忘れて、「お爺ちゃん」さけんで涙ににじむ天井に、蜘蛛の巣がゆれていて、あまりのことで現実感が失われ、気づくと同じ姿のまま、お松さんがしきりにガーゼを股間に当てては、にじむ血汐をふきとっている、我にかえって脚をおろし、体起しざま内診台からとび下りたが、よろよろとよろめき、なにやら体の中にまだ入っているようで、お松さんにすがりつき、及び腰で、「痛い痛い」訴えると、「よしよし、少しの辛抱、みな通って来た道です、こうやってお医者さまに手術してもらえるだけでも幸せなのよ」以前は、妓夫の古手が通称ガンギ、婦人科内診用の器具を扱って、処女膜破り膣をひろめたもの。

その日は一日布団で寝ることを許され、もっともお松さんつききりで、「政江さんもこれでこの街の人間になりなさった、後は、男衆にかわいがってもらうだけです、わかってますね」まだ灼熱感の去らぬ、そして他人のように思える下腹部をかかえて、政江は何時知らずすべて納得し、心の底にほのかな好奇心、男衆にかわいがってもらうことに、一種の期待さえ生れ、ほんの四日前、ガチャンガチャンと音のみ喧ましい工場で、軍足を編んでいたことが夢のよう。遊廓には水揚げのことがなく、ただ初店とのみ妓夫にお披露目され、最初の客は四十年輩、あれこれしつこく前歴をききただすのを、しかし思えばこれほど他人の関心をひいた覚えなく、心うれしくてけっこう言葉をかわし、やがて疼痛にさいなまれたが、ガンギほどではなく、誰にもおそわらぬに、腰さえ使って、これは我が身をひしと抱きしめ、息づかい荒げる客への、せめてもの政江の心づかいであった。やがて心の移し方、京紙の扱い方、酒に酔った客のあしらい、かならず裏をかえさせる後ろ髪のひき方、イルリガートルによる洗滌から、まわしの際は金だらいに温ま湯張って腰湯を使う、客の気息に応じて、喜悦のふりをする、睾丸を愛撫しての早うち、月経のタンポの使用法、まわしのさばき方、どうにも疲れた際の体のつかい方、台の物とれば料金の二割五分がお内所へ入ることやら、上り花下湯紋日引けの言葉や、猿をえてするめを当りめの忌み言葉。いたらざるはない教育受けて、さて二時間で始めは二円、四分六でも一円二十銭となり、四時間三円十二時以降が四円、まわしをとれば十二、三円の稼ぎつまり七円が手に残り、食う寝るところお内所まかせとなれば、大引けの拍子木の後、一時間ずつ拍子木にふとまどろむ夢を起され、ようやく朝の八時に欲も得もなく寝ついて、十二時に朝食、味噌汁につくだに沢庵盛り切り飯も、このつもりで客をとれば、たかが八百円の借金、たちまちに返せると心強く、もともと有為転変の身の上には、まずあきらめが先に立ち、もとより錦紗の友禅のと、赤い派手な着物に心ひかれたのも年からいって無理もない。

だが朋輩が、やれ腰が抜けたの、茶臼には弱いのと、いかに心こわく保ってみても、つい手練れには泣かされるその経験まったく政江になく、たちまち身についた先の出方でどうにでも話合せる舌先三寸、ふんふんとうなずいてはいても、女の悦び、傷病兵をしるまではついぞ心得なかった。

「サックは?」「私はいいの」畳に横たわった政江、客のなすままにまかせ、そこへ、「東部軍管区情報、敵数目標は相模灘上空にて旋回集結中、東京、横浜、名古屋地方に来襲のおそれあり、厳重に警戒を要す。くりかえします」ふたたびラジオが高鳴り、「カントーチクチクノミガサス、アトカラシラミノダイヘンタイ」重なり合ったまま、さすがに怯えてうごきをとめた政江に、男は唄うようにいい、「疎開の小学生が唄ってるそうだ」「あなた、学校の先生」「うん」ふたたびもつれあい果てた後、「明日は陸軍記念日だからなあ、こりゃやられるぞ」身づくろいもそのままに見上げる夜空は、妙に青みがかっていて、覚めればさすがに夜寒が身にしみ、「一度だけ、あたし空襲をみたことある」空襲といっても、つまりその被害現場のことで、去年の暮、高円寺の、お母さんの借家へ着物を運ぶようことづかって、出たもののすぐに警報となり、上野で待避、遠くを電車が走るのかときいていると、それが落下音、ズシンズシンと響いて特に怖くもなく、電車に乗ろうとすれば中野どまり、ごったがえす駅を降りて、後一丁場と歩くうち、キナ臭いにおいが漂い、辺りの人みるからに殺気立ち、ひょいとみると、一頭の馬が街頭に、まるで置物の如くに突っ立ち、その腹一面にこまかい硝子が突きささり、その一つ一つから血が吹き出て、地面に糸をひき、すでに大きな血溜りが出来ている、あっとおどろいて脚がすくみ、そのましゃにむに清梅へもどって、「おかあさん、たいへんよ、馬が青い顔して突っ立ってたわ」「なんだって馬が青い顔?」「そう、まっさおになって」お母さんはまじまじと政江をながめ、「馬鹿だねこの子は、馬が青い顔するかい、恥ずかしいからって赤い顔になりますかね」いわれてみればもっともだが、政江の眼には、いかにも蒼ざめてみえたのである、「あの馬死んだかしら」「馬よりも、それをひいてた人間はどうしたかな、きっと爆風で吹っとんじゃったんじゃないか」こわいとしがみつき、大丈夫さ、らっきょ食べてるんだから、逆になぐさめられると、小皿に残っているらっきょ、みんな食べちまわなければ、すぐにも爆弾にあたりそうで、常日頃、信心にも欲深く手当り次第の神仏をならべて御加護をねがおうお母さんを笑えない、「こまんだら、こまんだら」爺さんが地震の時つぶやいていた呪文を唱え、「先生怖くない?」「そりゃ怖いさ、しかし、ぼくの友人はみんな特攻隊にいってるからなあ。ぼくは体が弱くて駄目だけど」「死ぬのはいや」「大丈夫、ぼくがついている」

午前零時八分、不意に表が明るくなったから、身を乗り出してながめると、西の方に光源があるらしく、けたたましくラジオがひびいて、「東部軍管区情報、京浜地区空襲警報」あと敵編隊は、西南方より帝都上空に侵入しつつありという言葉にかぶさって、ドシンドシンと高射砲のひびき、たちまち夜空に数十条のサーチライトがゆらめき、政江ようやく気をとり直してもんぺをはく、「とにかく表へ出た方がいい。ぼくについて来なさい」階段降りると、帳場に人影なく。お母さんも久江も防空壕にかくれたらしい。街角には警防団がホースのばした消火ポンプをかこんで、夜空を見上げ、やがて一機、まるで送り火のようにサーチライトにリレーされながら、北進し、はっきりみえる灰色の胴体から、思わずとりおとしたといった造作なさで、黒い粒々がこぼれる、花火の喚声のようなどよめきがおこり、先生は、「大丈夫、こっちへむかって四十五度の角度でおとしたら危ないけれど、あれなら、川向うだろ」しかし、大気を切り裂く落下音はすさまじく、たちまち街路に一人の姿もみえぬ、政江と先生は軒先に身をひそめ、震動も伝わらぬのに、防火用水の水はポチャンポチャンと揺れうごく。次から次へと一機ずつ、ごく低空で真上を通過し、やがて南の空が赤く染め出され、「あっちも焼かれてる」さけびにふりむくと、北も、そして東も空は真赤で、その赤の中をキラキラ光りながら数百の金粉がおちるともみえず、ゆるやかに降り、しかもここだけは、おどろおどろしく人ののの しり騒ぐ音を、風に乗せて時たま伝えながら、深閑としずまりかえっている、「壕はどこだっけ」こっちと、もはや消火の意欲はないのか、置き去りにされたポンプの横を通り、江戸一の交番の横の壕にたどりつくと、すでに満員で、みな押しだまったまま、無表情に員数外の二人をながめ、「日本堤の方へ行きましょう」先生の手をにぎりしめ走りかけると、何時の間にしのびよったのか、B二十九特有の爆音はきこえぬのに、ただ轟々と落下音、矢も楯もたまらず防火用水のわきに眼と耳おさえて伏せ、しずまったところで身を起すと、あたりの景色はそのままながら、ただならぬ気配、ガラガラとポンプを引く音、犬の鳴き声、「焼夷弾落下」と女の悲鳴、一軒がすっと薄い黒煙吐き出すと、合図うけた如く、バチバチと火のはぜる音、そこへ再び落下音がひびき、政江怖ろしさに伏せたまま見まわすと、さきほどの星あかりはまったくなくなっていて、まっくらがり、「先生!」とさけんだが答えはなく、歩きかけて蹴つまずいたからひょいとみると、先生はうつぶせに倒れたまま、向いの家の軒先から火が走り、その明りをたよりに抱きおこすと、すでに先生の意識はない、ひっぱり起すにも、引きずるにも頬がえしのつかぬ重さでそのうち熱さにいたたまれず、用水の水を両手で全身に浴び、あるいは怪我だけかも知れぬ先生を、置き去りにするやましさなど考えるゆとりはない、片側の焼ける炎をたよりに、日本堤へむかうと、逆にこちらへ駆け寄る一団があり、とにかく一人よりは心強いからまぎれこんで、京町を仲之町へ走り、その間に二度、焼夷弾が降って、どこをどう傷つくのか、たいてい一人二人起き上らぬものがいて、だが知ったことではない、仲之町にたどりつき、みると道いっぱいに、まず二米間隔、細い棒が突っ立っていて、これは不発らしく、走っているうちはまだしも、立ちどまると熱気にうたれて、「言問橋だ」「三囲神社」「吉原病院」「松屋」と口々にさけぶだけ、やがて布団背負った女の背に火がつき、消すにも水はなく、背をかがめて突っ走った男の影も、半ばにして火柱の如くなりどうと倒れる、背後から炎はせまり、しかも風さえなおいっそう吹きつのり、互いに見かわす顔、すすでくろく汚れ眼は赤く血走り、ようやく一人が防火用池に気づいて、裏路をたどりたどりつくと、すでに黒山の人、楼主と覚しき三人さすが男で胸まで水につかって、周囲の群れに、バケツで汲んでは水を浴びせ、冷たい水、実はとっくにぬるま湯ほどにも熱されているのだが、ほっと政江も生気をとりもどし、見まわすと、視界のすべて、勢いよく燃え盛っていて、そうこうするうちにもこぶし大の火のかたまりが、防空頭巾にとりつき、「荷物は捨てろ、ほうり出せ、どこかに火がついたら、すぐにいうんだぞ」必死のせいか、周囲の物音にかかわらず楼主の声がききわけられ、女達、ハイとそれでも力いっぱい返事をする。

気づくとここは、戦時菜園のすぐとなりの用水で、これならば最初からここへ来ればよかったと、水を浴びるごとに人心地がつき、ひとしきり音を立てては、棟が焼けおちると、そこからの熱気は汐のようにひいて、始めに焼かれたあたりは、すでにほだ火ほどにも弱まり、もともと日照りには弱いらっきょ、この熱を浴びては、みんな枯れちまったろう、いや、土の中の実は、案外無事かも知れないと、今は財産といえばらっきょだけ、しきりに火の粉は舞いしきるが、特に炎もあがらぬ菜園をながめ、「よし、みんな水をかぶって、焼けおちた道から、日本堤署へ逃げるんだ」楼主がいいはなち、道に焼けぼっくいやら、瓦（かわら）やらおちてはいても、すでに日本堤の方向は下火となっている、女の一人一人バケツで水浴びさせられ、一散に駆け出す、政江は順番に間があるからと、菜園にむけて歩き出し、もし焼け残った根っ子があればと、手にふれると火傷しそうに熱い土に四つんばいとなり、地表の葉っぱはすべてチリチリとなったらねの間を歩くうち、風が変って、百米ばかり先の焼けおちたあたりからまるで火の川のように火の粉が吹き寄せ、逃げる間もなく政江を包み、火だるまとなった政江二歩三歩足を運んだが、どうと倒れて、しばらく後その上を押し包むように、焼けおちたはずみの熱灰が、ふりそそいでいつまでもくすぶりつづけた。

吉原で残った建物は、吉原病院それに揚屋町の一号館二号館、江戸町二丁目の八号館、十日から十二、三日まで炊き出しやら、罹災証明書の交付など、ここを根城に行なったが、さしもの各お内所も、帰れといって、あてもない娼妓をかかえ、それぞれかねて手筈の借家やら、縁故先へおちのびたものの、先行き見当つかず、そこへ十八日、日本堤署長より、再びこの地での営業は不可能と宣告されて、とにかく娼婦の証文を巻き、おったてるように郷里へかえしたが、どうにも落ちのび先のない女二十人、今はお荷物となったのを、思案投首のところへ、四月十九日、「治安維持の必要上から、早急に営業を再開されたい」と指令され、なにしろお上のおいいつけごもっとも、軍にかけあって、応急の資材手に入れ、一号二号八号館の焼ビルに床を張り、疎開させてあった布団を入れて、さらに強制疎開でこわした家屋の畳や障子、柱に雨戸、おっつけはっつけ割部屋をでっち上げ、営業を再開と誰一人宣伝もしないのに、焼跡の闇の中を、脂粉の香りにひかれてか、たちまち延々長蛇の客が集まり、時間といってもこと果てればそれまでで五円、二時間十三円、泊り二十円、この頃、闇米一升が丁度二十円であった。

京町の門柱の焼けのこりと、ようやく生きのびた見返り柳の他に、ほとんどすべての吉原が焼失した後で、ようやく暑さにむかう焼跡の一隅、たちまち生い繁り、赤褐色の焼野をうめつくした野草の中に、一本、由緒正しいらっきょの茎がのびていた。政江の誰一人知らず葬られた防空壕の上、紫色の、鐘の形をしたらっきょの花が、水車小屋の前の砂地に生え、そして政江の指を染めたそのままの色で、ただ茫漠(ぼうばく)たる焼跡の夏草にまじり、天にむかって、さやさやと風に揺られていた。

『小説現代』(昭和42年8月号、講談社)初出

曙町

田中英光

敗戦直前の話である。

東京の、玉ノ井、亀井戸に匹敵するものとして、横浜に、曙町という私娼窟がある。

玉ノ井、亀井戸は、とあれ、東京都の外郭地帯にあるが、曙町は、丁度、東京の銀座と思われている、伊勢崎町という繁華街のすぐ真裏にある。

そして昔から、横浜の地回りなぞからは、アケ町、学生、勤め人なぞからは、ABC横丁の愛称を貰い、秘密の繁華街を続けてきた。

諸君がもし、その町にゆこうと思うならば、桜木町駅から、歩いて約十五分の短距離にあり、市電によれば、三ツ目の郵便局前でおりればよい。

けれども、諸君は、その町の真ん前に立ったとしても、なかなか、この秘密の街の入口が分らないであろう。近くには、本願寺や、郵便局、小学校のような、まじめくさった近代建築が、堂々と立っているのだ。

そして、町の表通りは、電車路で、広い道路をはさみ、温和しい、平凡な商店が白々と居並び、その川に近い、秘密の街をひっそりと呑みこんでいるのだった。

一九四三年の終り頃から、表側の町の商店は、度々の企業整備に引っ掛り、種々の新しい経済法規に縛られ、公けな商品の流通は止まってしまうし、男たちは次々と徴用や出征で出て行ってしまうと、呉服屋といわずガラス屋といわず書画屋といわず、配給所として残った商店以外は、全部、店の戸を下ろすよりほか、止むを得なかった。

食堂、喫茶店、酒場のような店はそれでも、闇同様の高い値で、昔なら誰も飲み食いせぬだろうと思われるようなまずいものを売りながら、比較的後まで生き残っていたが、これもしまいには情実的な販売だけになり、その僅かな品物さえ軍や工場や闇に流れるようになると、それも長くは続かなかった。

裏通りの怪しげな酒場や屋台店になると、これは焼ける半年ほど前頃まで残っていて、たまには威勢のいい喧嘩や、女たちの嬌態も眺められることもあったが、闇の酒を更に闇値で飲ませたりするこの商売も、だんだん量的に自然に衰えて行って、しまいには一晩一人かせいぜい二人の客で、それでも昔以上の利益を上げることは上げていたが、これも最後には全く喘ぎ喘ぎの商売になっていた。

このほか、射的、ポケット玉、楊弓などの遊技場となると、これは殆んど焼ける時まで生き残っていたが、そうした余裕のある客は日毎に減る一方で、馴染みの海軍の下士官たちや、少なくなった土地の地回りなどが、たまに店先を賑わすほかは、女たちも諦めて、店先にさえ坐っていなかった。

　しかし、これらの店が、ほかの町の店に比べて少しでも長生きをし、儲けられて来たのは、全く街が包みかくしてる春婦の街のお陰であり、また、それらの店の経営者の懐具合となると、彼らは多く、その春婦の街の経営者の一人か、それでなければ血縁的な身内か、或いは殆んど親分子分の関係にあるもので、表向きの商売の盛衰とは関係なしに、著しく膨らんでいる者が多かった。

　少なくとも、そうした外見はこの春婦の街を包み隠している表側の街が、一日一日と死に絶えて行き、春婦の街自体も、その中で酔客や地回りの喧嘩とか、与太者の出入りとかいう賑やかな風景は絶えてなくなった癖に、かえって一日一日と非常に奇怪な繁昌の姿を示しつつあった。

　無論、その街が生活を始めるのは、夕方の四時か五時頃からであるが、初夏のまだ明るい光の中にでも、ちょろりちょろりと溝鼠のように、その狭い溝臭い路地に現われては、マッチ箱を積重ねた脆弱な感じの、或いは棺桶の立腐れたような腐敗した感じの、それぞれの二階家に向って姿を消して行く、馴染みの若い工員や海員の姿なども少なくなかった。

　一度、蒼い夕闇が、人間の顔を恥と醜さから覆い隠すようになると、僅か百軒そこそこ、五百人たらずの春婦たちの街に向って、数千人の男たちの群れが、どこからともなく現われて、路地の蜘蛛手の中に潮のように満ち溢れ、恐ろしく無言で真剣な顔のまま、声の少ないざわめきを立てながら、その二階家に出たり入ったり始める。

その大群は九時頃を頂上として、次第に少なくなって行き、十一時頃には交通機関が止まるから、もはや、その界隈の男たちか泊りを焦る客が残るだけで、それらの姿でさえ、十二時には残っていたすべての店も戸を下ろすので、路地という路地はたちまち黒白も判ぜられぬ暗闇の中に掻き消されてしまう。

だが厳重に灯下管制をした家の中では、下のお内証部屋にはまだ晃々と電気がついている。ものを貪り食らう女たちの姦しい騒ぎや、雇い主の帳付けの声などが聞え、一方、赤や青の豆電球の点っている薄暗い二階では、泊り客たちの溜息や、話し声や、たまには酔漢の怒号なぞも聞える。

午前一時頃、これがこの街がいちばん本来の面目を発揮する時間であり、耳を澄ましてさえいれば、到るところから、淫らな声や物音などが聞え、時折それが客や女たちの怒号に変化することもある。さすがに二時を回ると、街にも静寂の二、三時間が訪れてくるが、その頃はその静けさの中からよく不気味にサイレンが唸り出し、再び街は暗黒の中で蝿取器に押しこめられた無数の蝿どももがき犇めくような騒ぎになり、一部分の遊客たちは電信柱に頭を打ちつけたり、溝に片足を入れて転がったりしながらも、倉皇として暗闇の中に、或いはわが家の方向、または勤務している場所に向って消え去って行く。

あと真っ暗になった家の中では、大部分の遊客が不潔な臭いのする二階の三畳間で、女たちはすべて下のお内証に集合して、大空襲の場合には、深刻な後悔をもって、米機の爆音を聞いたり、付近の高射砲の炸裂音を聞いたり、ラジオの情報に耳を澄ましたりする。五月末、一挙に戦爆連合六百機の大編隊により、数千噸の焼夷弾を頭上に見舞われるまでは、自分だけは大丈夫なような気がしている、無智な人間たちの哀れな信念で、女も客もそうした場合、かえって大胆さを誇示する態度があった。

空襲のあるなしにかかわらず、それからまた、淫らな夜明け前がやってくる。朝四時か五時、青い水のような朝の光がこの街にも流れこんでくると、朝の早い勤め人や工員たちが、もはや、しょんぼりした孤独な後ろ姿を見せながら、次から次へとこの街を抜け出して行く。

十一時頃までには、軍人や闇屋のブローカーたちも、それぞれ虚無的な太々しい表情で引上げてしまうと、疲れ切った女たちは、朝飯を腹一杯詰めこんでから、また一眠りする。その三、四時間の間が、街にはかえって真夜中のような静けさがあった。

午後三時頃、女たちは遅い代用食なぞの昼飯を済ましてから、昨夜の汚ごれを洗い落し、その乾いた干割れしたような肌に白粉を塗りこむため、ぞろぞろと連立っては街の近くの銭湯に出掛ける。四時頃、真っ直ぐ帰って来て、手紙を書いたり本を読んだりする女たちもいれば、或いはそのままぶらぶら歩いて、伊勢崎町の映画館や寄席や軽劇を覗きに行く女たちもいた。

　毎週、金曜日の午後一時から、形式的な定期検査があるが、馴れ切っている女たちは、まるで風呂にでも入るような気軽さで、着物を脱いでは台の上に横になる。

　例のスピロヘータパリダと称する病原体によって発生する慢性全身的伝染病も、硬結(しこり)や横痃(よこね)となって外部に出るまでは、または明らかに全身薔薇疹を発するまでは、医者も気づかないし、気づいてからサルバルサンを打出しても遅くはない。

　しかし、大抵、血液の反応を検べるところまでは行かず、自覚症状が消失すると医者も当人も注射を止めてしまう。そのため、或いは数年後に彼女らが、突然、脳梅毒や麻痺狂、脊髄癆(せきずいろう)のような恐ろしい疾患を起す可能性があることも、彼女らは、現在は、一向に平気なのだ。

　更にもう一つの粘膜上にばかり繁殖する珈琲(コーヒー)の実に似た菌が引起す病気に対しては、もっと無頓着だ。麻菌がもし血行に入ると心臓内膜や粘液嚢、筋肉膜、皮膚などまで侵されるのであるが、彼女らも医者もただ膿の分泌が甚だしく、痛くて堪らぬ時にだけ手当をする。これもズルフォン剤を暫く続けて打てば、すぐ自覚症状はなくなるので、女たちは病気のことを忘れてしまう。

　それに、商売に馴れた女たちは、大抵の場合、前後の予防を怠らぬから、病気が外に顔を出すことは滅多になく、女たちは安心し、まるで彼女らの唯一の社交場にでも赴くように、盛装して検黴（けんばい）場に出掛け、そこで気取ってほかの店の女を観察したり、挨拶したり、自分の客を取った女を教わったり、淫らな口を利き合ったりするのだった。

夏ならば六時、冬ならば五時頃、彼女たちは、舞台に上る女優たちのように厚化粧して、店を張り始める。昔は、大抵、覗き窓の向うに、座布団を敷いたり、股火鉢をしたり、一張羅を汚ごさぬように尻まくりして坐っている。煙管や鼠泣きで客を呼ぶ時代から、背の高い客には、高井さんとかノッポさん、眼鏡の客にはオイ眼鏡さん、顔の黒い客には黒井さんなどと呼びかけ、近くに客が寄ると、いきなり実物を見せたり、猥写真を見せたり、または門口に立っていて、目星をつけた客に飛びかかり、客の所持品を強奪して店に逃げこみ、なんとかして一人でも客を取ろうとした時代もあったが、今は全くこの春婦の街もインフレーションを起していて、需要がむやみに増大して、供給が減じているため、その硝子窓の向うに坐って肉体を商品にしている女たちの種類も、一昔前とはまるで違っていた。

一頃は、東北の貧農の売られて来た哀れな娘たちや、暗い家庭の事情のために余儀なく身を沈めた悲しい女たちが多かったが、そういう女たちが街のインフレ景気のために、自分から好んで住みついた女たちを除くと、続々、親元や好きな男の懐に落ち着いた後には、当時、禁止令を食ったカフェやバーや、待合、喫茶店などから、多くの自堕落な芸者が、女給が、喫茶店の不良少女が、ちょうど、蛆が不潔な場所だけを好むように、この無為安逸な温柔境をわれから好んで、次から次へと住みついて来た。

多くの中にはまだ、非道な身内や雇い主の搾取のために前借が増えるばかりで、転々としている哀れな女たちもいないことはなかったが、それは白痴か、または身体や顔に余程、欠陥のある女たちの場合が多かった。

七三や六四の契約にしたところで、昔のように衣裳代は要らず、買食いは出来ず、急に十倍から二十倍に彼女らの商品価値は跳上がり、法外な稼ぎが平気で出来、その上、百円札の小遣いなど来る度に置いて行く闇屋などの客が多いので、彼女たちは訳なく昔の千円足らずの前借は返してしまい、大抵、愛国婦人会の会員で、相当な愛国貯金などしているばかりでなく、銀行に少なからぬ当座などを持っている女までがいた。

それ故、昔のように白い肉の奴隷とか、哀れな籠の鳥とかいう感傷的な甘い眼鏡をかけて、彼女らに接するバカな男がいたら、後でなんとも言えぬ苦い幻滅を味わわされるのだった。女たちの半数以上は、抱え主と分かれ自前で、自分の好きで肉体を売る女たちで、中には万円と名がつく臍繰りをため、仲間のお人よしの女たちに高利で融通している女まででいた。

それ故に女たちは、今では客の選り好みまでして、若くて美しい青年か、よほど無駄金を使う闇屋か、自分たちの好みに合った逞しい海軍の下士官でもなければ、喜んで客にしないようになっていた。

例えば、汚ない工員や船員や、また好色そうな中年男や、金のなさそうな勤人たちが、もの欲しそうに彼女らの窓を覗きこむと、まるで相手にしない顔をして見せ、それでもなお、執拗に交渉する客があったりすると、いきなり鼻っ先でぴしゃりと窓を閉めたり、またはロ汚なく罵って窓から追い払ったりする。

どんなお多福でも客のないことはないために、自分の好まぬ客には大金を吹きかけて、渋々客に上げ、しかも冷やかな待遇をしてすぐ追返してしまうのだった。

よくショート・タイムとか、ちょいの間とか、女たちが説明する、いちばん短い、昔でいう線香一本の時間で土地の協定値段が八円、昔の線香三本、今の一時間といっても正味四十五分が十二円、十時からの泊り代が二十円と、それぞれ㊣は決っていたが、どんな女でも一度上がったら最後、最低十円は取り、少し美しい娘になると上がっただけで二十円から三十円ふんだくり、これが一時間になると、最低二十円から、客の殺到する女だと五十円から百円まで取った。

それで少なくて二、三人から、多くて十人もの客を取り、その上、十時から泊りの客を取るのに、これはまた、外泊の下士官や工員たちで特に希望者が多いため、百円から百五十円、三百円と、値段がべらぼうなばかりでなく、人並みの顔の女なら、前夜とか宵の内に予め契約して置かないと、滅多にフリでは泊れないのだった。

女が好いている馴染み客で、前から泊る日を予約してある男でも、抱え主に渡すために最低、五十円は取られた。女たちはそのように法外な金を客から受取って、二階から下へ降りる際、大抵半分以上を、自分たちの帯の間にしまうのが常だった。抱え主はそれに気づいても、海千山千の女たちは、威すよりも、妥協してある程度まで黙認して使うほうが得なのを、ちゃんと承知していた。それに、やたらに増える法律や面倒な規則のために、新しく雇える女は日毎に少なくなり、契約も一万円以上まで暴騰して行ったから、とにかく、今いる女を大事にすることが大切だった。

女たちは、ちょうどその頃、工場におけるエンジニヤーが自分たちの値打を誇大に考えて、夜郎自大の風があったのと同様に、急に威張り出し、眼前に入れ替り立替り現れてくる色餓鬼たちを、自分の好きなように翻弄した。

自分の好かぬタイプの男が、何度も窓口に現れたりすると、

「ちぇっ、また来やがった」

など舌打ちし、中にはそんな客の中で呻くような声を出し、

「おい、上げてくれよ」とか、

「なア、駄目かネ」

など醜く頼む男が、手でも握ったりしようものなら、女は平気で男の横ッ面を張飛ばし、窓を閉めて、さっさと奥に行ってしまった。

「へん、心配しなくたって男は沢山いるんだよ」

「なんだい、この節はこっちが男を買っているんだ」

こんな珍妙な啖呵までも、その窓口で聞くことがあり、この街の女たちは今や有頂天の生活を送っていた。

もしも、女たちが国に帰ったならば、徴用に取られる恐れもあり、嫁に行ける時代ではなかったし、他の国民と同様、食うものも碌に食えなかったであろうが、この街にいて、習慣になったように肉体を投げ出していさえすれば、いい男の選り食いも、闇の白米も鱈腹食え、おまけに海軍の下士官や闇屋たちが珍しい菓子類まで持って来てくれ、その上、自分たちの商品価値を、政府が色々な法律によって、次々に高めてくれるのだった。

それらの現象は、ちょうど、その頃、農村において起り出した経済現象と一種、似通ったところもあった。今度の戦争で結局、決定的、圧倒的であったのは中産階級のプロレタリヤ階級への著しい顚落であった気がするが、この街を彷徨するプチブルの男たちには、やはりそうした不思議な国のアリスめいた表情のところがあり、揚句の果ては女たちから唾でも吐きつけられる目に逢い、初めて、僅か二、三年前とは貨幣の価値も女の価値も自分の給料の価値も、すっかり逆転しているのに、やっと気づく有様だった。

その街には、もはや、恋とか何らかの愛情に類したものや、酒や魔薬に類した悪の華の深い頽廃に似たものもなにもなく、呆(あき)れるほど詰らなく平凡で、ただ金と性欲とがあるだけだった。女たちの不自然な性生活は、健康な男たちの過剰な欲望よりも、やはり自分たちと同様に性に疲れたもの憂い挙措の男たちの異常な変態さを好むのだったが、それも、昔のように香具師や博徒を好む代りに、今では刑事とか闇屋を愛していた。

また、彼女らの分裂した精神は、自分たちの部屋をも、映画俳優のブロマイド、古い婦人雑誌、修養全集、山本元帥の額、ハワイ空襲の写真とか、分裂した装飾で飾り立ててはいたが、本当に女たちが今、欲しがっているものは、金と、美味（おい）しい物を食いたいという単純なことだけだった。

そうした女を目当てに毎夜のように集って来る男たちは、昔は、大抵、自由労働者、職工、下級サラリーマンと相場が決っていたが、今では海軍の下士官、闇屋、不良工員、不正社員、悪徳官吏が、彼女らのいちばんの常得意であった。

その頃は、地方に幾らでも素人女が剰っていて、少し確りした男なら女を作るのも訳のない時代であったし、その反対に、真面目に働いている男なら食物の関係で、性欲のあまり起らぬ時でもあったから、そこを常得意にしている男たちは余程、社会の屑（くず）に相違なくて、女たちのその頃の平凡な下等さも、そんな男たちの影響を受けた感じでもあった。

元々、国家の期待するところでは、戦時下、国民の風俗の乱れることを恐れ、若い工員や兵隊たちの息抜きのために、そのような春婦の街を残して置いたのであろうが、結果は殆んど国家の期待に背き、真面目な工員や兵隊はそのような高い値段や、混雑した街の様子に恐れて近寄らぬばかりでなく、想像も出来ぬほど年少の少年工や低学年の勤労学徒が時たま姿を現したり、軍人はいつも定った顔ぶれの下士官だけになったり、またこの街全体が闇屋の常連の大きな温床となっていた。

街は、曙町の電停から郵便局の角を曲り、右側に射的屋の並んだ狭い小路に曲りこむと、毀(こわ)れた石畳の舗道が続き、左側に地面にまで汚物の溢れ出ている共同便所、その筋向かいの辺から鈴蘭灯の跡があって、ぽつぽつ洋風な建て方の銘酒屋がある。その通りを突当り、左にちょっと曲って右に真っ直ぐ行くのが、この町のメーン・ストリートで、家数も女の数も、立派な家も綺麗な女も、いちばん粒が揃っているが、この通りを中心にして鍵形または十形、コの字形に路地が四通八達している。

今では、照明を出来るだけ暗くしているので、夜、屋号が読めるように明るい店もないが、少し注意していると、店の奥の青い照明の曇り硝子などに、入船とか万両とか書かれた店名が読める。店の名前は、そのほか、瑠璃とか真珠とかいうハマ好みのものから、日新楼、一力楼とかいう古臭いものまで、様々であるが、女たちの名前は、洋子、節子、照子、少しハイカラなものでも、明美、南海子、由紀なぞ、すべて素人好みのものが多い。

出身地別に言えば、恐らくその頃は、東京都、神奈川県が八〇%を占めていたであろうし、年齢からみると二十から二十五歳までが約五〇%、二十五から三十歳までが三〇%、あと一〇%宛が三十以上と、二十以下に別れているように思えた。

経営者たちは、大抵、その昔、博奕(ばくち)とか競馬のノミ屋なぞを本職にしていた土地の顔役が主だったが、そのほか、街のカフェや料理屋の主人が兼業しているもの、質屋や高利貸が本業なものもあり、むろん銘酒屋一本槍の店も多かったが、そのほか、変り種では退職した中学の先生が、退職金を資本に大成功をしたのがあったり、大船撮影所の衣裳方で、女優の古い着物を店の女たちに着せ、着々と成功を収めつつある主人などもいた。

その頃、三十を越したばかりの坂本享吉は、独身者の淋しさから、度々、会社の寮からこの春婦の街の一郭に姿は現していた。時折、彼は会社の用事で、動員署の若い役人なぞを接待した後、その役人と連立って、役人が買馴染みの店に上がることもあったり、または工事のためにほかから会社に入っている若い職人や運転手なぞと、行当りばったりの店に上がったりすることもあったが、彼が大抵、酔っ払って一人で行くことにしていたのは、宝船という店の由紀子という女の許であった。

彼がその店に通うようになったのは昨年の十月頃からで、その前には宝船の筋向かいの紅玉という大店(おおだな)で、彼は死んだ女房によく似た、星子という温和しい女を買っていたが、その頃、その店でその女を買馴染みのブローカー風の男とばったり顔合せしたところが、星子の友達が、そのブローカーをさっさと上げて、享吉には、

「あんたは一回りしておいでよ」

と、バカにした仕打ちをしたのを、享吉は憤慨し、二度とその店には来まいと心に決め

て、筋向かいの宝船に飛びこんだ。

ちょうど、一方の窓で由紀子が店を張っていたところで、五、六人の油染みた青年工が入れ替り立替り覗きこんでいたが、由紀子は澄まして坐っているだけで、相手にせず、享吉の極り悪そうな笑い顔が、彼らの後から現れると、お白粉が皺になる娼婦独特の微笑をして、

「ねえ、遊んで行って頂戴よ」

と、この土地特有の胸の悪くなるような甘え口調で言った。しかし由紀子は、大輪の牡丹を思わせるような派手な顔立ちの女であったから、享吉は紅玉で失った自尊心をこの店で取返した気になり、すぐ帰る積りで、値段も聞かず、彼女に上がることにした。由紀子は険のある眼で窓硝子を締め、横のさるを外して享吉を中に入れた。彼が素面のような顔で、熟柿のような息を吹きかけると、

「あんた飲んでるんだね」

と、しまったという顔をした。

由紀子に限らず、その街の女たちは客の選り好みが出来るようになると、なによりも酔っ払いを、執拗（しつこ）くて長いから、と厭がり、赤い顔をした男は、どこの窓口でも肘鉄を食うことが多かった。

享吉は飲んでも顔に出ない酒であったから、由紀子は、

「いやだよ、お前さん、飲んでるね」

と言いながら、垂直に近い階段をトントンと先に登って、享吉を二階の端れの自分の部屋に連れて行った。

この街のほかの女たちの部屋と変らぬ、同じような汚ない三畳間で、窓は裏通りに面して一枚あっても、いつも遮光紙で密閉してあり、部屋はまるで穴蔵であったが、暗い表から登ってくると、仄明るい五燭光でもかなりに明るく見えた。

壁には、常在戦場と山本元帥の筆が活版刷になって貼られてあるほか、かなり、鉛筆やナイフで刻まれた駅の便所式の落書が散在していた。正面の長押（なげし）には西洋名画らしい帆前船の疾走する悪どい色刷の絵が、金縁の額に嵌（は）められていたが、外の女たちの部屋のように、壁中にブロマイドを貼り散らしたり、中原淳一の甘ったれた少女絵を貼り散らしたりすることもなく、むしろ殺風景な感じだった。

煙草や炭火の焼け痕だらけの、擦り切れた畳の真ん中が低くなっているので、壁際の安っぽい茶箪笥が、前にのめっていたが、その上には、勧進帳、弁慶飛六法のまだ綺麗な豆人形が硝子箱に入り、その横にはこれも新しい大きなフランス人形が、同じような硝子箱に入って置かれていて、この部屋には不似合な豪奢な感じを与えていた。

享吉が部屋の壁に凭（もた）れているうち、由紀子は直ぐ片隅に丸めてあった、真っ赤な薄汚ない煎餅布団をのべようとするのに、彼は急に堪らなく毛物めいた動作が厭になったので、

「いいんだよ。それよりも君と話でもしたいんだ」

と彼女を遮り止めた。亨吉が女を欲しい気持は、必ずしも肉体的なものばかりではなく、自分の孤独や不幸に堪えられなくなると、自分と同様に孤独で不幸な女たちと話をしたくなるところもあった。由紀子は小鼻の膨んだ強い表情で、「そう」と振向いたが、亨吉の顔に別に彼女を嫌っているのではない、むしろ女に甘そうな表情を発見すると、「なんの話をするのよオ」と言いながら、寝そべっている亨吉の横にべったり腹這って来た。

「え、なんでもいいんだ」亨吉はあっさりした男のようなポーズを作り、「おい、幾らなんだい」

「十円でいいのョ」そうなると由紀子にもしおらしいところがあった。

「安いね。二十円上げよう」亨吉はこの次はもっと持って来ようと思い、思いきりよく、なけなしの財布から二十円取出した。

「あら、どうも済みません」女は行儀よく礼を述べてから、「ちょっと、待っていてネ」と亨吉の鼻っ先に裾を煽って立ち上がり、頭をごしごし搔きながら下に降りて行った。

亨吉はその頃、ほかの男に抱かれているのに違いない星子のことを想い出し、あの女にはまるで性格がなかった、あの女を買うのは、駅で並んで切符を買うのと変らない感じだった、それに比べると、この部屋の女はなにか猛烈な顔をしていて面白そうだ、などと思っていると、じきに由紀子が上がって来て、また、亨吉の横に寝転びながら、

「本当にサ、遊ばなくっていいの」

「うん、君と話だけして帰るんだ」

「そう、この頃よくそんなお客さんもあるわヨ」

由紀子はぐるりと仰向けになり、白い二の腕をむきだしにして、脇の下まで見せながら、伸ばした掌を電球に透かして眺め、こう呟いた。享吉はその白猫に似た横顔を眺め、

「君は幾つ」

女は歯切れのいい口調で、「二十二よ、嘘じゃないわ」

「ふうん、若いね。まるで十八、九にしか見えない」

「おや、バカにおしでないヨ」それでも、ニコニコ笑って、享吉の股をつねった。

「君、生れはどこだい」

「東京よ、深川ッ子のちゃきちゃきサ」

「へえ、それで前はなにをしていたの。家にでもいたの」

「ううん、違うヨ。当てて御覧ヨ」

「カフェの女給か」

「違うったら」

「それじゃ、喫茶店の女の子だろう。よく君みたいな少女が、エプロンを掛けていたけれどもな」

「バカ」

「ふうん、じゃあ銀座裏のバーかい」

「違うわヨ、まるで方角違いだネ」

「それじゃあ、会社の女事務員か」

「バカ、違うヨ」

「じゃアなんだい」

「ふん、レビューのワンサだヨ」

「ヘエ、本当かい」

「あア、お前さん、ダンシング・ドルっていう劇団を知っている」

「知らないよ」

「そこに、月町君代って名前で一年ばかり出ていたんだ。浅草や新宿の舞台に出たこともあるヨ。だから今でもこんなに脚が太いの」

由紀子は付け根を着物で覆いながら、青く静脈の浮いた白い脚を口笛を吹きながら、天井に蹴り上げて見せた。

「へえ、それがどうして止めたんだい」

「あんなもの、詰んないからサ。埃りっぽくて身体はかったるいしサ、お給金が安くて、幹部が威張りやがって、糞食らえサ」

こういう社会の女たちの身の上話がいい加減なことは、享吉でも弁えてはいたが、由紀子の話が意外に嘘でないのは、後から聞いて分った。享吉は、時々、眉のぴりぴり震える由紀子の横顔を眺め、

「君は利かんらしいな。幹部と喧嘩でもしたんだろう」

「そうでもなくってヨ」由紀子は、あどけなく笑い、腹這ったまま頬杖を突き、

「それでもこの土地に来てから、もう二度ばかり大喧嘩しちゃったんだヨ」

「ふうん、ここに来て何年になる」

「もうまる二年だヨ」

「まだ最近なんだね」

「そんなことはないヨ。もうこの店でもいちばん古いし、土地でももう古狸のほうだヨ」

「喧嘩ってどうしたんだい」

「ウフフフ」享吉の二の腕を押しつけくすぐったく笑いながら、

「もう一年ばかりになるヨ、表通りのカフェなんか、みんな商売していた頃だからネ。その頃、わたしたちが銭湯に行くとネ、よく、そこの女給たちと一緒になるのよネ」

「うん、うん」

「それでネ、まだ明るい時だから、素人の女なんか、いやしないヨ。殆んど女給や食堂の女中なんかが入っているところに、家の店の女が三、四人で入って行ったんだヨ」

「ああ」

「こんな商売をしているでしょう。だから、わたしたちは遠慮してさア、いつも隅のほうに小さくなって入っていたんだヨ。そうしたら、女給たちのなかに、女だてらに二の腕に刺青(いれずみ)かなんかしちゃった、アバズレがいやがってサ、頻りにわたしたちのほうを見ちゃア、淫売が入りやがるんで、風呂が汚なくなって仕方がないって、大声で仲間の女に言うんだヨ」

「ふうん、意地の悪い奴だね」

「店の女たちが怖がるし、口惜しがるしさネ、自分たちが密淫売していながら、こん畜生と思ったけれどもネ、まアまア待て、今に酷(ひど)い目に逢わしてやるからって、店の女にも言ってたんだヨ」

「成る程」

「こっちが温和しくしているから、野郎、食らい酔っているんだネ、女だてらに流しに胡座(あぐら)を組みやがってサ、番台の番頭に、小父さん、曙町のダルマを入れる風呂は別にないのかネ、なんてオダを上げていやがったっけ。わたしゃア、じっと我慢をしていてネ」

　由紀子は、ごくりと唾をのみこみ、思い出し笑いをしながら、

「あとで野郎が上がり湯のところに行ってネ、手のつけられねえ熱い湯だから、水を埋めちゃア頻りに肩から浴びていたからネ、わたしゃア傍に行って、上がり湯を汲みだし、い

きなり野郎の頭からぶっかけてやったんだョ」

「ほう、ふうん、面白かったね」

「淫売の入った湯に入って定めしお気持悪うござんしたろう、って言いながら、その熱い上がり湯をざァざァ頭からぶっかけてやったから、野郎、逆上して飛上がりやがってネ、手に持っていた桶で、いきなりわたしの腰を撲ったから、ひとの商売道具をなにしやがんだって、野郎の横ずっぽうを思いっ切り湯桶で食らわしたら、だらしのねえ野郎サ、泣き出しやがって、おれにむしゃぶりつくんだョ。番台から番頭が飛下りて来るしさ、男湯から覗く奴もいるしさ、曙町(アケチョウ)の宝船のお由紀だ、口惜しかったら、いつでも来やがれって、啖呵を切って帰ってきたが、あんなに気持のよかったことはないネ」

「ほう面白いね」

享吉は、眼前にそのあられもない光景を思い描いて、吹き出しながら、

「も一つの喧嘩はどうしたのさ」

「ほら御覧ョ」由紀子は右腕を捲(まく)り上げ、種痘の痕のように見える、つるつるした二の腕の紫色の痣(あざ)を見せ、

「こん時ァわたしは死ぬかと思ったョ」

「ふうん、君は凄いんだなア」享吉は故意(わざ)とらしくびっくりして見せ、

「僕は、今まで、ほら、紅玉の星子に通っていたんだよ」

由紀子がニコニコしながら「ああ、検黴所でよく逢うよ。しとやかそうな綺麗な女でしょう」

「そう、まるで人形みたいなね」

「紅玉のお客さん、みんなわたしのところに来ちまうんだョ。君はがらッぱちで面白いって言ってネ。だから紅玉の女は、よく検黴所でも、口惜しそうにじろじろわたしのほうを見ているョ」

「あそこはネ、店の女たちがお互いに張合っていて、不愉快なんだ。ほかの女に馴染みの客が出来ると、お互いにその客に意地悪するんだからね」

享吉が、いま、そのために不愉快な思いをして来たばかりだと話すと、由紀子は、

「家じゃア、絶対にそんなことはないョ、女たちはみんなわたしの言うことをよく聞くからネ」と姐御（あねご）気取の威張り方であった。

その日は、そのままあっさり別れたが、享吉は暫くして酔っ払うと、またその店を訪れたくなった。

また、丁度、由紀子が店を張っているときで、彼の顔を憶（おぼ）えており、喜んで直ぐ彼を上に通した。

その日、享吉は初めて女と遊んだが、女は本気で感動したようだった。素人女の健康で平凡な感動と違い、こうした商売女が本気になると、一種、身体中が震撼するような病的

な恍惚感があり、享吉は、その汗みどろになった由紀子の薄紅色の顔を、いつまでも美しいもののように記憶していた。

その次に行ったときは、真金町のお酉様の晩だった。まだ米軍の爆撃が始らぬ頃で、曙町も呆れるほどの人出だった。その時、ほかの女に呼んで貰った由紀子は、享吉の顔を見るなり、

「あら、あんたなの」

と、直ぐさるを外して中に入れたが、まだ享吉が地下足袋を脱がぬうちに、両袖で享吉の頭を包み、耳へ唇を押しつけるようにして、

「ねえ、これからお酉様に行って来ないか」と囁いた。

吉原の酉の市も見たことのない享吉には、好奇心もあったし、女からそのように扱われることも嬉しかった。

派手なお座敷着の上に白いショールを一枚かけただけで、女は裏木戸から直ぐ脱け出て、表通りで享吉と一緒になった。薄化粧ではあったし、一足歩いても直ぐ誰かにぶつかる程の混雑であったから、背の高い享吉にぴったり寄添うようにして歩いている、その一人の春婦に気をつけるような人間は唯一人なかったに違いないが、享吉はまだ年少の頃のような面映ゆさと微かな喜びを感じていた。

曙町の直ぐ裏は吉田川で、川向うは真金町という、横浜開港当時からの大きな古い遊廓

になっており、廓の右端れに鷲神社があり、その周囲に酉の市が開かれているのだった。

橋桁が青銅で出来た古風な吉田橋の上から眺めると、この日は特に許されたのか、向う側の河岸にずらりと並んだ露店の灯火が、星のように瞬いて、油を流した川面に入り乱れ、七色の万華鏡を想わせた。

お詣りから帰ってくる人たちは、いずれも、手に手に福熊手や、紙の小判をぶら下げた木の枝なぞを担いでいて、享吉には、そのような人達の姿にも、風景にも、春婦と歩いている自分の姿にも、古風な明治の匂いを感ずることが出来た。彼は、自分の生れる前の明治には、なにもかもが、淫売女までに、一種の情緒があったように空想していた。

ハマ好みのひどくハイカラな建物と、また暖簾のかかった古風な女郎屋とが入雑ってている、横浜らしい遊廓を一回りして、鷲神社の青銅の鳥居の前まで来ると、享吉の大きな身体を押すようにして由紀子が、「ねえ、お詣りして来よう」と言った。

享吉が、怪しげな神様を拝むのは御免だと、首を振るのに、

「じゃア、わたし行って来るわ。ここで待っていてネ。今日お詣りして置くと、一年中、お金に困らないんだってサ」

と言いながら、温和しやかな恰好で、前屈みになり、彼女は群衆の中に揉まれて行った。

この無智な、あらくれ女のレビューガールか、不良少女上がりの春婦が、そうした淫祠にお詣りする姿に、享吉はひどく可憐なものを感じたが、由紀子はただ、こうした社会の女

たちの習慣に、従ったものに過ぎなかった。

帰りには、アセチレンガスが懐かしい匂いをさせている、ある熊手屋の前で、由紀子が、

「ねエ、あんた熊手買ってョ」と、それでも遠慮しながら囁いた。

享吉は、高くてもせいぜい、五円ぐらいのものであろうと思い、お多福の顔やら、千両箱やら、恵比須様やら、宝船が鈴なりについている、大きな福熊手を指して、

「小父さん、それ頂戴」と手を出すと、筵(むしろ)の上に坐った向う鉢巻の親父から、

「へえ、六十五円」と言われ、びっくりして手を引っ込めた。

そこで今度は飾りも何もない小さな熊手を、

「じゃア、こっちがいいな」と言えば、

「ヘエ、三十五円」

「小父さん、高いな、負けないか」と酔った勢いもあったところ、後から女にしたたか股を抓り上げられた。

「なに言ってんのサ、縁起ものじゃないか。汚ない男だねえ」由紀子に切れ長の険のある眼で睨(にら)まれ、享吉は慌てて三十五円払った。

そして熊手を受取った由紀子が、大股に帰って行く後から、享吉は大損をしたような気でついて行った。二十五円でちょっと遊んで帰る積りでいたのに、三十五円払わされ、更に時間代として三十円取られると、享吉は、それを女の身体で取返したいと思った。

そうした彼の卑しさは、彼の生れてからの貧乏暮しと、会社員生活をしているうちに、自然に身についたものだったが、由紀子は、そうした享吉の気持を鋭敏に反射したのか、その夜は彼を酒臭いと罵り、ひどく事務的な待遇をした。

けれども、享吉はそうなると、使った金の惜しさもあり、もう一度、女の身体の不思議なエクスタシーが見たい気持だった。だけれど、享吉が度々酔えるのは、自分の金で酔うのではなく、彼の会社の仕事で、役人や軍人などへの接待が多かったためで、そうした卑屈な思いをして、世の中の偉い人の醜態を見せつけられた後では、なお反射的に、不潔な街に行きたくなるのだったが、なんとしても、その酉の日の熊手が応え、それから彼は、どうしても次の給料日まで辛抱しなければならなかった。もっとも彼は、独身で係累がなかったし、寮の舎監もしていたので寮費も要らず、三百円ばかりの月収は全部、彼の遊びに使うことが出来た。が三百円の金は、その頃でも闇煙草にすると二、三十箱しかなく、大して派手に遊ぶわけには行かなかった。

十月の末、享吉は、給料を貰った二、三日後、中島という老工員に、国民酒場のウィスキーを奢ってやる約束で、一緒に長い行列に並んだが、中島は、酒場の札を配る男と顔馴染みで、こっそり四枚、札を貰ってきて、三枚を享吉に分けてくれた。それで享吉は、ぐるぐる回る振りをして立続けに四杯を飲み、初めの一杯のウィスキーをまだ楽しそうにチビチビ飲んでいた中島と別れた時には、すでにかなり酔っていた。

そこで、そのまま淋しい寮に帰る気がしなくなると、彼は思い切って、曙町に出かけて行った。

時間は早く、まだ、溝臭い街は薄蒼い夕暮であったのに、由紀子のところには、もう先客があるらしく、朋輩の女から呼んで貰うと、彼女は桃色の薄っぺらな着物の前をはだけ、髪を乱して現れ、

「あら、あんただったの、上がって待っていてョ」と早口に言うのに、享吉はもう幻滅を感じていた。

彼が、「じゃアまた、あとで来よう」と言い、一先ず店を出ようとすると、由紀子はその肩を鷲摑みにし、

「いいじゃないか、上がって待っていなョ、また、ほかで浮気をするんだろう」と邪慳（じゃけん）に言った。

そう言われると、気持の弱い享吉は、内証部屋に上がって、順番が来るのを待つことにした。その上がり口にある六畳ばかりの内証部屋は、女たちの仕度部屋でもあり、食堂でもあり、主筋の者の寝室でもあり、監督部屋でもあれば、また馴染み客たちの待合室でもあった。

彼が入って行くと、窓際に置かれた二つの鏡台の前で、二人の女が双肌（もろはだ）脱ぎになり、ここを先途と塗立てていたが、その手前の長火鉢の前には、色の蒼黒い、頬骨の出た、目も

口も鼻も耳も大きい男が、黒いジャケツの上に盲縞の着物を着て、胡座をかき、ゆっくり煙草を吸っていた。

更に座敷の真ん中では、享吉が初めに店の女と思い、次にはその男のお内儀(かみ)さんかと思い違いした、色の白い唇の大きな女が、病気で頸のひょろついた五つぐらいの子供を遊ばせていて、その横にもう一人、これは享吉と同様に、女の空(あ)くのを待っているらしい若い会社員風の男が、つくねんと坐っていたから、享吉が入ると、その部屋はもう大入満員の形であった。

享吉は借りて来られた猫のような恰好で、壁の隅に胡座をかいたが、忙がしげに化粧している女は勿論、主人のように見える男も、子供を操(あや)している女も、彼に愛想の一つも利いてくれないので、彼は甚だ居辛い思いであった。彼の先客は大分この家とは古馴染みらしく、享吉には訳の分らぬ昔の店の女の噂などを、子供を遊ばせている女と、ぽつりぽつり話し合っていたが、享吉は坐って待っているうちに、僅かウイスキー四杯の酔いが、だんだんに覚めてくる思いであった。

やがて二階から由紀子に送られて、ゴリラのように逞しい海軍の兵曹長がドタリドタリ降りて来た。享吉は今度は自分の番かという顔で由紀子を見たが、女は素知らぬ顔で、会社員風の童顔をした男のほうに手招きした。

その馴染みと覚しい温和しい男が子供のように肯き、女より先に二階に上がって行くのを眺めた享吉は、全く共同便所のような女の汚なさにうんざりしたが、由紀子は冷たい白い眼で、煙草を持っているかと享吉に尋ね、一本、彼の煙草を抜いてから、火鉢に凭れ甘そうに吹かし、主人顔の男と無駄口を叩いた後で、享吉には、

「待っていなヨ、もう直ぐだからネ」と言い置き、また、自堕落な様子で、二階にバタリ、バタリ上がって行った。

享吉は酔いが覚めそうで気が気でなく、女の方は汚なくて、もう厭になってしまっていたが、外に出ても、今時、飲ませる店があるとは思えず、また、それから探しに飛び出すのも、こうなるとかえって見っともない気がしたから、ただ、時間が早く経つのを、一生懸命に待っていた。

その彼の気持とは反対に、兵曹長は、大いに意気軒昂(けんこう)な有様で、主人らしい無口な男に向かい、

「なア、由紀公はよく売れやがるネ。大して品物もよくないがねエ」

男は苦笑して、「あの子は利口だからネ」と答えたが、子供を操していた女はニヤニヤ笑い、

「嘘言いなさい、兵曹長、あんた、いつも由紀ちゃんに泣かされる口らしいヨ」とガラガラ声で言えば、いきなり兵曹長が割れ鐘のように笑い、その女とあたり構わぬ猥談を始めたから、享吉はまたうんざりした。壁に凭れると思わず大欠伸(あくび)が出て、そのてれかくしに、

「あアあ、酒が飲みたいな」と呟いた。

主人らしい男は、時々静かに苦笑しながら、兵曹長の猥談に短い半畳を入れていたが、そのとき享吉の方に、その奥深い眼をちらり向けると、

「お客さん、そんなに飲みたいかネ」

「あア飲みたいネ、国民酒場に二時間行列して、やっとウイスキー四杯にありついただけですよ。なんだか酔いが覚めそうで仕方がない。この辺にもう飲ませる店なんかないでしょう」

「さア」男は一時沈黙していてから、「酒を飲ませる家はもうないネ。ビールを飲ませる家なら、ないこともないがネ」

「ビール、ビールで結構ですとも。どこです、それは」享吉は乗気で一膝乗りだしたが、男は気味悪いほど落ち着き払い、

「この電車路を越した直ぐのところですよ」

「直ぐ判りますか」

「判りますよ、電車路を越してネ、左に行くと大きな通りがあるから――」

と、男は細々（こまごま）とゆっくり教えてくれるのを享吉は碌に聞こうともせず、

「でも知らない者が行って直ぐ飲ませて貰えますか」と心配する。男はまた疲れ切っているように、或いは勿体をつけるためか、暫く沈黙してから、

「大丈夫だョ、宝船から聞いて来たと言えば」

「そうですか、それで何本飲ませて貰えますか、一本かな、それとも二本」

享吉が意気込むのに、男は烏天狗に似た口を苦笑させ、

「そんなに好きかネ」

「エエ」

「それだったら、由紀子と一緒に行きなさい。何本でも飲めるョ」

高いものになると、咄嗟に思えたが、月給の貰い立てで、四百円ばかり懐に持っていたから安心もして、

「ああ、そうしましょう」と嬉しそうに答えた。

やがて化粧した女たちが店を張り、喋っていた兵曹長も帰り、表通りをざわざわと人の流れが通り過ぎる頃、二階からむっつりした顔の童顔の男が由紀子に送られて降りて来て、内証部屋に挨拶し、裏口に回って行った。その素面の落ち着いた姿には、まるで十年淫売を続けているような平静さがあり、そのように激情も悔いもなく、この春婦の街に出入りできる彼と同年輩の男の姿が、享吉にはなんとも不思議に見えた。

「あんた、こんどいつ来る」

裏口で由紀子にそう聞かれ、四、五日経った日を答えている様子には、事務的に淫売を買っているようなところもあった。男が帰った後で、

「なにしている人、あのひとは」

享吉がこう由紀子に尋ねると、

「銀行員よ、毎日、数百万円、現金を扱うんだってョ」

「ふうん、君の恋人」

「あんな男、おかしくって、止してョ。でも温和しいし、約束した日にはちゃんと来るから、頼りになるネ。もう一年ぐらい通っているんだョ。嫌いじゃないネ」

やがて、その主人のような男に言われ、白いショールの上に派手な格子縞のコートを着た由紀子と、背の高い享吉とは縺(もつ)れ合うようにして、裏口から雑踏する人込みの中へ出て行った。

空には利鎌(とがま)に似た三日月がきんきらと輝き、表にはすでに木枯しを思わせる冷たい風が吹きまくっていた。それから一月も経たぬうちに米軍の空襲が始まり、半年もせぬうちにこの街も灰となり、彼らの中の一人に重大な災禍が覆いかぶさろうとは夢にも思わず、享吉は人通りの少ない、電車路の向うの大通りに出ると、縺れた二人の影が朧(おぼろ)に地上に写るのに、ある古風な情緒を感じ、女をまた可憐(いと)しいものにも思った。

店の男の言っていた店は、由紀子のよく知っている家とみえ、その爆風除けの白紙が花模様に貼られた硝子戸だけが浮出ている薄暗い二階家の前で、女が二、三度、「小母(おば)さん、小母さん」と嗄(しわが)れた低い声で呼ぶと、直ぐに年の頃、三十五、六に思われる、小肥りに肥った大柄の女が、錠の掛った硝子戸を開け、二人を中に入れてくれた。

店の奥では、労働者専門とかいう二人の闇師が、すでにビール三、四本をテーブルの上に置き、強か酔っ払った模様であったが、華美な由紀子の姿にじろじろ淫らな視線を注ぎ、急に声を高め、猥褻な会話を始めた。

気の小さな享吉には今にも彼らが乱暴でも働きそうな恐怖があったが、由紀子は平気で彼らを睨みかえし、小母さんの後について、さっさと二階に上がって行った。二間ある二階のうち、狭いほうの部屋には誰か布団を被って寝ていたが、もう一つの四畳半の部屋には、電灯が明々とつき、真ん中に水色の布団の掛った炬燵が温かかった。

由紀子が、

「暫く」と小母さんに挨拶してから、コートも脱がず、炬燵に手足を突っ込むのに、享吉は、

「お邪魔しますね」と言いながら、向う側に坐り、手足を炬燵に伸ばした。

頬の丸々と紅い健康そうな小母さんは、二人の顔をニコニコ笑って見比べてから、

「いまおビールしかないんだよ」

「ああ、おビール結構」

享吉が燥いだ声を出し、長押に掛けられた二重橋の写真などちらちらと見ていると、由紀子が、

「仕様がないんだよ、この飲み助は。小母さん肴なんぞいらないから、ビール飲ましてやって」と吐き出すように言う。

「お前さん、肴が生憎なんにもなくってネ」その時下の男たちの下卑た笑い声が高くなると、

「あん畜生ら、煩さいから今帰してしまうよ、あんた達、ゆっくりして行くんだろう」小母さんは嬉しそうにいそいそ下に降りて行った。

やがて、下では罵り合う声が聞えていたが、暫くすると、男たちは呂律が回らぬ声で猥歌を歌いながら立去って行った後、小母さんはビール三本胸に抱え、右手にコップと焼スルメを裂き醤油を掛けた皿の載った盆を持って上がって来た。小母さんが享吉に酌をする様子を、由紀子は炬燵に頭を載せて見ていたが、

「小母さん、雪ちゃん、もう寝ちまったの」

すると、薄暗い隣りの部屋の布団の中から、

「まだ寝るもんかッ」と言う乱暴な少女の声が聞えて来て、享吉はびっくりした。

もっぱら手酌でビールをガブガブ飲みながら、享吉は、時々、隣室から合いの手の入る二人の内輪話に耳を傾けていたが、なんのことだかさっぱり分らなかった。たまに彼が、

「ふうん、酷い男だね、どこの野郎だ」なぞ口を出すと、

「煩さいネ。この男は」こう由紀子から睨められるので、享吉は温和しく、一人で満足し

ながら、ビール六本飲んだ。

その夜聞いた話にあとから聞いた話をつけ加えると、曙町の銘酒屋のある代表的な内輪話が出来上がる。そして、こうした暗い爛れた世界に蠢いている人間たちでも、この世界の一部に生きていて、この世界に多くの影響を与えていることは疑えなかった。それは、金がすべてである現在の世界でなければ作ることの出来ぬような汚れた泡でもあり、蛆でもあった。享吉が後で聞いた話を含めて、この銘酒屋、宝船の内輪話は次のようなものだ。店の長火鉢の前に坐っていた色の蒼黒い瘠せた無口な男は、長沢といい、四十を越したばかり、本当の主人ではなく、この社会でいう主人の義弟であったが、別に高利貸という本業を持っていて、滅多に店に来られぬ主人のため、主人に信用され、店の帳場を預った恰好になっていた。

この本当の主人を、享吉はそれから一、二度、内証で見かけたが、年の比、五十ばかりのでっぷり肥った好紳士で、猟虎の襟付きのオーバーに、赤皮の鞄を抱えたところなぞは、小さな会社の重役ぐらいには見える程だったが、眼付きがすべての人間を疑うようにギョロギョロしているのと、始終忙しそうにせかせかしているので、お里が知れた。

この主人に見込まれる程だから、長沢も容易ならぬ経済家でありそうなものだが、彼の取得は、子供の頃から剣道をやっていて、町道場二段の腕前だということと、恐ろしく冷酷な性質だということだけで、底ぬけの浪費家でもあったし、女と博奕にかけては、丸でだらしがなかった。

　享吉が初め店の女かと間違えた、唇の大きい色白の女は、やはり初め玉の井から引抜いて来た店の女で、今では長沢の公然の情婦になっていた。

　本当は、この女のほうが主人からも信用があり、今では店の帳づけもやるし、金庫の鍵も、長沢から更に預っていた。

　このお澄という二十五の女が、主人を除くと、店中ではいちばんの利口者で、由紀子も、煽(おだ)てられて彼女から上手に利用されているところがあった。
　三、四年前、長沢と主人が女を引抜きに玉の井を歩いた折、長沢は彼女の店に上がって、彼女を試み、その客扱いの巧みさに一度で惚れこみ、女衒の手を通じて、彼女を曙町に引抜いて来たが、長沢のお内儀さんの言葉を借りると、
「あの野郎、味がよくって忘れられねえ」ものだから、長沢は主人に泣きつき、長い間かけて借金を返し、お澄を自分の妾(めかけ)にした。お澄は子供の時分、地方の小都会の芸者屋の下地っ子から叩き上げられ、その後、男の苦労もして来ただけに、温和しそうな容貌の底に、煮ても焼いても食えぬ太々しい根性っ骨を潜めていた。

　享吉がビールを飲みに行った店の小母さんが、その長沢の本妻なので、彼女は、もともと、伊豆長岡の豪農の娘であったが、養子に来た醜男の農夫を嫌い、その頃、香具師の仲間であった長沢が、商売の用事で長岡温泉に来ているうち、不図(ふと)知合いになり、男に惚れ

こみ、つい騙され、家を飛び出して長沢と一緒になった。

そうして養子の婿を厭い、家を飛び出してから、彼女は、故郷に一度も帰ったことはないが、時々、「その野郎」詰り、先夫や肉親なぞのことが思い出されてならない。「わたしは罰が当ったんだよ」零(こぼ)している彼女は、長沢と結婚してから貧のどん底に落ちたばかりでなく、二六時中、女を作られるので苦労の絶え間がなく、死のうとした時さえ何度もあったが、

「あいつはあれがでけえからネ」と、とどの詰りは彼女でなければならなかったし、そのうち、雪子も生れ、やっと長沢も落ち着き、ここに飲食店を開いて、初めて一息吐いたら、そこにお澄という女が出来た。

お澄は、生理的な点でも長沢を満足させる女の一人であったばかりでなく、年も若く、人間も利口で、

「なにが綺麗なもんか」と、彼女は呶鳴るが、少なくとも、彼女よりは土臭くないし、骰(さい)子(ころ)も巧みにいじるから、自然とお澄の許に、長沢は入りびたるようになった。

その頃の模様を話すとき、三十女の小母さんは、紅い頬を生々とさせ、嫉妬に眼が眩む表情で、赤の他人の享吉にまで、かなり露骨な打明け話を平気でした。

「あの野郎、金も無い癖に生意気に、曙町の端れに小さな仕舞屋(しもたや)なんか借りやがってネ、妾宅気取で、この店のものまで、なんでもかんでも運んで行くんだよ。わたしにゃあ主人

の妾だなんて、嘘を吐いていやがったが、すっかり判っていらア。確か去年の夏の暑い頃だヨ。しまいにゃア店の商売道具の皿小鉢まで運んで行きやがるのさ。取返して来てやろうと思って、店に行き、白ばっくれた顔で野郎たちの巣を突きとめてネ、行ってみたところが、ねえ旦那、呆れるじゃないか、通りにくっついた、上一間、下一間の二階家でサ、玄関を開けると、まア旦那、取っつきの部屋でさ、野郎たち素っ裸でやり合っていやがるのサ。そのとき旦那、おかしな話だが、わたしゃ、口惜しいというか、情けないというか足がすくんで身体がブルブル震えて、暫く動けないんだヨ。野郎はあんなところに長くいた女だろう、恥ずかしいも糞もないと見え、わたしが見てるんでかえって度胸を据えているじゃないか。わたしゃア、頭にカーッと血が上がって来て、その辺にあった物を、手前たちは犬かって、いきなり叩きつけてやった。そうしたらお前さん、長沢の奴が、わたしの頭の毛を摑んで、ひっこかすしさ、わたしゃア、旦那、野郎たちをどうしても殺してやろうという気になって、台所に飛んで行き、とにかく刃物を摑んでサ、取って返したら、女は二階に逃げ出して、野郎は急いで褌をしめてたっけ。この野郎って突いてやったけれど、旦那、手が震えるんだろう。そこに野郎は、剣道二段だから、わたしが幾ら彼奴より大きくたってかなやしない。俯っ伏せにさせられちまって、包丁をもぎ取られ、いやっという程、横びんたを食わされてヨ。貴様を殺しちまってもいいが、雪子をどうする気だ、なんて、男って勝手なもんだヨ。けれども、わたしゃア、それを聞いて、ああ雪子に済まないと思ったら、目から、涙が出たよ、それから何事も雪子のためだと思って、こうして我慢しているけれど、お腹ん中はいつも煮えくり返っているヨ、口惜しいじゃないかネ」

小母さんは健康そうに肥った大女で、まだお国弁のぬけぬ質朴な感じさえ残っていたけれど、その大喧嘩に主人が間に入り、妾宅は取払い、お澄はまた店に戻るという名目で手打ちになった後も、長沢が始終、お澄とくっついているのが見え透いているだけ、小母さんは娘のために、守銭奴の如く金を蓄める一方になった。彼女は、

「え、旦那、お澄の野郎、どんな顔で帳場に坐っていた。本当に口惜しいッちゃないね」と言うかと思えば、その血色のいい顔を綻ばせ、

「それでも長沢の奴、雪子だけは、やっぱりわが子だけに可愛いのかネ、朝十時頃、時々ふらりと帰って来ちゃア、なにか詰らない土産物をやっているよ」と微笑むのであった。

由紀子が享吉を闇屋だと宣伝した後では、小母さんは時折、声を潜め、享吉に、次のような酒類やその他の買出しを頼むこともあった。

「ねえ、旦那、どこかに布団の出物はないかね。こんど相模原に造兵廠の工員目当てで、わたしたちが組んで一軒、だるま屋を買ったんだヨ、由紀ちゃんも株主というのかネ、一口乗って貰っているんだヨ。なるべく真っ赤な感じの出る布団はどこかにないかネ。いまなんでも、一枚三百円ぐらいするそうだネ。高くなったもんだヨ。旦那も一度来ておくれ。サービスのいい子を置くからネ」

また、時には、由紀子のことを亨吉に賞めちぎってから、次のように下司なことを、平気で尋ねることもあった。

「旦那、あの子は利口だヨ。もう相当蓄めてるッていう噂だからネ。あの子と一緒になって損はしないヨ」

それからニヤニヤ笑って、亨吉を突つきながら、

「あの子のサーヴィスはどうだい」

「さアね、あっさりしたものだよ」

「そうかネ、この間、店に来た客をあの子に世話してやったら、とてもサーヴィス満点だって喜んでいたよ。サーヴィスって品物のことだろう」

こんな野鄙(やひ)なことを、娘の雪子の前で平気で言って、亨吉をどぎまぎさせるかと思えば、とても吝々(けちけち)して、彼を憤慨させることも珍しくなかった。

例えば、その後、亨吉が小母さんの店に一人でも行くようになり、すでに五百円も金を使い、それも二百円ほどチップをくれてやった後で、ある夜、亨吉がビール一本を由紀子の部屋で飲むのだと持って行き、その一本分の勘定を借りていたところが、それから煩さく催促し、亨吉はその頃もう由紀子に怒っていた時であったから、その金は由紀子に渡して置いたと嘘を吐くと、彼女はその十五円の金をわざわざ宝船に催促に行き、そこでまた、長沢とお澄の仲の良い姿にかッとなり、長沢に強か撲られて来たという、悲喜劇さえあり、

その後ではなお更、享吉に十五円の催促をした。

そんな中に育った十六の少女の雪子も、甚だ異常な性格のようであった。勉強をしたり、本を読んだりすると、

「あたい直ぐ頭が痛くなる。バンジュンが大好きサ。あの野郎、全くいい玉ネ」

とその頃、こうした言葉を曙町に流行させた、伊勢崎町の喜劇役者をそんな愛称で呼び、ひどく面白がっていたが、彼女はそれでもどこかの私立女学校の三年生で、その勤労挺身隊を毎日サボッては、二階で終日ごろごろしていたり、午後から、活動や軽劇を見物しに一人で飛出すこともあるようだった。

それでも夜、享吉がひとりで炬燵に入ってビールを飲み、小母さんが下に行った後などで、布団を被って寝たものと思っていると、この母親似の頬の赤い少女は、ふいとお河童(かっぱ)髪を外に出し、黒い瞳を光らせ、享吉に話しかけることもある。

「小父さん、あたい、なんになれるかい」

「さアね、まア人の奥さんにでもなるんだね」

「厭だよ、そんな者にはなれないよ、あたいは役者になるんだ」

そうかと思えば、「小父さん、あたい、おっ母さん大好きさ」

「ふうん、お父ッさんは」

「男なんか嫌いだよ」

また「あたい、お父ッさんもおッ母さんも大好きさ」ということもある。

「ふうん、それならいいじゃないか」

「あたい、おッ母さんにお父ッさんだけで伊豆に行きたいな。小父さん、伊豆を知ってるかい。とっても日がよく当って、いいところだってね」

また、「小父さん、どうしてこんな店に来てお酒飲むんだよ」

「うん、淋しいからだよ。雪ちゃんと話するのが好きだからさ」

「嘘だい。どうしてこんなに戦争をしている最中に、酒を飲んだり、女を買ったりするんだろ。小父さんは助平なんだね」

このような少女でも、環境や教育を変えたならば、ほかにもっと明るい正しい人生のあることが分るだろうと、享吉には思えたが、この少女といい、先に、宝船の内証でお澄に操されていた病身の子といい、この暗い街の界隈には、生れながらの不幸な子供たちも多かった。

その、見るからに脆弱そうな男の子は、高利貸の主人が、妾に直した店の女に生ました子供であった。彼の母はやはり長沢やお澄と一緒に内証に寝起きしていて、享吉も二、三度、見かけたことがあったが、すっかり世の中に草臥(くたび)れたような青白い女で、口を利くのも大儀そうに見え、いつも頸に白い繃帯を巻き、空咳などしていたが、小母さんに言わせると、この女は今でも主人に愛されていて、肉体の欲望は甚だ異常で、老いて旺んな主人を満足させているのだそうであった。

昔風に言えば、主人や子供を含めて、この五人の男女が宝船に寄生していて、店の女たちの生血を吸っていた訳だが、血を吸われている四人の女の中で、由紀子を含めて三人までが、通ってくる男たちの血を吸って甚だ元気であり、ただ貞代と呼ばれる、病身で優しそうな女だけが、目に見えて元気もなく、哀れであった。

貞代は享吉が通い始めた頃は、身体を毀して休んでいた、といっても、ほかに寝る部屋もないので、二階の隅の布団部屋に寝かされていた。それは見るからに空気の流通の悪そうな部屋で、客の少ない夕方なぞ、襖を開けて、布団の上に坐り直し、真っ青で苦しそうに息をしている貞代の姿なぞが眼についた。

ある日、由紀子の部屋から手水（ちょうず）に出た享吉が、薄い地蔵眉の鼻の低い額を苦しそうに顰めている彼女を見て、

「どうしたんだ。身体でも悪いの」

と尋ねると、淋しそうに笑いながら、

「ええ、ちッとばかりネ」

「どこが悪いの」

「ええ、胸が悪いものですから」

と言っているところに、話し声を聞きつけた由紀子が甲高い声で、

「バカが、またなにか言っているヨ」と言いながら出て来て、享吉に向かい、

「お前さん、なにを言ってるんだヨ」

と睨みつけ、貞代との間の襖を手荒く閉めてしまった。あとで部屋に帰った享吉が、

「どうしたんだい、あの子は」と訊くと、

「ふん、バカなんだヨ、いつも食い過ぎちゃア腹を毀すんだ。胸が悪いが聞いて呆れらア。いつも便所に行っちゃア、ピイピイ下している癖にヨ」

その時、どちらが本当だか分らなかったが、暫く経つと、働き出した、貞代にもう一度、聞いてみると、その時、腹を毀していたのも本当だが、医者から軽い肺病だといわれているのも本当だ、ということだった。

彼女は、由紀子の罵るように少し足りないところもあるようで、肺病だから栄養を採るという積りか、それとも只、食いしん坊なのか、始終、客に無心したりして、芋かなにか頬張っているようであった。

ある時、享吉が由紀子の部屋で帰り仕度をしていると、下でお澄と貞代の罵り合う声が聞え、由紀子は小鼻を膨らました恐ろしい表情になり、

「あのバカが、また始めやがった」と舌打ちしながら、下に降りて行った。程なく由紀子の歯切れのいい甲高い声が家中、筒抜けに聞え、

「貞ちゃん、それじゃァ、わたしがこんなに言ってやっても分らないのかよオ」

貞代のもぐもぐ言い訳するような声が聞えると、

「なにイ、一人前の口が利けた柄かい」手荒くはり倒すような音が聞え、「手前なんぞに嘗められる由紀子じゃねえぞ」

貞代のヒイヒイ言う泣声に雑って、「これから俺の言うことはなんでも聞くな。聞かねえと酷いぞ」亨吉が思わず、廊下に顔を出すと、二階に上がっている二人の客も女も、やはり顔を覗かしていたが、貞代の部屋にはドアの開きかかった間から、若い工員風の男が青い顔で下をむいているのが見えた。

間もなく前髪を屛風のように押し立て、美しい濃化粧した由紀子が、唇を歪め毒々しい顔で上がって来たから、亨吉が、

「どうしたんだい」と面白がって尋ねると、彼女は息を弾ませ、

「あのバカが男にタテ引いて、身上がりで上げるなんて言いやがるからサ」

「上げてやったらいいじゃないか。可哀想に」

「なんだって、バカ言っちゃいけないよ。彼奴は俺にだって、随分、借金しているんだ。そんなダラしねえことをしたら、彼奴の前借が増えるばかりサ」

「だって貞ちゃんの色男なんだろう」

「ふん、だから彼奴はバカだって言うんだヨ。男に騙されてばかりいやがんだ。この社会の女が男に惚れたらお終いさ。俺は彼奴のためを思っているんだヨ」

貞代に限らず、店の女たちは由紀子に一目置き、それを由紀子は姐御気取りで得意になっていいては、その実、長沢やお澄に煽てられて、いい具合に利用されていた。

これが宝船一家のあらましの内輪話だ。享吉はその夜、女たちのこれに類した話を聞かされながら、小母さんの店でビールを六本飲み、由紀子に百五十円ばかり払わせられた。先ず一本十五円として、百円と胸算用していた享吉には大変、痛手であったが、それでも酔っ払って、表に出ると、空に三日月が冴え、冷たい風が頬に気持よかった。いい気持になった享吉が、連立った由紀子に向かい、

「ねえ、あのお内儀さん、長沢さんがこの店にビールがあるって教えてくれたって言ったら、嬉しそうな顔をしていたね。そうかい、それでなんと言ったい、なんて、あのお内儀さんまだ長沢さんに惚れているんだナ。あんな男のどこがいいんだろう」

「ふん、お前さんよりゃア増しさ。だけれど、お前さん店に帰って余計なこと喋っちゃいけないヨ」

由紀子がそう言いながら、恐ろしく生温い手で、享吉の手を握ったから、享吉は、愚かにも彼女に愛されているように錯覚した。

しかし、その夜、店に帰って部屋に入るなり、由紀子は享吉に向かい、今日は八時からの泊りだから百五十円おくれ、と言い、彼の酔いも錯覚もいっぺんに覚まさせてしまった。

享吉は心の底まで溜息を吐き、それでは一ヵ月の月給を、今夜一晩で使ってしまうのかと、息の止まりそうな気持になったが、さて思い直し、ここで喧嘩して帰れば、これまで使った金が元も子もなくなってしまう。それより、ここで自分がこれだけの犠牲を敢えてすれば、女がまたいつぞやの晩のように、不思議な愛情を見せてくれるかもしれないと、愚かな幻想に騙され、崖から飛降りる気持で、渋々、また百五十円払ってしまった。

男がこれだけ払ったから、女にもそれだけ返してくれと、佐野次郎左衛門のように思ったが最後、この世界の女たちは特にそんな男の卑しさに敏感で、まるで女の復讐のようにして男を振抜くものだが、その夜も嘘か本当か、大いに張切った享吉の前で、由紀子は横になるが早いか、下腹が痛いと言い出し、慌てて便所に降りて行ったが、間もなく下腹を押えながら登って来て、

「済まないネ、畜生、急にアレになったんだヨ」と顔を顰めてみせた。

享吉はドキリとすると、もう自棄糞（やけくそ）になって立ち上がり、急いで身仕度しながら、出来るだけ優しい声を出し、「いいんだよ、俺は今晩もう帰るよ、一人で大切にして寝ていなさい」と言い聞かせ、一方、そのまま帰れば、この次から、大持てなこと疑いなし、といった気もしたが、更に、それが由紀子の意地悪ともトリックとも疑われ、再び未練がましく彼女の枕元に坐り、使ってしまった三百円を眼の前にありありと思い浮べ、若し俺に四、五日後でまた出直せるくらいの金があれば、ここで男を見せるのも訳はないのだがナ、な

ぞ繰返し、思いあぐんでいると、寝ていた由紀子がむっくり顔を起し、眉を顰め、鼻孔を膨らました苦痛の表情で、

「遊びたいんだろう、そんなに溜息なんかしなくてもいいヨ。わたしはネ、メンスだって、なんだって平気で客を遊ばせるんだヨ。汚れないように出来るから心配しなくてもいいヨ」

「いや遊びたいのじゃない。なんだか一人で寮に帰るのが淋しいんだよ」

「そんなら泊って行きなヨ」

「じゃア、そうしようか」

享吉は、思い切り悪くまた横になったが、このようにしてまで娼婦と遊びたい自分が堪らなく不愉快で、使った金も残念ではあるし、自分の孤独さを思うと、また、無闇に女を抱きたく、薄い短い布団の中で転々と荒れ回っては、由紀子を煩さがらせた。

「遊びたいんだろう、お遊びッたら」

由紀子が終いに腹を立てて、享吉のほうに向き直ったので、享吉は自分に愛想をつかし、半分泣きそうになり、由紀子を抱いた。

きわめて呆っ気なく享吉の欲望は解決したが、由紀子のアレは本当で、享吉は、尚更、恥と悔いを感じ、一晩中のたうち回った。

その苦しさには、人間を人間として愛することのできぬ苦しさもあった。人間にとって、

苦痛は試練であり、いつか訪れるに違いない幸福なある瞬間を待つ忍耐は、絶対に必要なのだが、享吉にはその我慢をするのが、いつもバカバカしく待切れず、そのように焦った行動に出ては、結局、いつも元も子も無くしてしまうのだった。

それは享吉のように恒産を持たぬ、見栄（みえ）と快楽に只、飢えている一方、或いは直ぐ下の階級に転落する怖れのある、中産階級というものの一般の生活感情であるかもしれぬ。

このようにして享吉は焦った自分一人の感情に恣（ほしいまま）に流されたため、その夜もひどい罰を受けた。彼はとうとう、夜明けまでまんじりともせず、朝の白い光が遮光紙の隙から流れこんでくる頃、居汚なく眠っている由紀子をそのままにして、裏口から地下足袋を穿き、脚絆を巻き、濁った重い頭を抱えて、その溝臭い街を出て行った。

平凡な故に健康に見える通勤の人々を眩しく感じながら、彼は長身を丸め、しょんぼりとした様子で、電車に揉まれ、朝飯も食わず、会社に出勤して行った。

そのとき、二度と再びこの不潔な街を訪れまい、と思った彼の気持は二、三日で跡方もなくなり、また、寮に帰って一人まずい飯を食い、冷たい畳の上に転がっている時なぞ、ふと由紀子が懐かしい気持になることもあったが、なんにしても金がないので、享吉は当分、この春婦の街を訪れるのを、思い諦めなければならなかった。

やがて、その十一月末から連日のように、マーシャル群島を中心にして飛んでくるB29が、巨大な銀色の翼を相連ね碧空に悠々と浮び、そんな優美な姿からは、下の人間どもが想像も出来ぬような恐ろしい爆撃を開始し始めた。

最初のうちこそ享吉も、これはいよいよ日本の一大事だと思い、淋しい気持など追っ払ってしまって、寮や工場の仕事に専念しようと思ったが、その頃の日本は事情が逼迫（ひっぱく）すればするほど、多くの人間がただ自分を中心に行動するばかりで、それがやはり当然の人間の姿だと、享吉も思わざるを得ない頃には、彼自身も早、自分の虫ケラのような生命を惜しむばかりになり、自分がいつ死ぬか判らぬという恐れは、彼をして余計に酒や女に溺れたいと思う気持に駆り立てるのだった。

十二月の下旬に、享吉は千円そこそこのボーナスと五百円ばかりの給料、諸手当を貰い、一躍、大金持になった気分を味わったが、その金の一部で日頃、自分のルーズは棚に上げ、文句ばかり言っている、寮の若い者たちを一晩奢ってやろうと思い、五人ばかりの手のつけられぬと言われる不良社員だけを、或る日、会社が済んでから、南京街の安い支那料理屋に引っ張って行った。

丁度、享吉には、工場長から貰った純アルコールが一本あったし、それで作った合成ウイスキーのほか、田舎で親が酒屋をしている或る社員が酒を二升も提げて来たので、享吉は二百円足らずの金で、その五人に充分食わせたり、酔わせることも出来、自分も強か酔っ払ってしまった。酔うと、享吉の独身を知っている、悪戯な青年社員たちが、帰りに曙町に寄ろうと騒ぎ始めた。

享吉は、まだいつぞやの晩の不愉快さを覚えていて、なるべくその付近に立寄りたくなかったが、あまり誘うのを断るのもかえって後めたいので、誘われるまま、彼らと一緒に真っ暗な山下公園を抜け、曙町へ歩いて行った。

その晩も警報が出るか分らぬのに、この不潔な街には、相変らず、溢れるような人の波があった。

享吉は宝船の近くを、もし声をかけられたら寮生たちの前で恥をかくと思い、冷々(ひやひや)しながら通り過ぎたが、一通り街を歩いた帰りに、また宝船の前まで来ると、丁度、七、八人の素見客(ひやかし)に取囲まれ、酔っ払った一人の海軍の下士官が、女に閉められたらしい覗き硝子の窓を叩くやら、大声で喚くやらの大騒ぎのところであった。その下士官が泥酔して上がろうとするのを、女が登楼を拒んだとか言う話で、享吉には、相手の女がもう由紀子のように想像されてならなかった。

「おい、俺だッてなにも自分の好きで海軍に召集されているのじゃねえ。なんだ腐れ銀蠅メ。貴様が好き嫌いを言えて、俺にゃア好き嫌いが言えねえのか。この腐れオメコめ、貴様たちは一体、誰のおかげで、この空襲下、安全に商売をしていられるのか」

「やれ、やれ」

「帝国海軍の面目にかけてもやれよ」

その夜は特に多かった、酔っ払いの海軍の下士官たちが、面白半分に、こうけしかけては通り過ぎた。

年のころ四十でもあろうか、赤ら顔にちょび髭を生やしたその下士官はひっそりとした店の中に向かい、なお、激情に声を震わせ、

「おい、貴様たちはわれわれ兵隊をなんと思っているのか。身命を賭して皇国護持の大任に当っている俺たちを貴様たちは侮辱するのか」

と喚きながら、その店の羽目板を力一杯、蹴上げていると、ゲラゲラ笑っている群衆の後から、しかつめらしい顔の精神棒を携えた若い巡察下士官が二名現れ、彼はいきなり臭い泥の中に引きずり倒され、たちまち、向うの家陰のほうに引っ立てられて行った。

多勢の弥次馬に雑り、享吉の連れもそのほうへ崩れて行ったが、享吉は閉じられた窓に興味を残して眺めていると、やがてその窓が細目に開き、案の定、由紀子が半分顔を覗かせ、外の様子を見回していたが、そのいつも強気な女のおどおどした眼に惹かれ、享吉が近づくと、

「あら」とびっくりしたような小声を出し、

「あんたなの、まア生きていたの。お上がりなさいョ」

享吉は、懐中に金があったし、酒に酔っていたので女が懐かしく、誘われるまま、だらしなく、地下足袋を脱いで上がってしまった。

「ここにちょっと待っていなさいよネ」

と、享吉はまた、狭い内証部屋に放りこまれたが、その日は、その部屋に、長沢とお澄、主人と妾と子供のほかに、三人の客が順番を待っていて、享吉は身の置きどころもなく小さく坐り、直ぐ湧き上がって来た後悔に身を噛まれながら、部屋の様子を眺めていた。

あの下士官を断わっただけあって、家は超満員の盛況と見え、店を張っている女さえなく、少し足りない貞代までが、夜具の表地に似た縞模様のナイトドレス紛(まが)いの、脇の下を開けた洋装をし、毒々しい厚化粧で、なんども便所に上がったり降りたりしていた。待っている三人の客は、何れも眼光の異様に鋭い、下卑た人相の男たちであったが、いずれも酔っているらしく、大声をあげ、

「さアらば、横浜よ。また来る日までエはア」と当時の流行歌を歌っていた。

享吉は、迂濶にもその流行歌を知らず、その節がいかにもジャズに似ていることや、その三人が、何れもダンディな服装をし、殊にその中のコールマン髭を生やした一人などは混血児のように荒んだ皮膚をしているところから、その歌が、横浜を追放された外人の歌のように思え、彼らがスパイではあるまいかなど、酔っている頭に妙な錯覚を起していた。

ところが、そのコールマン髭は、由紀子の馴染み客らしく、便所に降りて来た由紀子から、

「あんた、その髭だけはお止しョ」

なぞ揶揄(から)かわれると、わざと指に唾をつけてはその髭を濡らし、傍若無人な態度で、猥

褻に由紀子を冷やかしたが、いつも強気で客に食ってかかる由紀子が妙に温和しく、かえってその客に媚びる態度が、享吉には、ひょっとしたら彼は由紀子の愛人ではあるまいかと思われ、暫くしてその客が由紀子に迎えられ、二階に上がって行く時なぞ、思いもかけず、重苦しい嫉妬に胸を襲われた。

三人の客がそれぞれ女に迎えられ、二階に行ってしまった後、享吉はさり気なく長沢に向かい、その客たちの素姓を尋ねたところが、長沢は噛んで吐き出すように、

「伊勢崎町の刑事だョ。糞にもならねえ客だ」

と、今までの彼らへの愛想のよさの裏に隠れていた憎悪を、丸出しにして罵った。

刑事か、道理で威張っていると、享吉も不愉快な気持だったが、無口な長沢さえ同様な気持と見え、

「奴らア今日、署の武道大会だとかいって食らい酔っていやがるんだョ。なアにみんな雑兵のロサ」と、剣道二段の彼の自信を珍しく仄めかし、

「まるで只みたいな値段で、長いこと遊ぶから、女が堪らないよ」

と、その皺だらけの痩せた顔に、怪奇な微苦笑を浮べていた。

たっぷり一時間ほど享吉を待たして、その刑事たちは腰が痛い、腰が痛いと機嫌よく笑談を言いながら、二階から降りて来た。

それに殊更、調子を合わせている由紀子の様子を腹立たしく、後で二階の部屋に行って

から、享吉が、

「なんだい、あの刑事は」

と、イヤな顔をして見せると、思いの外、上機嫌な由紀子はコロコロ笑って享吉にじゃれつき、

「お前さん、焼いているのかョ。わたしゃア、こう見えても彼奴らを色にゃアしないよ」

と先ず、けなしてから、

「だけれど、あの刑事、面白いひとだよ。初めネ、わたしのところに泥棒がお客に来てサ、前に回状が回って来ていたから、こっそりわたしがサシてやったんだよ、そしたら店から出たところを、直ぐあの刑事が摑えてサ、あとでわたしに礼を言いに来てサ、お前みたいな別嬪はアケ町にゃ珍しいな、明日、買いに来るぜって言うから、わたしはまた笑談だと思ってサ、刑事なんか御免だョ、って言ってやったらネ、わたしの気性が面白いって本当に翌晩やって来たじゃないか。それからちょいちょい仲間を連れたりしてやって来るんだョ。一時、加賀町に行っていたが、また、伊勢崎に帰って来たんだョ。全くあんなにさっぱりした男は刑事には珍しいネ」

ばかに賞めるから、享吉は忿然として、「ふん、君も罪の深いことをして来たな。この社会の者は泥棒なんか庇ってやるのが人情じゃないか」

「厭だよ、あんなしつっこいこそ泥なんか、なにが可哀想なもんかネ」

その夜、由紀子は、すでに七人も客を執ったと言っていたが、厚化粧の顔を紅潮させ、無闇に上機嫌で、享吉に咬みついたりしてふざけた。愚かな享吉は酔っていたし、たちまち、前に大金をふんだくられた思い出も忘れ、自分まで有頂天になり、千円以上の金が入った財布を見せ、俺は実は闇師なんだと大法螺を吹いたりした。

由紀子はそれをニヤニヤ笑いながら聞いていたが、

「今晩、泊って行く。ねエ、泊って行ってヨ」

「ああ、いいとも」

「本当かい、本当だネ。じゃア今、下に待たせてある泊り客、帰しちまうヨ」

「ああ、さっさと帰しちまえ」

享吉が畳に腹這い、頬杖を突き、こんな太平楽を並べると、由紀子は嬉しがって下に降りて行ったが、間もなく、ひどく真剣な面持ちで現れ、「それじゃア早く六百円おくれ」

アッと思って、享吉は由紀子の顔を睨んだ。その眼を睨み返しながら由紀子が、

「さっさと出さないかヨ」

享吉は憤然として飛び起き、

「じゃア俺はもう帰る」

「ふン、帰る。汚ない客だネ。それじゃ三百円だけ置いて行きな」

「どうしてだい、まだなんにもしやしないぞ」

「なんにもしないッって、おたんこなすめ、いま三百円渡して泊り客を帰しちまったところだヨ」

「嘘を吐け。そんな泊り客なんかいなかったぞ。それに泊りは普通五十円じゃないか」

「汚ない男だな、いま何時だと思っているんだ。今から五十円で泊める店は曙町にありゃアしないヨ」

「だってお前、この前、俺は百五十円で泊ったぞ」

「あの時から何ヵ月経っているんだヨ。汚ない男だネ。だったら俺が損するから、幾らでも好きなだけ置いて帰れ。お前みたいな客は見たことがないヨ」

「なんだとこの、このユダヤの、吸血鬼、淫売」

亨吉はさっき自分で闇屋だと大言壮語したことを忘れ、八ツ裂きにしてやりたい憎悪で、じいっと由紀子を睨みつけた。由紀子は、不自然な性生活を送っている女の凄まじいヒステリーで、今は爪程の愛情も亨吉に持たぬ、冷酷な白眼で、亨吉を凝視して、

「煩さいヨ。淫売は分っていらア。その淫売を買いに来る手前はなんだヨ。金を置いて、さッさと帰れ」

「なにッ、もう来ないぞ」もはや亨吉には、相手が女であるとも感じられなかった。

「いいてことヨ。手前みたいなおてんてんは、こっちでお断りだ」

キンキン声を次から次へ浴びせられ、家中の客も女も聞耳を立てている様子に、亨吉は

しどろもどろになり、それでも負けずに罵り合いながら、階下の下駄箱のところまで降りて行った。ところが、いつもそこに置いてある、享吉の破れた地下足袋が見当らない。

「おい、地下足袋を出せよ」

「ふン、三百両、出したら、出してやらア」

「畜生、そんなに金が欲しいのか。貴様たちを人間扱いしたのが俺の不覚だ。人情もなにもありゃしない。金の亡者め、高利貸し淫売、そんなに金が欲しけりゃくれてやらア」

享吉は、金に縁のない男の常として、金を軽蔑したく、思い切って財布から百円札三枚、摘み出すと由紀子がそれをひったくり、

「早く出しゃアいいじゃないかョ。ふン汚ねえ男だョ」

「汚ねえのはどっちだい」

享吉が罵り返しながら、台所の上げ板から摘み出してくれた地下足袋を、流し場に腰をかけて穿いていると、ふと棚の蠅帳の中に、甘そうな白米の海苔巻が、皿に一杯乗っているのが眼についた。

享吉は、早くも、只で三百円出したのが、堪らなく惜しくなって来た時であったから、それにひょいと手を伸ばし、

「おイ一本食わせろよ」

その手を由紀子は邪慳に刎ねのけ、

「なに言ってるんだ。店の女の晩飯じゃないか」

享吉は、その瞬間、金と女が無闇に惜しくなり、

「おい、それじゃァ一本やらせろよ」と急いで足袋を脱いだが、さすがに彼の顔は恥ずかしさで奇妙に歪んでいた。由紀子は、

「遊びたいんなら、早くそう言えばいいじゃあないか」と、なお罵りながらも、とにかく、再び享吉を自分の部屋に上げた。しかし敵同志のように憎み合っての抱擁は、享吉をますます苦しめるばかりなので、彼はなんとかして幸福な気持になりたく、煩悶した揚句、思い切って三百円、また投げ出してしまった。女は、

「妙な男だョ」

と罵倒しながらも、急に上機嫌になって、金を帯の間に入れ、急いで下に降りて行ったが、暫くして上がって来るなり猫撫声で、「あんた、あんた、そこに細かいの十五円ばかり持っていない」

享吉は、膨れっ面で叩きつけるようにして出してやれば、

「ちょっと、貸して頂戴ョ。直ぐ帰ってくるからネ」

と由紀子はまた、下に降りたが、今度は二十分も経って、やっと部屋に帰って来た。その彼女の右の袖下に、小型の金側の腕時計がちらちら見えるので、

「どうしたんだい、それ」享吉が訊ねると平気な顔で、

「どう、妾に似合うかしら」と腕を捲って時計を見せ、

「これ舶来なんだヨ」

「今買って来たのか」

「なアに、長沢の兄さんがネ、博奕の質にネ、このお澄ちゃんの時計を質屋から出して、五百円で売っちまうって言うから、わたしが譲って貰ったんだよ」

金の無い享吉は、女の無邪気な強欲さを笑おうとして笑えなかった。彼は、自分でも時計を持っていなかったし、それに靴か地下足袋も欲しかった。彼の六百円の泊り代のうち、百円が帳場に払われ、五百円がこの時計になり、先刻の十五円は質屋の利息であることも明瞭であった。

彼は、いかにも自分を愚か者の典型のように思い、今更、由紀子を罵るよりも、かえって由紀子に愛して貰おうと、

「おい」と手を伸ばすと、「なんだよウ、身体が痛いじゃあないか」

「だって」頬を持って行くと、顔を顰め、

「ふん、本当にシツッコイね」

「なに」

「なにがなんだヨ。そんなひょっとこ面、なにが怖いもんか」

「だってお前、六百円も取りやがって」

「ふン、六百円で女の貞操が買えりゃ、安いもんだョ。お前なんかより気持のいいお客は、いくらもいらア」

「六百円もか」

「当り前だョ。この間なんか千円くれた闇師がいたョ」

「俺は闇師じゃないんだ。真面目な会社員だ」

「おや、そうかい、そうならそうとして置こうョ。だけれど兵隊さんだって上がれば金を出すんだからネ」

「俺だって決ったものなら、惜しくない。惜しくはないが」

「煩さいねエ。もっと向うで寝てくれョ。汚ない男だ」

「いいとも」

さすがに享吉も思い切り、壁を向いて目をつむったが、全身を針で突かれているような苦しさに、額を抱えては呻き声を出し、傍で平気で、大鼾をかいて寝始めた由紀子の頸を思い切って絞め上げたい気持であった。

翌朝、空っぽになったような心を抱き、享吉は、知らん顔で寝ている女の傍を離れて行ったが、その日、昼間、会社で働いている時、ふいと、かえって、由紀子の心をはっきり自分のものにしたい欲望に、襲われることがあった。

けれども、それから二、三度、訪れ、女が堅い赤煉瓦のような心を持っていることに漸く気づくと、享吉は、由紀子に限らず、そのインフレ景気で気狂い染みて来たその街の女たちを諦め、もっぱら、時折、小母さんの店に行ってはビールを飲んで帰ってくることにした。

そして、その足も遠のいて一、二ヵ月すると、五月二十九日。横浜が二時間ばかりの間に、すっかり灰になってしまう悲劇が起った。享吉は、横浜に十年近く住んでいて、山の手の彼の寮こそ無事であったが、不幸にあった友達や知人が多く、曙町の真っ先に燃えた噂を聞いても、宝船や小母さんの店のことなぞ、そう心配して思い出されもしなかった。

ところが、六月初めのある朝、東京に行くため、桜木町の駅に並んで切符を買っていると、いきなり彼の袖を引っ張る女がいた。

色の真っ蒼(まさお)な、乞食のような白痴みたいな見知らぬ女なのでびっくりしたが、よく見ると、それは宝船の貞代であった。

大勢の行列の人に見られ、享吉は恥ずかしいので、彼女を売店の裏に連れて行った。白昼見ると一目で春婦と知れる様子の彼女は、遠慮なしに筒抜けの大声で、

「あんた、由紀ちゃんに逢わなかったかい」と、彼女らしい間抜けな質問をした。

「逢わないよ。由紀子、どうした」

「どうしたかネ、銀行の通帳だけ持って、いちばん先に逃げ出したけれど、あの辺は直撃

弾が多かったからネ。春ちゃんネ、あのひとなんか、あたいと一緒に逃げたけれど、右の肩にあの大きな船の蓋が落ちて来て、死んだヨ」

「へえ」

享吉は、春ちゃんという女はどの女かしらと思いながら、眉を顰めたが、

「なアに、由紀子は殺したって死なないよ。だけれど、君はよかったね、もう田舎に帰れるんだろう」

貞代は落ち着かぬ様子で首を振り、

「ううん、あたい、田舎なんかないヨ。家は浅草だけれど、もう焼けてしまったかしら」

「さあ、どの辺なんだい」

「国際劇場の裏なんだヨ」

「そりゃア多分、焼けているね」

「でも立札があるだろうネ。それに、移転先が大抵、出しているってヨ」

「そうかい、大変だな」

享吉が本当に同情した顔で、貞代の女乞食のような格好を眺めていると、貞代は相変らず、おどおどした口調で、

「お兄さん、あたい、とっても腹が空いているんだけれど、お弁当、少し食わしてくれないか」

と、享吉に甘えるように囁きかけるのであった。

ちなみに曙町は横浜でいちばん先に復興した。また、その戦禍の前後、吉田橋付近には、行方不明の船員の家族や、出征兵士の妻などが、きわめて安価に淫を鬻(ひさ)ぐとの噂も高かった。これはその頃の物語だ。

『新文藝』（昭和22年12月号、虹書房）初出

赤線風流抄

舟橋聖一

子供のときから芸者と云うと、いきで、あだで、すつきりした江戸前を憧れたが、花魁ときくと、野暮で、不潔で、泥臭いものに感じる。つまり、私などは、生れた年代から云つて既に花魁風流は過去のものに追いやられていた時代なのである。

そして、今日では既に、その芸者時代さえ過去のものにされ、もつと新しいスタイルが、若い世代の関心の的となつているらしいが、私に云わせると、私が子供の頃、花魁を泥臭いと思つたような意味で、若い世代が、芸者に辟易しているかどうかは、まだ、疑問の余地がある。

私より、五年の年長者には、花魁遊びの風流を偲ぶ人が決して少くはない。僅か五年のことで、団、菊、左を見ることの出来なかつた私は、もう、吉原遊びの真髄を知ろうにも、知ることが出来ない星の下にいたのだろう。

本所で生れた私は、取的の肩車に乗つて、浅草へは遊びに行つたが、仲見世、観音様、六区から先きは、禁制がしかれていた。十二階へはよく行つたから、その下に住む白つ首の話は聞いても、それらしい者に行会えば、むろん、目をつぶつて逃げた位で。

或は、年齢ばかりでなく、都会に育った者の弱身であったかも知れない。これが若し、田舎から出て来た書生だったら、柳橋や新橋を知らないで、私は吉原で流連荒亡をやったかもわからない。とにかく、二長町や新富座の芝居を見に行って、隣の桝の柳橋の若い妓から、

「坊ちゃんに、サヴレエを――」

と、風月堂のお菓子を貰っても、誰にも叱られずにすんだのだが、吉原だの洲崎だのと云う話になると、

「坊や、あっちへ行っといで」

と、忽ち厳重な埒が下りてしまうのだった。だから、吉原は可恐いところで、新宿や品川は、世にも汚いところと教えられた先入観は、ちっとやそっとで、変貌する由もない。

中学生になっても、上級の生徒が、新宿へ女郎買いに行くのを、どんなに不潔に思ったか知れはしない。

「女郎買いだけはしたくない」

と、私は心に堅く誓っていた。

新派の狂言を見ても、喜多村の演ずる柳橋の蔦吉には共鳴を感じたが、河合の扮する丁山となると、縁遠い世界と観じた。

蔦吉に惚れる主税の心はわかっても、丁山と心中する玉川清の気持は、どうにも理解しにくかった。

早く云えば、私には女郎買いと云うものの本格的な面白さは、遂にわからずじまいなのである。それよりも、只恐ろしいもの、汚いものとして、食わずぎらいをしているうちに、段々に年を取り、今更ら、女郎買いに凝ってもはじまらぬ年齢に到達してしまった。

私がはじめて、遊廓に足を踏み入れたのは、吉原でも洲崎でもない。旧制の高校生の頃、友人と九州へ旅をしたとき、博多は柳町の遊

廓を素見したのと、その友人と別れてから、一人で熊本二本松の青楼へ上がつたのがそもそもの経験だが、それでも二本松では、ただ登楼しただけで、敵娼をきめて遊ぶ勇気はとてもなかつた。

ただ、印象にのこつているのは、二本松の遊廓は、当時としては珍しい張見世だつたことである。翌日、私は又、この遊廓を通つて見た。すると、昨夜はあのように華かに化粧していた連中が、みな、病人のように青ざめ、茫々乎として天を仰いでいるのもいれば、ただ、いぎたなく昼寝をむさぼるのもいて、まさに、荒涼たるものであつた。私は、彼女らの頽廃ぶりに同情をそそぐと共に、昨夜、登楼しながら、よく自制して、この青ざめた病女と交ることなきを得た自分の好運に安堵したのを、覚えている。

私は、水戸遊学の間も、大工町で芸者とは遊んだが、水戸をはなれて東へ三里と、磯ぶしにうたわれる祝町の遊廓に出かけたことは一度もなかつた。京大阪へ旅行したときでも祇園の一力へは毎度、顔を出しても、島原を見物したのは、ごく最近のことである。岐阜の浅野屋は話にきいただけである。名古屋の中村遊廓も、戦後はじめて、人に案内されて知ることが出来た。

以上によつて、私は女郎買いを談ずる資格が皆無であることを、先ず、お断りする次第である。

○

ところが、風流抄の企画は今回は赤線地帯であると云う。そして、先ず、次のような諸本を読まされた。

○　戦後日本の売春問題。(神崎清)

○　娘を売る町。(神崎清)
○　人身売買。(本庄しげ子)
○　売春婦の性生活。(雪吹周)
○　肉体の白書。(雪吹周)
○　よしわら。(大河内昌子編)

何れも、なかなか面白かつた。就中、神崎清氏は東大国文科同期のクラスメートであつたので、若き日の神崎が「辻馬車」をポケットに突つこんでは、吉原、玉の井、亀戸などを調査していた頃の姿が髣髴として、一段と興味深かつた。日本の売笑婦の調査、研究は以上の諸本によつて微に入り、細を穿ち、殆ど、全貌を尽しているので、今更ら、私が贅言を加えるところは、何ンにもなさそうである。

が、これらの研究が行届いているにもかかわらず、売春禁止の法案は、依然として、ブツブツ、いぶつているようだし、世論も亦、是か非か、去就に迷つているかの如くである。

神崎氏によると、戦争中から、敗戦、占領、講和にかけて、吉原の楼主がつぶさに辛酸を嘗めた趣きが、懇切丁寧に書かれているが、そして経営の実態にも著しい変化があり、楼主と娼婦との頒け前も、戦前の九分一分、空襲直前の、七分半二分半の玉割が、折半乃至四分六にまで民主化された事実はあつても、今日の吉原は昔にくらべて何らの遜色なき繁栄の春を謳歌している。若し女郎買いをしようと思つて、ぶらりと吉原へ出かければ、

「あなた――、あなた――」

と引張凧にされ、たとえ一日に、七人でも八人でも、客を取つたあとと云うことは、けぶりにも見せないから、結構、女にもてたつもりで、用を足してくることが出来るのである。その点、昔ながらに、不夜城吉原であり、遊び客にとつては、何らの不自由も拘束もな

いようだ。

――明治四年の娼妓解放令は、散々な失敗に終つたが、ポツダム政令による公娼の廃止は、或は、日本の娼婦らにも、更生の機会があたえられるのではないかと思わせたのはほんの束の間の夢で、今日では、吉原でも新宿でも、一片の立法ではどうにもならぬほどの、牢固たる集団営業に日々夜々、その成果をあげているのである。

じつさい、売春の禁止ということには、古来、理想主義的な政治家は、悉くと云つていいほど、手を染めている。「花の生涯」を書くに当つて、井伊直弼を調べたとき、彼でさえ盛んに、売春の禁止や娼妓の解放をやつているので、誰にしろ、政治の局に立つ者は、これに心を尽さない者はないのだと知つた。それでいて、曽てその理想が完成したという話は、聞いたことがない。

一時は、恰(あたか)も解放された如くに思われるが、数年ならずして、必ず、もとの杢阿弥となる。これは丁度、慢性の寄生虫が、追えども追えども、又ぞろ、もとの病巣に立ちあらわれ、死なければ治らないのと、よく似ている。

と云うのは、一人や二人の大臣が、売春禁止の理想を唱えたところで、直接、彼らを取締る警察機関が、楼主連のボスとなれ合つている以上、ただ娼婦いじめをするだけで、颱風一過すれば旧態依然たるのが、毎度くりかえされた廃娼ブームであつたからだ。

業者の根強さ、たくましさは驚くべきものがある。何ンとかして、生きのびて行こうとする。雨にもめげず、風にもめげない。臥薪嘗胆して、時の到るを待つては、蛇が穴から匍い出すようによろによろと、姿をあらわしてくる。

実際、ポツダム政令では、こんどこそ、吉

原や新宿も、根こそぎ粛正されたろうと、はた目には思われた。日本の政治家の断では、どこかに、手ぬるいところがあつて、業者を倒しても、その息の根まで止めるわけにはいかない。が、連合軍最高司令部ともなれば、相手が、目の青い外国人だけに、こんどは息の根を止められたのではないか。止めを刺されたのではないかと思われたが、遺憾ながら売春業者のみならず、講和後の日本は、一時死んだ振りをした連中が、みな蘇生して、大手をふつて歩き出したのである。

神崎氏も書いているが、吉原の楼主連が血の涙を嚥みながら、大ぜいの娼妓の前で年期証文を破り棄てた歴史的光景は凄惨な位だが、その無効になつた証文をカメに入れて床下にうずめ、

「アメリカが撤退したら、この証文に物を云わせて見せる」

と、力（りき）んでいるという業者の話は、まさに売春業者の代表的典型で、この悪どさがなくつては、人を動く玩具にする人肉商売の玉割を取るようなえげつないことを涼しい顔でやれるわけがない。

○

さて、私は文春別冊のM君（今回は特に名を秘して貰いたいという注文だった）と二人で、あちらこちら、見て廻ることになつた。

プランに組まれているのは、

鳩の街
よしわら
新宿二丁目
洲崎
東京パレス
玉の井

その他、青線となつて居り、別に、「佗しいところ」と抽象的に指示された場所もあつたが、一度にそう沢山は、いくらなンでも廻りきれないので玉の井以下、青線及び「佗しいところ」は、今回は割愛させて貰うことにした。

私たちは、丁度その日、十返肇の出版記念会の会場を途中でぬけ出して、一路、東京パレスへ向かつた。

東京パレスは、千葉街道、国電小岩の近くにあつて、もとは精工舎の寮だつたと云う。

私は、競馬が好きなので、ここなら中山競馬場へ行くたびに、朝夕必ず素通りしている所だつた。もつとも、市川の橋から、四ツ木を通つて、入谷へ抜けるコースを選ぶときは、鳩の街と玉の井入口の前を通り過ぎるわけなのだが、こういう街は、明るいうちは、どこにあるのかわからないのが普通である。暗くなると俄然、存在がはつきりする。青いネオン、赤いネオンが毒々しいまでに並び立つからである。

だから、競馬場行の往復には、殆ど気にもとめずに、通りすぎていたところに、入つて見ると、どうしてなかなか、複雑多岐な娼婦街が四通八達しているには、吃驚させられる。

ところで、東京パレスだが、その寮の建築形式が、昔、私が住んでいたことのある旧制水戸高校の寮にそつくりなのである。何んでも話に聞くと、私の後輩である水戸高出身の某君が、東京パレスに遊んで、昔の学生生活を思い出し、そぞろ懐旧の思いにかられた途端、ストームがやりたくなり、少し酒も入つていたのだろうが、東京パレスの板廊下を、

「デカンショ、デカンショ」

と、やりながら、娼婦らの肝を奪つたそうであるが、実際にパレスへ上つて見ると、な

るほどそれも無理からぬと思われる。

棟は五棟で、ルームは一棟に階上階下を合せて十四室。従つて全部で、七〇軒の店が並んでいるわけだ。ほかに、八時まではダンスホールがあつて、娼婦たちは、ダンスの相手をする。

いや、そう言つてはいけないらしい。彼女らに云わせると、

「東京パレスは、ホールです。このお部屋ですることは、ダンサー達のアルバイトなンですわ」

である。

私たちが来たのは、少し時間がおそかつたので、もうホールは終業していたから、アルバイトのほうだけを見せて貰つた、というわけだ。

更に驚いたのは、この寮と寮をつなぐ縦の通路の両側には、すし屋、おでん屋、菓子屋、酒場、中華料理屋をはじめ、美容室から髪結床、小間物屋等々に至るまで、何一つ不足のないようになつていることだつた。

もつとも、「風流抄」で、雇仲居(やとな)の生態をはじめて知つたと書いたら、舟橋聖一はカマトトを云つてると冷やかされた。が、正直、東京パレスも鳩の街も、初見参で、お上りさんで、お恥かしいが、少々、センチメンタルにもなつているのであつた。

検身は一週間に一度。

看板は十二時限り。

部屋代は一日50円。

食事は食堂で、一日100円。

そして、オールナイトが三〇〇〇円で、時間遊びが、六〇〇円から一〇〇〇円どまり。これを経営者と折半にするのだそうな。

私は一応メモを取つてから、M君とは別々の部屋へ入つて、更に、こまかい話を聞くこ

と約十五分。

私の敵娼は、すみれと云つて、目鼻立ちの整つた子であつた。

「どうして、こんなことをやつてるの」

「ほかに、何ンにも出来ないもの」

「逃げたことないの」

「一度ある」

「つかまつたの」

「つかまるもンですか」

「追手がかかりはしないの」

「お兄さんは古風ね。芝居のオイランとは違うわ。この頃は、ズラかろうと思えば、いくらでも、姿を消せるわ」

「では、どうして、逃げ損つたの」

「逃げ損つたンじやなくて、自分で帰つて来ちやつたのさ」

「へえ――」

「一週間、もたなかつたわ。普通のところでは辛抱出来ないのね」

「そんなものかね」

「ここの子、大てい、一度はやめようと思うらしいのよ。そうして、世間を歩いてみて、やつぱり舞戻る子が多いわ」

「そんなに、ここがいいつてわけでもあるまいにね」

「御覧の通りよ。いい筈がないでしょう。でも、みんな、已むを得ず、働くのさ」

この程度の会話を交わしただけで、もう約束の十五分がタイム・アップとなり、私が部屋を出ると、M君はすでに靴をはいていた。

それでも、すみれは何かと親切にしてくれ、私に黒のソフトを冠せて呉れたりして、

「お兄さんは、帽子を冠つたほうがいいわよ――」

と、お世辞を云いながら、廊下口まで送つてきた。

○

車は一旦、市川橋の袂まで出てそこから、引返すようにして、鳩の街へ。

十時前だつたから、一番、混み合つている時刻だつた。私は東京パレスの女に云われた通りに、黒のソフトをやや深目に冠つて歩いた。

「ちよいと、寄つてらツしやいな」

「すましてないで、上つたらどお」

「お二人さん。歩くだけが、能じやアないわよ」

と云つた具合に、せまい街並みの両側から、一斉射撃をうける。

私はまた、若い頃を思い出す。

当時は鼠泣きというのが行われ、小さい窓の中から、

「チュッ、チュッ、チュッ」

と舌を鳴らすのが、いかにも鼠の泣声に似ていたので、その名があつた。或る晩、偶々、銘酒屋の前を通りすぎると、銀杏返しに、縞のものを着た女が、いきなり私にむかつて、

「チュッ、チュッ、チュッ」

をやつたのである。すると、その声が私の耳から首根つ子のまわりへ、べつたりと密着してとれない感じで、むろん、私は一目散に走つて逃げたが、それでも、いつまでもその声が耳の周辺を匍いずり廻り、とうとう、一晩中、性の刺戟になやみ明かしたことがある。

——中学校を出たての頃であつたかと思う。

今は、鼠泣きなどと云う遠まわしなことをやる女はない。いずれも、単刀直入に、

「あなた——」

と、呼びかけ、時には、胸倉を取つて引つぱりこもうとする。

むろん、女はこちらから、金を取ろうとして、しきりに呼びこむのだが、中には、

「私、あちら、好きよ」

とか、

「お兄さん、気に入つたわ。上つてね」

とか、

「思いきり、可愛がつて上げるわよ」

などと云われると、男はバカだから、本気にして、ほんとに自分を好きなのかしらと、錯覚するから、よくしたものだ。つまり、まんまと、女に弄ばれ、嘘もまことと信じこんで、財布の底を叩くという段取りになるのであるが、然し、女も男に、からかわれたがり、男も女にだまされたがつているのが、男女愛慾の色相図である点は、昔も今も、東西の差別もないのだろう。

実際、ふだん、まともな社会では、人に洟も引つかけられない連中が、鳩の街へ入るや否や、

「助六さん、その鉢巻はえ」

と、みんなに声をかけられ、吸附煙草の煙管の雨が降るようだとあっては、いかにも、もてたような錯覚に陥るのも、無理からぬ。

私と並んでいるM君に対して、

「ちよいと、その右側の、色の白い、のつぺりした人のほうが、私は大好きよ」

と云う女があるかと思えば、

「あんた。少し禿(はげ)てるけれど、肥つてる兄さん。左側の人だよ。あたいは、左の人が好きなンだよ」

と私をほめる女もあつて、蓼喰う虫も好き好きと見える。

これだけ露骨にモーションを掛けられると云うことは、普通の社会では、なか〳〵ないことである。所詮、虚妄と知りながら、悪い気はしないのである。

そこで、とうとう、引つぱりこまれた。「ハンモック別館」とやら云う家で、長身のすばらしい美人が立つていた。

M君が先きに立つて二階へ上つた。

洋間風のルームが四つ程、廊下をへだてて向合つて居、ルーム毎にベッドがついている。置いてあるものも、東京パレスよりは、上等で、ラジオ・洋ダンス・フランス人形等々。

ラジオだけは、立派なもので、私の家のよりはるかに高級品である。私は、ラジオとかカメラとか蓄音機には凝らないほうなので、自分の放送のときでも、時々故障していて、満足に聞けないことがある位だが、娼婦とラジオは、つきものなのか、どこへ行つても、実に堂々たるものが、備附けてある。——畢竟、それも仲間同士の虚栄から、むりにそんな高級品を飾らずにはいられないのだろう。

テーブルの下に、映画のプログラムが一綴り、ファイルしてあつた。何気なく、めくると、殆んどみな、洋画ばかりである。曰く「月蒼くして」曰く「哀愁の湖」曰く「地上より永遠に」曰く「アンリエットの巴里祭」曰く「キリマンジャロの雪」——

「こういう映画ばかり見ているの」

「そりやそうよ」

「日比谷まで行くの」

「当り前じやないの。東劇、有楽座、ピカデリー……」

「すると、あすこらの映画館でも、君たちのような人が沢山来てるンだね」

「これでも人間ですよ。差別待遇しないで頂戴——」

私はまた、やりこめられた。

もつともな話である。有楽座や日比谷映画の客席に、娼女の入場が禁じられているわけはないのだから、あの大ぜいの観客の中に、鳩の街の女が何人いようと、一向差閊えはないわけだ。が、うつかりして、この日、彼女の寝室のテーブルに、洋画プロのファイルを見るまで、私は有楽座と鳩の街とを結びつける連想の心理学を忘却していただけである。

然し、これが昔なら、一見して、娼婦は差別的な風俗をしていたので、東京中央の映画館などに入ることは、考えも及ばないことであつた。その当時は、むろん所謂「籠の鳥」だから、滅多に外へ出ることはなく、たまに遊山に出かけるとしても、その家の抱え全部で、やり手や妓夫太郎らも附添い、所謂監視附きで、せめて窮屈な一日の行楽をたのしんだにすぎない。

ところが、今日は大変自由だ。京都の宮川町でも、亭主持ちの娼妓が可成りあつて、朝、遊客を送り出すと、吾家へ帰り、昼間は家族の洗濯物などをして、夕景再び廓へ出勤するような、娼妓のニュールックもあらわれつつあると云う話は、去年京都で聞いて来た。

○

この「ハンモック別館」のK女なども、打見たところは、どこのお姫様かと思うばかり、ノーブルな顔立ちで、この街に立つているからこそわかるが、ピカデリー劇場の椅子に掛けている場合を想像すると、決して夜の女などとは思いもよらぬ。否、却て、どこそこのお嬢さまより上品で、より貴族的（アリストクラット）でさえありうるほどだ。

例により、私は、メモを取出した。すると女は、些かうろんと云う顔になつたが、それでも、オールナイトは五枚で、タイムは三枚、ショートは一枚半だが、自分はショートのほうは断つていると話して呉れた。

「玉割は？」

ときくと、

「玉割なンて下等な言葉は使わないンですが、四分六よ」

「君たちが六分かね」

「いいえ。そりやア帳場さんが六分よ」

「食費は？」

「引かれません。部屋代も」

それがパレスとは違つているらしい。

「お風呂は？」

「ハンモック本館へ行きます」

「警察では、うるさく云わないの」

「赤線だから大丈夫よ」

と云つた具合で、応対もテキパキしたものだ。ところが、その先きを訊こうとすると、

「もういや」

と、ことわられた。

「一体、あなた、何しにきたの？」と、逆襲だ。私は、どうせ包み畢せずと悟つたので、

「実は、鳩の街を書かなければならないンだ……」

「探訪ね。新聞屋さん？」

「まア、そんなところだ」

「あたし、この街のこと、何ンにも知らないのよ。そんなら、ほかの人にすればよかつたわ。もつと詳しい人に――」

「いや、いや。君で結構なンだ」

「とにかく、あたし、着かえてくるわ」

「ここで着替えればいいのに」

「下で着替えることになつてるの」

そう云つて、ヒラリとスカートを翻して下りていつたがまもなく、ブルーの寝巻になつて戻つてきた。寝巻もなかなかよく似合う女である。

「あら、あなた、ぬがないの」

「うん」と、生返事をする。

「おぬぎなさいよ」

「そうか」

と、私は背広の上著をぬぐ。

「どうしたの？　ズボンはぬがないの」

「これはこのままだ」

「じゃア、遊ばないの」

「遊ばない」

「何ンだ。バカにしてるわ。遊ばないなら遊ばないつて、早く云えば、着替えなンかしなかつたのに——」

「いいじゃないか。遊ぶときは、みんな着替えるンだろ」

「そりゃアそうよ。でも、お兄さんが遊ばないンなら、何も着替える必要はなかつたじゃないの」

と、理窟を云つた。

然し私は、この二階へ上るなり、M君が然るべきものを支払つているのを、チラッと見たのであるから、普通に支払つた以上、寝巻に着替える位は当然だと思つているのだが、K女の理窟では、どうもそうではないらしい。

ついでに云うと、すべて娼婦の街では、前勘定である。

新橋、柳橋は一ト月勘定。中には六カ月の盆暮勘定と云う古風な家も、一軒や二軒は残つている。これが四谷あたりから以下、五反田へんは、その場その場で、勘定を取られるが、前勘と云うのは尠い。然るに、娼婦達は、後勘定では、逃げられる可能性が多いので、はじめのうちに、取つておかなければならない。人間は、誰にしろ、食べてしまつた料理の代金は、払いたがらないものだからだ。前勘定では、払わないと云うわけにはいかない。彼女らは、実に鮮かにうまいところで、

「戴けます？」

とくるので、気前よく財布の蓋をあけるこ

とになる。このタイミングが、この商売のカンドコロで、これが下手では、商売にならないのだろう。

東京パレスでも、鳩の街でも、むろん、前金の請求があつた。前金を払つてから、我々は別室へ入つた。

そういう風に、彼女らは用心ぶかく、且つ、金銭本位をはつきりさせているので、実は私のほうも金銭本位に、

「だつて君、遊ぼうと遊ぶまいと、僕の勝手だろう」

「あら。なぜ?」

「金は払つたのだから――」

と、云うや否や、K女は途端に相好を変えて、

「いくらお金を払つても、それはそれ、これはこれよ」

「へえ?」

「黙つてお上りになつて、黙つてお払いになつた以上、そのお金は、遊興代でしよう。私はお遊びになるなら、御相手をつとめますが、お遊びにならないなら、誰かほかの人に、話をおききになるといいわ」

一応、筋は通つているようである。然し、若干、わからない節もある。私のほうでは、遊興代は払つたのだから、別に遊ぼうと遊ぶまいと自由であり、遊ぶ代りに、話を訊くのは、差閊えないと思つたのだが、彼女の云う所を察するに、代金の費目が違うとでも云うらしい。遊興代はあくまで遊興代であつて、遊ぶのなら、応じるが、遊ばないなら、それは没収する。従つて、ほかに何か話がききたいのなら、それはそれで、別に出せ――と云う意味らしい。まるで予算の使途について、融通のきかない官僚と、よく似ている。

「第一、私がこうしているのに、遊ばないな

ンてお客は、はじめてよ」

と、K女は云つた。

なるほど、K女はなかなかコケチッシュである。ブルーの寝巻の膝をまくつて、膝小僧から更に、五センチほど、白い股を見せている。よほど、自信があるのだろう。

「そんなに、探訪はきらいかね」

「大きらい。碌なことは書かないもの。やれ、すべつたのころんだのつて――」

「僕は、悪口なンか書かないよ」

「どうだか、わかるもンか。この間もそんなこと云つて、いろんなこと聞いて、写真まで撮つてつたくせに、雑誌一冊、送つて来やしないのよ」

「それは、すまなかつた。注意力が足りないのだ」

「そうして、私たちのことを、毒蛾だなンて書くンだもの」

「毒蛾は、ひどいね」

「あら、あンたなンか、もつとひどいことを書きそうだよ。粧える蛇とでも書くンじやないの」

「粧える蛇か。うまいことを云うね」

外国映画の題名にでもありそうな形容である。

「ほんとに、もつとききたいンなら、家には詳しい人、いないから、向いの家の人、呼んで来ようか」

「呼んでくれれば、またその人にも、払わなければならないのだろう」

「そりやアそうにきまつてるじやないの」

「勿体ない」

「ケチン坊――」

と極めつけられた。

実際のところ、文藝春秋にあンまり玉代を払わさせては気がひけるゆえ、向いの女を呼ぶのは、願いさげにして貰つた。

「じやア、遊ばないなら、また、着替えてくるわ」

「まア、いいじやアないか。もう少しそのままでも――」

「そうはいかないわよ。あとがあるから――」

「それもそうだな」

つまり、私という客は、オールナイトではないから、ある時間を提供すれば、あとは、もつといい客を射落さねばならぬ必要に迫られている。それには、なるべく、早く、私を切り上げて、店に立ち、これと思う客を選ぶための時間が欲しいのだろう。遊ばない客は、遊んでしまつた客と同じで、彼女らには無用の存在である。また、金を支払つてしまつた客からは、もういちど、取るわけにはいかないので、興味のない存在である。

彼女は、やがて美しいドレスに着替えてきた。が、その顔は、依然として不興げである。

昔の女郎は、遊ばずに帰る客は、縁起のわるいものとして、忌みきらつたと云う話は聞いているが、このごろの、諸事金ずくの女たちなら、遊ばない客は、丸儲けだからよさそうだと思つたが、やはり、彼女らにも妙な自尊心があるらしい。遊ばずに金だけおいて、ゴタゴタ口上の多い客は、喜ばないと見えて、最後にこう云つた。

「あンた方は、金さえ払えば、何をしてもいいつてところがあるわ」

私は、あわてて、

「そんなことはないよ」

「いいえ、さつきの云い方に、それがあつたわ。それで、あたし、癪(しゃく)に障つたの。お金なンか何ンだい、と思つてさ」

「すみません。僕の云い方がわるかつた。全く君の云う通りだ」

と私は、素直に頭をさげた。

「大いに反省しよう。今夜の君の言葉は僕にとつても、ありがたい忠告と思う」

「ふん」

と、彼女は鼻で笑つて、

「そんなに良心的にならなくたつていいわよ」

「いや、僕はこれで、いつも誤解をうけ易いのだ。まつたく、ものは云いようだからね」

すると彼女は、僕のソフトを取つて、

「はい」

と、せき立てた。

「帰れ」と云う表示である。私もさすがに少し、癪に障つて、

「こつちも反省するが、君も反省しろ」

と云つた。が、彼女は事もなげに、

「まア、この人つたら、青い顔をしてるわ」

と、嘲笑するように云い、ドンと私の肩口を突いた。手弱女にしては、案外に膂力があつて、私は、フラフラとなり、二三歩後退すると、はずみを食つて、扉を背中で開けたらしい。ドスンと、廊下の向側の白い壁にぶつかつたのは、いかにもぶざまであつた。

「M君——」

と、私は、助けを求めたが、M君はとつくに、外へ出て待つているので、私の声は聞こえる筈もなかつた。

「いかがでした」

とM君は、二三間先きの溝板の上に立つて、私を待つていた。

「いやはや、大変な目に会つた」

「そうですか。僕はまた、大分、長いので、収穫があつたかと思つて居りました」

「とんでもない。収穫はゼロ。代りに、もう少しで、タン瘤をつくるところだつた」

「へえ？」

「殴られんばかりだつた。ドンと一ト突、突きとばされてね」

「そいつは、豪の者でしたな」

「然し、僕の口のきき方が、鳩の街の女さえ怒らせたことは、以て銘記すべきだよ」

「ハハハハ。そんなに怒つたンですか」

「まさに、柳眉を逆立てた。もつとも、僕のほうも、真青になつたらしい」

「凄いですね」

「探訪も楽じやないぜ。まだ、動悸(どうき)がうつている――」

「実は、もう一つ廻つて戴くことになつてるンですが」

「えツ？　もう一つ。どこ？」

「洲崎です」

「何時だい」

「十時四十五分です」

「まだ、一時間あるわけだね。大分、バテてるが、ラストスパートだ。行こう」

――車は、鳩の街入口で、私らを待つていた。シートに靠れると、墨堤を流れる春風が、私の頰を嬲つた。実に蘇生の思いがした。

○

洲崎は、戦時中閉鎖されて、石川島造船所がここに移つたので、敵機の集中攻撃を受けた。そのため、昔の面影はない。

M君の案内によると、ここに小さなノミヤがあつて、昔の洲崎を知つているやり手婆さんが生き残つているのとインターヴューをしてくれと云うのだが、私は鳩の街の一問一答にひどく草臥れてしまい、「若草」と云う見世に上がつて、型通りメモを取ると、もはや、それ以上の探求心を失つてしまつていた。

「若草」には、折柄、お上りさんの団体客が入つていた。東京見物も、昼の部と夜の部があり、傾城買までスケジュールされていると すると、端倪すべからざるものだ。

洲崎の遊廓の歴史は浅く、以前は本郷根津にあつた廓を明治二十一年九月に、移転したものと伝えられる。

私が明治四十年前後、八つ九つ十と足かけ三年ほど住んでいた弥生町の家のすぐ傍が、根津宮永町で、根津遊廓はその辺にあつたものらしく、そのうちの一軒か二軒が日露戦争前まで青楼として残つて居り、私の知る頃でも、商売替えにはなつていたが、その構造が一見して、女郎屋とわかるようなのが、二三軒は残つていたと覚えている。——吉原とちがつて、職人のお客が多く、芝居では、小猿七之助と滝川の洲崎の土手でお馴染だが、この廓を好んで書いた作家には、広津柳浪がある。鏡花になると、芸者六分の花魁四分と云うところだが、柳浪の時代では、まだまだ花魁が文学の主たる対象たり得たのである。

戦後の洲崎は、遊廓とは云わないで、洲崎パラダイスと呼ぶ。オールナイトは三〇〇〇円で、鳩の街よりは安値である。

Sと云う妓が敵娼ときまつたが、部屋の蒲団は敷きつ放しらしく、次の間もないから、安定感に乏しい。現に、私がメモを取る間に、部屋をまちがえた嫖客が、二人までも、ガラリと戸をあけ、

「いや、失敬」

と、向うが赫い顔をした。メモ作成中だからいいものの普通に遊んでいる時だつたら、赤ッ恥をかくところである。

「錠もないのか」

「へい」

「生れはどこ? 東京じやアなさそうだね」

「新潟です」

「いつから出たの」

「一ト月にならない」

「子供でもいそうだね」

「お客さん、よく、当てるね」

「新潟へおいてきたの」

「へい」

「いくつだ」

「子供かい。子供は四ツです」

「可愛い盛りだな」

「へい――」

ちよつと涙ぐんでいるように見える。鳩の街で懲りたので、その位にして、外へ出た。十二時が看板とて、玄関はまつ暗。廊下も、灯火管制を思い出すほど、うす暗い。彼女らは、十二時すぎの営業を、ひどく懼(おそ)れている風だ。然し、これでは靴をまちがえそうである。


M君とは、途中で別れた。帰宅したのは一時すぎていた。自動車を下りたら、黒のソフトがない。鳩の街では、K女に、

「はい」

と云つて、ソフトを渡されたのを覚えているから、きつと、洲崎へ置忘れてきたのだろう。（註　翌日、運転手が取りに行つたら、やはり洲崎の若草にあつた。チャンと取つておいて呉れたのである）

○

見残した吉原と新宿二丁目へ出かけたのは、それから数日の後であつたが、既に紙数が予定に到達したので、簡単にしておく。

吉原では、松葉屋（引手茶屋）で、芸者おちやら、栄太郎、小君、小槌、乙女、幇間は例によつて忠七、半平、喜代作というところを呼んで貰い、御座敷をつけ、さわぎを聞か

せて貰つたあとで、幇間の踊りに「桜ばな」「雨の夜」「ししづくし」「字あまり都々逸」などを見せてくれたが、吉原芸者や幇間のことは、先輩や大家も大ぜい居られること故、省略させて戴こう。それより驚いたのは、喜代作や栄太郎がなかなかよく私の作品を読んでいて呉れ、結構聖一ファンであつたことだ。

只、惜しむらく、昔のように、引手茶屋から、芸者に手を曳かれて、角海老や富士へ登楼するという風流がなくなり、引手茶屋は茶屋だけの遊びで、女郎買いは、それと無関係に行われることに変つたことだ。これは、お勘定が単独に行われないと都合がわるい御時世（つまりは税金だろう）のせいで、昔は女郎屋、茶屋、芸者屋の三業だつたのが、今では、茶屋と芸者屋だけの二業組合で、花魁のほうは、単独営業の女給さんと云うわけだ。

最近出来たロビンという家などは、銀座通りにあるキャバレーと大差なく、遊ばずにダンスだけすることも出来るようになつている。

松葉屋から送られるのではなくて、ボツボツ歩いてひやかして、ロビンなども覗いた上で、私はO君M君の案内で角海老へ登楼した。

かつての大まがきである角海老も、時代の波に洗われていかにもアパート然たるものだが、娼妓には、頭のいい子もいて、こんどは最初から、

「すまないが、遊びに来たのではない。迷惑にならない程度に、話して呉れ給え」

と、下手に出たので、思つたよりはハキハキと答えて呉れた。

ここでは、オールタイムと言つて24時間が一万円。その割に、12時から朝までの三〇〇〇円は安い。一時間が二〇〇〇円。最低というのが一五〇〇円で、玉割は女給さん

が40%であると云う。

角海老ともなると、やはり昔の格式で、店へ出ては客を呼びこまない。それだけ、おつとり鷹揚なところはあるが。

私は、秋山与志美24歳と云う人が、その部屋へ案内した。部屋の入口には、「秋山」と書いた標札がうつてあつた。以下はその問答録だ。彼女の話の中には、英語がまじるが、その発音の正確なのには、驚いた。

「ここは、君の部屋ときまつているのか。とすると、客のないときでも、ここへ寝られるのか」

「はい。昔の花魁は、本部屋では寝られませんでしたから待遇改善と見られます」

「外出は自由なのか」

「フリーです」

「呼びこみをやつている連中にくらべると、大まがきの誇りがあるンだろうね」

「そりやア、多少のプライドはね。でも、本当云うと、呼び込みのほうが、選択が出来るでしよう。大見世の格で、外へ出ないのは鷹揚のようですけれど、入つて来たお客にあの子と云われれば、否応なしでしよう。その点、呼びこみのほうが、ずつといいわ」

「なるほどね。では伺うが、好きな人はいるの」

「好きな人はどうですかね。きまつた人がいれば、もつと幸福だけど——でも、好きなタイプはあるわね。私なンかでも、好きなタイプの人にぶつかると、ちよつと嬉しいわ。でも夢中になるまでには、ほど遠いけれど」

「廻しは取るの」

「平均五、六人は取るわ。でも昔ほどではないわ。昔は廻しなしの玉代つてものがあつたそうね。今は、お客さん次第よ」

「自分のしていることを、醜業と考えているかね」

「でも、セックスは人生の最初にして最後でしょう。セックスの次が、衣食住だと思うわ」

「卓見じやないか」

「そうですか。ホホホ。こんなこと、ほめられたの、はじめてだわ。とにかく、人は醜業つて云うかも知れないけれど、こうして、毎日、社会から求められていると思うと、自分自身をあンまり卑下するのはまちがつてンじやないかしら。何ンにも求められないで、生きて行くよりはましよ。そうでしょう」

——秋山与志美なる娼婦は、大した美人でもないが、その見解は、大いに聞くに堪えるものがあり、なまじいのインフェリオリティ・コンプレックスなどはどこにも感じられなかつた。角海老を出たのが、十一時を廻つていたが、更に三人は勇を鼓して、新宿二丁目へ車を飛ばした。

M君が心配して、

「収穫はございましたか」

と訊く。

「まつたく十人十色。一口に醜業婦とは云い切れないのもいる——」

実のところ、赤線区域の生態調査などと云う尺度では量り切れない人間的な興味が、この二回の探訪で津々と私に執りついてしまつたのを、否むことは出来ないようである。車は、入谷から下車坂。そこから不忍、御茶の水、九段と東京を縦走して、やがて新宿の空をこがす赤線のネオン街へと、近附きつつあつた。

『別冊文藝春秋』（昭和29年2月、文藝春秋）初出

消えたオチヨロ船

井伏鱒二

瀬戸内（せとうち）における広島蜜柑の主要産地、大崎島に行かうぢやないかといふので出かけて行つた。相棒は丸山泰司君である。

大崎島は大崎上島と大崎下島に分れ、どちらも内海通ひの船乗たちの間にはオチヨロ船で馴染の深かつた島である。オチヨロ船は港に碇泊してゐる船に遊女を配つてまはる船であつた。上島では、明治二十年代から木ノ江港とメバルといふ港に存在し、下島には、慶長年間からずつと御手洗（みたらひ）といふ港にあつた。それが先年制定された売春防止法によつて一挙に廃絶した。

「木ノ江も御手洗も、オチヨロ船のために栄えてゐた港だといふことだ。ところが、売春防止法が出来てから満二年たつた。今では御手洗も木ノ江も、亡びて行つてゐる港町に違ひない。その状態を見て来ようぢやないか。」と、私は初め丸山君にさう云つたことであつた。

呉（くれ）線の竹原で降りて定期船に乗ると、しばらくして大崎上島の北端が見えて来る。その手前に、頗る姿のいい島がある。黒松と楠の大木ですつかり覆はれてゐる。

「あの楠の林は原生林でせうか。」と丸山君が、傍にゐた船客に云つた。「目がさめるほど新緑が綺麗ですね。何といふ島です。」

「生野島です。あれは恰好のよい島ですが、さうでもない島がありますよ。」その船客は、反対側の島を指差して云つた。「あの島です。あれは久野島です。別名は毒瓦斯島です。または毒瓦斯製造島です。」

戦争中、軍が瀬戸内の一つの島で糜爛性毒瓦斯を製造し、戦後、進駐軍がその製品を来島の瀬戸に持つて行つて棄てたといふ噂がある。その島に違ひない。禿山を持つた島であつた。

私たちの乗つてゐた定期船は、大崎上島のメバル港に寄つて、三人の船客と一台のオートバイを下した。入れ代りに乗せたのは、二人の船客と一台の自転車で、他には揚げ下しの荷が少しばかりあつた。この港にも四年前までは六艘のオチヨロ船がゐたさうだが、今では景気のいい港とは思はれない。町は海沿ひに続く一本町で、ところどころに以前オチヨロ屋であつたといふ二階づくりの大型の家がある。造船場には人の姿が一人もなくて、たぶん修繕しかけて止したのではないかと思はれる木造船が二艘あつた。

メバル港の次の次の港が木ノ江である。ここでは十人たらずの船客と二台か三台の自転車のほか、二つ三つの梱包が下されて、それに匹敵するほどの積込みがあつた。浮桟橋の上には口髭を生やした人も立つてゐた。大崎上島における主要港として貫禄の名残があるかと思はれたが、これだけでは四年前までの繁華を想像することができなかつた。

私たちは桟橋の傍にある旅館に宿をきめ、この町の有田元介さんといふ郵便局長にオチヨロ船の話をしてもらつた。ところが、この局長さんは、私たちがこの町のことについて何ひとつ知らないのをもどかしがつたやうであつた。

「では、これから町を御案内しませう。火の消えたやうな町ですが。」

局長さんは先づ私たちを、小高いところにある尼寺の境内に連れて行つた。そこから見ると港の大半が一望である。陸の二つの出つぱりが港の水を両側から抱へ、東側の出つぱりを一貫のハナ、西側の出つぱりを天満のハナと云ひ、そこに西と東のオチヨロの検番があつたさうだ。その検番を中心に、それぞれ十軒あまりの置屋があつて岡芸者と沖芸者を置いてゐた。沖芸者が即ちオチヨロである。

「オチヨロ船は日没から出没して、日の出に活躍を終ります。」と局長さんが云つた。「日没になると、オチヨロ船は女を四人五人と乗せ、置屋のおかみが一緒で酒や料理なども積み、碇泊してゐる船に漕ぎつけます。つまり、オチヨロ船は海上遊廓であり、動く張店であつて、翌日の日の出になると、女を情緒もろとも引きさらつて来る遣手婆でもあるのです。」

局長さんの話では、木ノ江の町は木ノ江千軒と云ひ、木造船の造船所として栄えた町で、これにオチヨロ船がゐたから碇泊する船で尚ほ栄えてゐた。

「いつか、或る機帆船の船長がこぼしてゐました。船が木ノ江の港に近づくと、若い船員がこつそり飲料水を流してしまふ。ボイラー用の水も流してしまふ。止むなく木ノ江に船を着けることになる。」

それに、木ノ江は山陽道側と四国との中間に位する。西風以外のときには風待ち潮待ちに便利な港であつて、木ノ江、鞆ノ津、玉島、牛窓といふやうに、帆船の一日行程の足だまりの場となつてゐた。

局長さんは尼寺の境内から見える岬や島の名前を教へてくれた。正面の一ばん大きな島は大三島と云ひ、左右からそれと重なりあつて幾つもの島が並び、それに取囲まれてゐるのは海でありながら水平線が一箇所も目につかない。右手の岬は野賀のハナと云ひ、芸州藩のお台場があつた。その裏手の高みには、昔の大崎水軍の城砦があつた。あまり強い水軍ではなかつたのだらう。来島の海賊に勢力のあるときには来島につき、村上海賊に勢力のあるときには村上についてゐたさうだ。しかし毛利元就はここの水軍を連れて宮島の合戦に勝つてゐる。秀吉は朝鮮征伐に連れて行つてゐる。

この尼寺の裏手はすつかり蜜柑畑になつてゐる。ふと庫裡の障子が明いて、頭を青く剃つた中年のお庵主さんがにこにこ笑ひながら現れた。

「やあ、お邪魔してゐます。蜜柑の花ざかりですね。」

と局長さんが挨拶すると、

「おかげさまで、朝夕、花の匂で喜ばせて頂いてをります。」

お庵主さんはさう云つて、「おほほほほ」と笑ひ声を出した。

尼寺から降りて来ると、局長さんは私たちを一貫のハナといふところに案内してくれた。ここはオチヨロの根拠であつたといふ花柳街のあとで、置屋であつたといふ二階屋は飲食店または青物屋、下宿屋、宿屋などになつてゐる。二年前まで検番であつたといふ大きな二階屋は、一見、廃屋ではないかと思はれるほどくたびれてゐた。それでも港に向つた方の出入口に、がたびしの雨戸がはまつて、「屑鉄業」と書いた蒲鉾板ほどの看板があつた。その入口のところから隣の家の屋根越しに、高く聳える櫓が見えた。
「あの望楼の上から、オチヨロ船に合図をしてゐたのです。」と局長さんが云つた。「オチヨロ船が勢揃ひすると、あの望楼で赤い旗を振る。すると、オチヨロ船は、碇泊してゐる船を目がけて順番に漕ぎだして行くのです。順番は、前もつて一番二番三番と籤引で定めておくのですが、漕ぎだすが早いか、一ばん金持の乗つてゐると見た船に漕ぎつけます。または、女の馴染の船員が乗つてゐる船に漕いで行くのです。それは見てゐて壮観なものでした。」

四年前までは、二十隻から二十五隻ぐらゐの貨物船や、機帆船がこの港に入つて来るのは毎日のことであつたさうだ。夕方になると、天満のハナのオチヨロ船と、一貫のハナのオチヨロ船が波止場の前あたりにずらりと一列に並ぶ。漕手はチヨロ押しと云はれる屈強な船頭で、たいていは渡り者で気が荒い。だから合図の赤旗を振るにもこつがある。みんなの気勢が一致する頃合を見はからつて振らなくてはならぬ。一貫のハナの望楼で振ると、同時に天満のハナの望楼で振る。オチヨロ船は幅五尺に丈三間の、船脚の速い屋形船である。さつとばかりに目的の船に向つて突き進んで行く。

碇泊してゐる船では船員たちがそれを待受けてゐて、ちやんと背広に着かへてチックで髪を撫でつけてゐるものがゐる。なかには甲板の手摺に乗り出して、ネクタイを結ぶのに手間どりながら馴染のオチヨロの名前を呼んでゐるのもある。おめかしに手間どつて、シヤボンをつけた顔を剃りかけたまま、オチヨロ船の女を安全剃刀で指差してゐるのもある。船員たちの乗つてゐる船は、五百噸から千噸くらゐのもので、乗組の多い船には十人、はたいてい上陸して遊興するのだから、下級船員たちの遊ぶ場所は都合がつくわけだ。上陸した高級船員たちは岡芸者を買ふのだが、売れ残りの岡芸者は沖芸者に早変りする。だから岡芸者は沖芸者よりも格式が上でありながら、自分より年下でも沖芸者を姐さんと呼んでゐた。

ところが沖に出たオチヨロに、たまたま馴染の客が岡の屋形に来ることがある。あるひは急用が出来る場合がある。そのときには置屋の者が、角笛に似たラッパで合図してオチヨロを呼び戻す。これを「呼びあげ」と云ふ。オチヨロには番号があるので、その番号で合図のラッパを鳴らして呼びあげる。

「チヨロのラッパの音で思ひ出すことは、お互に呼びかはす音に、何となく哀愁がありました。」と局長さんが云つた。「ことに、霧の深い夜はさうでした。しかし満月の晩も、やはり哀愁を帯びて聞えました。漕ぎだすときの勇ましさに較べ、まるで裏腹な感じでした。」

私はオチヨロ船の実体を見ておきたいと思つたが、今ではもう原型のままのものは一艘も残つてゐないといふことであつた。局長さんは岸壁の上からいろいろと物色して、昔のオチヨロ船の成れの果てだといふのを一艘だけ見つけてくれた、普通の釣船と大して変らない。これが原型のままなら、硝子窓をつけた檜づくりの屋形があつて、その屋形のなかにランプを吊し、戦後だとバッテリーを積んでゐた。オチヨロたちは冬は屋形のなかにゐて、春から秋までは屋形の上に出て立膝なんかしてゐたさうだ。

「それからオチヨロ船のほかに、夜なきうどんの船もありました。あの船がその名残です。」

と局長さんは、一艘の機帆船に近寄つてゐる小船を指差した。これはウロと云つて海上の雑貨船である。これに乗つてゐる物売女は沖ウロさんと云ふ。「鋏や庖丁。」と呼び声をあげ、あるひはまた「雄鶏の卵はいらんか。」と、碇泊してゐる船に呼びかけて漕ぎまはる。しかし必ずしも卵とか庖丁とか、品物を限つて売るのではない。野菜物一式、缶詰、タオル、石鹸、縫針、手袋、サイダー、靴下など、種々雑多なものを売つてゐる。

私の見たところ、この港町は衰微の一途をたどつてゐるのかどうかわからなかつた。ただ、町とは思へないほど通行人がすくなくて、店さきで立ち話をしてゐるおかみさんの多いのが目につくだけであつた。一貫のハナの造船所には、建造中の船が一艘もなくて、赤さびた廃船を解体してスクラップを造つてゐる工員がゐた。局長さんに聞くと、大阪の屑鉄商社の下請でギリシヤの一万噸級の廃船を解体してゐるところであつた。従来、ここは木造船を造つてゐた町だから今は衰微してゐるが、順々と鋼船造に切替へる方針で、目下その過渡期にあるのださうだ。

「それでも昔の活況を思ふと、隔世の感がします。活気のない静かな町になつてしまひました。町自体が、希望を持ちたいのです。つまり、町自体が……。」

局長さんはその後を云はなかつた。不況は、木造船がすたれたことと、オチヨロ船の消滅したことに大きく由来するらしい。

「風吹けば桶屋が儲けると譬にある通りです。私の商売にしても、二年前までと今ではずゐぶん違ひます。船員相手の電報取扱の事務だけでも、昔は忙しい思ひをしたものでした。」

昔、オチョロ買ひで有金をすつかり費ひ果した船頭は、なかには舵が折れた、ボイラーが毀れた、と船主に宛て嘘の電報を打つのもゐた。そこで船主から送金して来ると、架空の修繕作業の状況をいちいち船主に打電する。なかにはまた、この港のタデ場に船を着け、二日三日ですむ仕事を六日も七日もかけ、今日もまた風向きが悪いから出帆できないと荷主に電報を打つ船頭もゐた。だから船乗たちは歌とも諺ともつかず、「木ノ江とまればタデ七日、七日とまればまた七日。」と云つてゐた。

タデとは、船を干潟(ひがた)にあげて裏底を火であぶり、かき殻を落したりペンキを塗つたりすることで、この港には一貫のハナと天満のハナにタデ場が五箇所ある。干潮のとき干潟になるやうに岸壁に入込みをつけ、その場所は所有者がきまつてゐて場所代を取つてゐる。干満の差が二メートル以上ある浜だから、相当に大きな帆船でも干潮のときには裏底を見せる。

内海通ひの船乗には、オチョロ船の魅力は一種格別のものであつた。潮の香と脂粉の香は陰陽相互の関聯を持つてゐるのだらうか。これも局長さんから聞いた話だが、ある帆船の船頭が、あるオチョロに耽溺して「木ノ江とまればタデ七日」の心境で金を費ひ果し、予備の錨を売つて「七日とまればまた七日」で、次には船のロープを売り払つた。次に、「また七日」で船の錨を売り、次にケンパスを売り、最後に船を売り、オチョロを身請して木ノ江で世帯を持つた。本妻は四国の阿波か伊予にゐたさうだが、その男は船のブローカーをして木ノ江にずつと三十年も住みついた。すつかり白髪になつてから四国に帰つて行つた。

　私は木ノ江のオチヨロに関する記録を見たいと思つたが、局長さんは以前から蒐集して来た資料をすつかり無くしてしまつて残念だと云つた。売春防止法でわいわい騒いでゐた当時、ここへ記事を取りに来たある人に資料を貸してやると、持ち帰つたきり未だに返してよこさないさうだ。私はちよつとつまらない気がしたが、その代り後で福山市の村上正名さんといふ篤学者から御手洗のオチヨロ船に関する資料を借りることができた。御手洗は大崎下島の主要港であつて、ここには享保以来の若胡屋（わかえびすや）といふ代表的なオチヨロ屋があつた。現在、その建物は御手洗の町の公民館として残されてゐる。この店は明治になつて接客商売を止したが、屋台が大きすぎて当分のうち住む人がなく、明治十七年になつて隆法寺といふお寺さんが買受けて寺にした。それが昭和十二年に廃寺となつて暫く空家にされてゐた。戦後は引揚者の合宿所となり、昭和二十四年か五年に公民館になつたといふ。

　村上さんから借りた資料によると、御手洗は寛永六年に町としての形体を取つた。世の泰平で瀬戸内の航海も安全になつて来て、西国通ひの船ばかりでなく、北陸から西廻りで来る船もこの港に寄るやうになつた。長崎在住のオランダ商館長ウエールスも、江戸参府のときこの港に寄つてゐる。商館長随行の医師ケンプエルは「元禄五年三月、江戸参府日記」に次のやうに書いてゐる。

「九日、午後四時、御手洗に着す。他の三十隻の船と並んで碇を下す。旅する良き人々のため、一二隻の舟が愛の女神を乗せて船より船を漕ぎ廻つた。」

　この愛の女神を乗せた船は、後世のオチヨロ船と同一のものであつたかどうかわからない。茶屋から差向けた客引船であつたかもしれないが、三十隻もの碇泊船を歴訪するところを見ると、乗つてゐたのはオチョロと同じ種類の接客婦であつたらう。「愛の女神」といふ言葉にもその意味が籠つてゐる。いづれにしても元禄の初期、御手洗は三十隻もの帆船が寄港する賑かな港であつたことがわかる。

元禄からずつと下つて、安永年間のツンベルクの日記には御手洗における遊女屋の家数が書いてある。ツンベルクは安永四年にオランダ商館勤務医官として長崎に着任したスエーデン人で、江戸参府中には、桂川甫周や中川淳庵など日本の蘭医学者を指導した。当人が日本滞在中に国禁を犯して採集した植物は、その八百余種の標本が今でもスエーデンの大学に保存されてゐるさうだ。ツンベルクは「日本紀行」に次のやうに書いてゐる。

「どんな小さな村でも大きな都会と同じに公開の遊女屋がある。遊女屋は非常に綺麗である。その表作りは壮大なものであつて、大概は寺の傍にある。上ノ関（周防）には遊女屋が二軒あり、全部で八十人の遊女が置いてあつた。御手洗には四軒あつた。御手洗の遊女の数は知らないが、他の家室といふところには小さな町であるのに百人の遊女がゐた。かかる設備の多いこと、及びこれほど繊細な心の持主であり、また統制の完備してゐる日本人の間に、この設備が特別の保護を受けてゐるのを見て私は驚いた。」

これはツンベルクが日本に来て、初めて船旅に出たときの日記であるさうだ。オランダ商館長に随行しての参府の旅だから、日本の役人、大通詞、小通詞なども附添つてゐる。だから日本の役人の案内で、ツンベルクは義務としても加比丹（カピタン）と共に登楼しなくてはならなかつたらう。これは日本風のやりかたである。当時、御手洗にはあらゆる階級の者が寄つてゐた。船路で行く参覲交代の大名たちも寄航してゐた関係で、ここには殿様階級の人の妾宅もあつたと云はれてゐる。異国の貴賓は遊女屋の酒席に導かれて行く。登楼する遊女屋も格式の高いのが選ばれたらう。そこでスエーデンの大学を出た三十前後のツンベルクが、もし御手洗で若胡屋に案内されたとすれば、「これほど繊細な心の持主であり、云々。」と思つても不自然ではなかつたらうか。

これに反して、年もとつて日本での経験も積んでゐると思はれる異人は、日本の役人の設ける酒席を何と思つたらうか。オランダ商館長フイツセルは、江戸参府の途次、御手洗に寄航したときの感想を「参府紀行」のうちに次のやうに書いてゐる。

「文政五年正月十五日（一千八百二十二年、二月六日）北風吹きすさぶ。早朝、家室附近を航し西国島を望見したが、山の頂上はみな雪に蔽はれてゐた。昼頃、風が西に変つたので、我々は止むなく御手洗に碇泊し、ここで一夜をすごす。この夜、日本人の酒席に招かれて、有名な町である広島から来た芸者数名が三味線を弾くのを聞いた。しかし自分としてはこの三味線音楽に対しても、また今まで日本で聞いた他の音楽に対しても、さほどの興味を覚えなかつたと云はなくてはならぬ。その代り、我々に対する日本人の厳粛な規律と特別の待遇は、全く感歎に堪へないものがあつた。」

茶屋の主人をはじめ遊女たちも、相手は貴賓であり異人であるからして固くなつてゐたことだらう。背後に日本の役人の目が光つてゐる。その当時の話かどうか知らないが、昔、若胡屋のお職が異人の席に出る前に、固くなつたせゐかお歯黒の着きが悪くて大騒動を起したことがある。おかげで禿は熱湯を浴せられて死んだ。今でも若胡屋の二階の一室に、そのときの跡形が硝子の覆ひをつけて残されてゐるさうだ。あんまり明るい話ではない。

長崎出島にゐたオランダ人たちのうち、私たちに一ばん馴染が深いのはシーボルトといふ名前である。これもオランダ商館勤務医官だが、長崎の郊外に塾を開いて万有学なるものを講じ、日本人の治療もしたので名声が高かつた。ドイツの生れで、大学では医学、地文学、民族学を修め、オランダの外科軍医としてジャワに渡り、文政六年に日本に着任したと年譜に云つてある。この医官が文政九年三月、オランダ商館長スツルレルの江戸参府に随行して長崎に帰る途中、御手洗に寄航したときの見聞を次のやうに書いてゐる。名医シーボルトの名前が津々浦々にまで知れわたつてゐたことがわかる。

「六月二十四日（西洋暦五月十九日）未だに向ひ風が吹きつづけてゐる。数多の漁船によつて曳航されて行く。夕方、御手洗から三哩ほどの沖に碇を下す。夜ふけてから満潮に乗じ、曳航されて行つて前記の海峡を通りぬけ、御手洗を前にして碇を下す。六月二十五日、御手洗の町から数名の病人がやつて来て余の診察を求めた。このなかに十七歳になる少女がゐた。その附添の母が云ふことに、この娘はときどき淫乱症の発作を起すと云ふ。余は母親に対し、食養生と精神療法の処置を告げるほか、娘を早く嫁入りさせるがいいと提議した。すると、傍でその少女が嬉しげに微笑して頷いた。精神病の病状に、民族的な習慣が現れるかどうかは注目に価すべきことで、この少女は病気発作のとき、この国における亭主のある婦人一般の象徴とするやうに、歯を黒く染めるのだと云ふことである。幸ひにして、夕方になつて東風が涼しく吹きだしたので、西航して河室島の傍に碇を下す。」

シーボルトたちも瀬戸内の夏の夕凪には閉口させられたらう。御手洗には上陸しないで涼風と共に逃げだしてゐる。

一方、上陸する異人たちに対し、御手洗の町の者はどんな手続によつて接してゐたか。一方また、御手洗の人たちから見たオランダ人は、どんな遊びかたをしてゐたか。これは町年寄たちの連名で郡役所へ届出た書類を見れば大体の見当がつきさうだ。その届書のうち、一例として文化十五年（文政元年）正月三日附のものを現代文に書きなほしてみる。このときのオランダ商館長の一行は、ヘンドリツキ・ヅーフの後任ブロムホフの一行ではなかつたかと思ふ。ヅーフは前年の十一月、長崎滞在十五年を終へて日本を去つてゐる。

「三日の夕方、御着船でございました。即刻、御上陸になりまして、オランダ人とその御附添の御役人様がた、御上下とも二十五人様の御一同で、この町の若胡屋唯七の後家(ごけ)方へ御登楼なされ、夜ぶんのところ御酒宴をなさいました。そのやうにして御検使様や大通詞様など、日本のかたがた御上下二十二人様は、御船宿(ふなやど)の可部屋(かべや)徳四郎方へ御投宿なされ、これまた夜ぶんのところ御酒宴のことでございました……。」

ここで御手洗の町年寄が、酒席におけるオランダ人の談笑ぶりを書きとめてゐないのが残念である。いづれにしても、彼等の酒宴の仕方や始末のつけ方は、附添役人の誘導するままに派手でもあり地味でもあつたらう。ずつと時代が下つて、幕末のころ同じく御手洗の町年寄から差出してゐる届書の一つは次のやうなものである。遊んだ茶屋へ外国酒などを引出物に遣はしてゐる。

「安政五年二月十二日夕方。

公儀へ参上のオランダ人の乗船が入港し、御役人様が御附添で御上陸なされ、市中を御巡行に相成りまして、夜になつて若胡屋唯七方へ御登楼、この店の遊女や芸妓を揚げ、ほかにも尚、藤屋、二葉屋の芸妓を呼び寄せて遊芸を御見物、その夜、御乗船云々。褒美として、

一、蘭酒シロアラキ　一瓶
一、同じく　一瓶
一、蘭茶　若胡屋唯七へ
一、蘭茶　藤屋源助へ

アラキ酒は椰子の実酒だと云ふことだから、おそらくきつい酒だらう。オランダ人がそれを誰に褒美として遣はしたか説明を省かれてゐるが、巡行の折の道案内の世話でもした町年寄たちへ与へたものではなからうか。

または、オランダ人たちは日本酒が飲めないので、自家用として船から持つて来て、しかし慌しく乗船することになつたので、飲み残りの瓶を棄てておいて行つたかもわからない。町年寄はこれ幸ひと自分が着服するために、褒美として貰つた人の名をわざと書かなかつた。さういふことにして物語をつくつたらどうだらう。

蘭茶は若胡屋と藤屋の旦那が貰ひ、二葉屋の旦那だけ貰つてゐないのが納得できかねる。たとへ二葉屋の主人が何兵衛後家であつたとしても、抱への芸者を融通した心意気に報いるべきではなかつたか。どうせ蘭茶と云つてもコーヒーぐらゐのものだらう。

文化二年八月の届書「茶屋共由来書差出し控」によると、御手洗の遊女屋四軒のうち、若胡屋は「享保年中、茶屋株御免許」である。

海老屋は「宝暦年中、茶屋株御免許」である。この二軒のうち、若胡屋は同じ商売を続けて明治時代に及んでゐる。いつごろ茶屋がオチヨロ屋と云はれるやうになつたかしらないが、その経営のありかたは江戸時代の昔から大して変つてはゐなかつたらう。元禄五年、ケンプエルの見たといふ「愛の女神」を乗せた船は、オチヨロ船と似た性質のものではなかつたらうか。一朝一夕に生れた伝統ではなかつたと思ひたい。内海通ひの船乗がこれに心酔してゐたのは無理もないと思ひたい。

よほど前に、私は東京に出たてのころ、同郷出身の学生数人とお台場附近へ船でハゼ釣に出た。その日、私たちが昼弁当を食べながらお互に田舎言葉でわいわい云つてゐると、一隻の物売船が近づいて来て、年とつたむさくるしい船頭が私たちに声をかけた。

「書生さんや、お前さんがた、広島県の生れかね。芸州ぢやないのかね。」

それで広島県も備後の者だと答へると、

「備後も芸州も同じやうなもんだ。あの辺の言葉が聞きたかつた。お前さんがた、木ノ江浦といふのを知つてるかね。」

老船頭はさう云つて、問はず語りに木ノ江における体験談を話しだした。その内容は、このよぼよぼの老人がずつと若かつた船乗のとき、木ノ江で馴染んだといふオチヨロとの愛慾談であつた。

私はその話を聞いて、初めてオチヨロ船といふものの存在を知つた。小船に乗つて張店を開くのがオチヨロさんで、小船に乗つて野菜や卵を売りに出る女が沖ウロさんだといふことを知つた。それとも一つ、私たちの田舎で云ふ「いたしい、いたしい」といふ言葉が、関東生れの老船頭にはよほど印象的であつたらしいことを知つた。ぼそぼそと話しつづける老人は、必要以上に「いたしい」といふ言葉を口にした。「いたしい」とは「難しい」といふ意味である。

老船頭は私たちが弁当を食べ終ると、柄の長い手網で売物の夏蜜柑を一つ私たちの船に入れ、他の釣船の方に向けて漕ぎ去つた。当時、この老人は、お台場附近の遊船客に、蜜柑や煎餅を売るのを商売にしてゐたやうだ。他の釣船に漕ぎ寄つて夏蜜柑を手網で差出すと、その釣船にゐる人が夏蜜柑と引換にお金を網のなかに入れた。その老人は木ノ江の沖ウロさんを真似てゐるやうなものであつた。

さて、私はその老船頭にオチョロの話を聞いてから、四十年目ぐらゐにオチョロの船の本拠地木ノ江に行つたわけである。もう実体は消滅してゐたが、衰微して行く町を見て来るのが目的であつたから気にすることもない。

「では、オチョロが廃止になる直前には、この木ノ江はどんな状況でした。死活の問題ですから、ずゐぶん運動したでせうね。」

「いや、運動はしません。」と局長さんが云つた。「騒いではいかん、宣伝してはいかん、ここだけは大丈夫だ。業者も町の人も、たいていさう思つてゐたやうです。木ノ江だけは大目に見てもらへる、といふ気持がありました」

この町の人は別に運動もしなかつたが、新聞人たちが来てオチョロ船を写真にとつたりして運動の代弁をしてくれたさうである。わざわざ東京から写真をとりに来た者もゐたが、業者の間には却つてそれを嫌ふ傾向が見えてゐた。ことにチョロ押しの水夫がそれを嫌つてゐた。無理やり写さうとすると、ぶんなぐりかねない態度に出た。

「それで、私なんかチョロ押しに化けて写つたこともありました。」

と局長さんが苦笑した。

私と丸山君は、町や蜜柑山を見て宿に帰つた。蜜柑山は段々畑に仕立てられ、一つの山で五百幾つの段々畑になつてゐるのがあるのださうだ。勾配（こうばい）の急になつてゐる島山だから、肥料運びとか蜜柑の取入れなどのときのため、ケーブルがところどころに設けてある。丸山君が「大した施設ですな。」と感心すると、この島の蜜柑山は殆ど大半、大崎下島の大長（だいちょう）といふ村から出作りに来る人たちの所有になつてゐるさうであつた。大長の人々は各自に作小屋を建て、施肥のときや蜜柑むしりをするときになると、ここに来てずつと寝泊りする。ちよつとした耕作のときなどには朝早く船で大長の村を出て、朝飯は船のなかで炊き、船のなかで食つてゐるさうだ。いはゆる大長蜜柑といふものは、勤勉家であるこの人たちによつて産出されてゐる。

瀬戸内の島の人たちは、海に背を向けて島山の山巓に向つて働いて行く。海辺に住みながら土にしがみついてゐる。耕して山巓に達すると、清水一滴も出ない附近の小島を耕しに船で通ふのだ。ながい間の鎖国から、それ以外の工夫がつかなくなつて今日に及んでゐる。福山市の村上さんが私に資料を貸してくれるときさう云つた。

木ノ江に一泊した翌日、丸山君と私は局長さんに案内されて、向うに見える大三島の大山祇神社に行つた。このお宮は昔は内海水軍の総鎮守で、現在、境内にある宝物館には日本の古い時代の鎧がどつさり保存されてゐる。日本にある大鎧の八割はここにあるさうだ。昔の大将軍たちが内海水軍を味方につけるために奉納したものだといふ。事実それを証明するかのやうに、武器や鎧を奉納してゐる人は、殆どみんな日本が戦乱に巻きこまれてゐた時代の大将である。

「つまり、手拭を配るやうなものですね。」

私がさう云ふと、

「そんなものでせうな。」

と局長さんが苦い顔をした。

私はこのお宮に来て良かつたと思つた。


『小説新潮』(昭和35年8月号、新潮社)初出

鳩の街草話

田村泰次郎

都電向島終点で降りると、すぐ左側の小路に、「鳩の街入口」とガラスの看板が出ていた。江東でも、このへんの一劃は焼け残っていたが、それだけにかえって長い戦争の疲れを、下町独特のごたごた立てこんだ家並のいたるところに浮きださせている。二丁ほどはいると、右手にアパアトのある小路の角まできた。

昨日は、ここから右へ折れたのだ。——昨日は浅草から吾妻橋をわたり、隅田公園を抜けて、ぶらぶら歩いて反対側からこの街へはいってきたので、ちょっと見当がつきかねていたのだが、ここまでくれば、もうわかった。小路の左側には、右にソファを置いたり、形式だけのサイダー瓶などを棚に並べたりした、それらしい家が並んでいた。古いしもた屋へ店の部分をくっつけたり、二階を建増したりして、改造した家がほとんどだが、その安っぽい松材の柱が、商売柄それなりに磨かれて、表には水が打ってある。まだ夕方には間があったが、昼間の客をあてこんでか、もう厚化粧した女たちの姿が店の土間に見えた。

「まだ暑いなあ。九月も中旬になろうというのに、一向涼しくならねえ。今年は季節まで狂ってやがるのか」

小倉時男は、肩を並べて歩いている登代の棒縞の明石の背中に、汗がにじんでいるのを見た。その黒く見える汗の斑点と、埃っぽい残暑の陽ざしに照らされている、世帯やつれの見える衿足の皮膚の色との組みあわせが、奇妙に性慾的である。

七年も連れ添ってよく知っている筈の女の肉体に、ふと胸の底のうずくような、へんな悩ましさを覚えた。

生活の苦労に血色こそ冴えないが、小肥りの筋肉のよく動く、汗っかきの肉体である。この肉体にも、もう当分のあいだ接しられないと思うと、昨夜、あれほどしっぽりと惜しんだ別れに、まだ未練が残っているように思えた。

「雨がないので、蚊が多いわね。ほら、このへんの蚊は歩いていたって、寄ってくるんだね、……」

どぶの多い土地柄らしく、あたりの空気は湿気くさくて、日陰の路地を左へ折れると、蚊がうなって、脛や首筋の血を吸いとりにきた。

裏二階の軒の乾竿には、濃い桃色や赤い腰巻がだらりと鈍い陽を弾き返している家がある。そのどぎつい色が、いかにもしぶとい人間の欲望を安直に満足させる場所らしい、痴呆な感じを発散している。

日照りつづきで乾いて、そり返っているどぶ板を踏んで、「つた梅」の路地を、登代をさきに立ててはいった。昨日きたから登代の足は、ためらわない。彼女のくせの、思いきりいきおいよく左右へ腰をふる歩き方が、今日はたまらなく色っぽく見えた。

しまった、——俺はとり返しのつかぬことを仕出かしたのではないか。不意に、そういう疑惑が、胸をつきあげてきた。——


小倉時男が仕事の上の仲間との共有金二万円をつかいこんで、内妻の登代を、こんな土地へ沈めようと決心するまでには、彼としても一とおりためらったことは事実だ。けれども、結局、そのためらいは、登代をほかの男の手にふれさせたくないという気持よりも、——それもあるにはあったが、——どういうように登代に、そのことを納得させたものかということであった。なんにしても七年も連れ添うた妻である。もっとも、あいだ三年五箇月は応召していて、留守ではあったが、芝浦の製鋼会社の工員であった小倉が応召中も、自分で働いて立派に留守を守りとおしたのである。

人がよくて、小倉にすっかりたよりきっているので、そのために小倉の方でも安心しきってつい気にかけないでいる。人間は自分を絶対に馬鹿にする心配のない相手を、馬鹿にするものである。小倉の場合がそれで、相手から安心させられているために、相手を馬鹿にしているのだ。

登代は小倉時男と一緒になる前に、池袋の飲み屋にいた。十九のときである。太平洋戦のはじまる前で、そんなしょうばいが時局にあわないものとしてそろそろ取締まりを受けだし、面白くないため、登代は十六のとき飛びだしてきた群馬の郷里の家へ四年ぶりで帰ろうと思っている際、小倉時男と共鳴して、同棲した。登代は小倉以前にもう数名の男を知っていた。そんな勤め口をいくつか転々としたので、そのあいだに行くさきざきで、男が出来たのだ。

色は黒かったが、上州女らしいちんまりと眼鼻立の整った顔をしていて、小柄な体格の、肉もよく締まり、スタイルもいい方だった。小倉も珍しいあいだは猫可愛がりに可愛がってくれたが、二年もすると、もう世間の良人よりも関心を持たなくなった。熱中癖の、あきっぽい小倉の性格が、そこにも出た。復員してからは、それが一段とひどくなった。

通常ならば長い期間、妻と離れていたのだから、新鮮な気分でまた新婚生活のやり直しをするくらいの仲のよさを見せるのに、小倉時男の場合はそれとは反対で、留守中の登代の苦労をねぎらうのは精々三日間だった。四日目からは、もう以前に帰って、面白くなさそうな顔つきをした。登代の方でもそんな小倉の態度を別に薄情とも思わず、それが通常のように思った。夫婦のあいだとはそんなものだと思い、食わしてくれさえすれば文句はなかった。

小倉は帰ってからは、「職になんかついたら、かえって食えねえよ」といって、定職を持たず、仲間と連絡をとり、ブローカアの下ばたらきのようなことをはじめた。一時は結構それが生活の方途になった。そんな生き方はなにも小倉一人ではなく、世間には大勢いたし、どんな人間でも、多かれすくなかれ、ヤミをしなければ生きて行けない世のなかだから、登代も小倉の腕に頼もしさこそ感じても、それ以外のことは考えもしなかった。

ここへ身を沈める話は、五日前に小倉から切りだしたのだ。「どうだい、すまねえが、しばらく辛抱してくれる気はねえか、——うんといってくれると、恩に着るんだがなあ、……」と、小倉はいいにくそうにいった。「ほんのしばらくでいいんだ。早けりゃ半月で、ひきとりに行けるんだぜ。いま銚子の網元へ紹介している豊橋のマニラ・ロープがものになりさえすりゃ、——そいつがはずれても、ほかにも当てはあるんだから——」

小倉が仲間との共有金を二万円も使いこんだとは、そのときに小倉の口からいわれるまで知らなかった。小倉が復員してから、一年二箇月になるが、今日までこんな不安定な時代に二人が生きてこられたのも、彼のはたらきのあるところだとのみ思いこんでいたのである。

小倉は仲間の永見や島と六箇月ほど前、自動車の部分品をあつかって二万円もうけたのだが、その金ですぐとセメントを買付けて、彼の知っている倉庫に預けてあることになっていた。それが最近、セメントの買手を見つけたといって、永見から現物をだすように催促されているのだ。どうしても数日のうちに解決せねばならない。セメントは無論なかった。が、それは倉庫番がごまかして勝手に処分してしまったとでも、なんとでもいって、とにかく現金の耳をそろえてさしだせば、なんとか解決はつかないでもあるまいが、そうでないことにはこの場の収拾がつかないのである。二万円という金額は、仕事の上ではこれまでだって手がけないではないが、しょっちゅう手もとにあるわけではなく、ないとなると、かつぎ闇屋に毛の生えたみたいな小ブローカアには、おいそれとは簡単にまとめられない金額だ。

その金が自分たちの生活費につかいやされたことは、登代にもわかっている。登代は小倉を可哀そうに思った。小倉のためならば、どんなことでもしてやりたいような気がした。小倉が自分をそんな境遇に堕そうとするのを、すこしも恨まず、むしろそんなことで小倉の窮境が救える自分に幸福を感じた。

いよいよ明日は行くという前日、小倉は「浅草へ映画見に行こう、二人で見るのも、当分駄目かも知れない」と登代を誘い、浅草へ行った。映画を見ると、「明日行く家だがなあ、——行く前に、どんなとこか、そとから一度見て置く気はないか、その方がよけいの気をつかわずにすむんじゃないか」といった。

「吾妻橋を渡って、ちょっと歩けばすぐなんだ。あの辺は焼け残っているからいいところだぜ」

橋をわたって、公園の河岸を上流の方へかなり歩いて、それから右に折れた。焼け跡を通って、ごたごたとした一劃にはいった。「このへんだよ」といわれて見ると、家のつくりがみんな変っていて、店のようなところが喫茶店や小料理のようになっている家がつづいている。そういう店に、濃い化粧をして派手な着物を着た女たちの姿が見えた。

「この家だよ。ちょっと、寄ってみよう、折角きたんだから。おかみさんに逢って行こう」と小倉がいいだしたときは、もうそのうちの前にきていた。軒に「つた梅」と書いた看板が出ているのを、ちらっと見て、その横手の路地を小倉についてはいった。

裏口はあいていて、すぐと三畳の茶の間になっていた。隣りの家が邪魔して、あかりがとれないので、昼間でも電燈がついたその部屋の、長火鉢の前に五十がらみの男があぐらを掻いていて、その前に四十ぐらいの、夏の着物に黒帯を締めた女がむかいあって坐っていた。それがおかみだった。男はこの家の主人らしい。

「大丈夫だよ。なにも心配することたあないよ、民主主義だからね。昔とちがって、自由なんだから。家へ帰りたかったら、いつ帰ってもいいんだよ。うちはその点、ほかよりも、出方さんの自由にさせてるんだよ」と、おかみは登代にいった。「うちはいま三人いるんだけど、みんな暢気にやってるよ」

おかみは小肥りの、皮膚もいい血色をしていた。男も頭がすこしうすくなっていたが、顔の色艶もてかてかしていた。畳もとりかえたばかりらしく、青っぽい匂いがした。そんなことに、登代にはなにかしら、たっぷりとした豊かな感じを覚えた。

二十分ばかりいるあいだに、ここにいる若い女が、つぎつぎと現われた。

玄関からすぐとついている階段を降りて、茶の間へ顔をだし、「けちけちしてやがるのさ、かあさん。口あけだからまけてやったわ」と、金をおかみに手渡して、また二階へあがって行く。それはまぶたの膨れぼったい、肩幅の張った色白の女であった。

「いまどきの学生って、なんにも知らないね。あがり花って、なんだなんていうのよ」と、すこし齢をとった背の高い女がいった。若いときから水商売の世界で過ごしてきたような身ごなしの女だ。

「ただいま」と、そとから帰ってきた洋装の二十くらいの娘が、赤い短靴を登代の足もとへ無雑作に脱いで、上へあがると、「ああ、疲れちゃった」と、べったりおかみのそばへ坐った。

「面白かったかい？」

「今日の上原は殿下だなんて、へんな役やってるからいやんなっちゃった。損しちゃった」

娘が二階の自分の部屋へ着換えに行くと、「あの子は、上原っていうと夢中でね。上原に似た客ばかり選り好みして、困るんだよ。女学生みたいな気でいるんだね」と、おかみは自分の子のことでも話すようにぞんざいにいって笑った。「目黒の女学校へ三年まで通ったというんだがね、——埼玉に疎開してたんだけど、この節だから困って、父親が、先月つれて頼みにきたんですよ」

その日、帰ると、小倉は、「今日は実は、お前を目見得につれて行ったのさ。おかみの気に入ったと見えて、帰り際に俺の背中をこづいて、眼でうなずいてたぜ。明日はもっと吹っかけてやろう」といった。

「そうならそうと、はじめからいえばいいのに、水くさいわね、あたしもそのつもりで、もっと澄ましたのに」

登代にはこんなときに及んでの小倉の他人行儀が、気持にぴったりこなかった。こんな世界に身を落すことは、いくら登代が、これまでに数人の男を知っているからって、相当の決心が要るのである。その決心を彼女は惚れた男のために犠牲になるという感傷で、ぬりつぶしてしまおうとするのに、そういう彼女の感傷を小倉は考えてくれない。小倉がみとめてくれないで誰のための心中立てだろう。

「なにも好きで、あんなとこへ行くんじゃないあたしの気持、あんたもわかってくれてるんじゃないの？　あんたがそんな気持なら、あたし行く元気がくじけるわ」

身体を多くの男の前に投げだそうとする女には、普通の女よりも一層愛情のよりどころが必要なのだ。その一本の杭にしっかりとしがみついて、身体を流れのなかに、水のもてあそぶままにまかせようとするのである。その杭がぐらぐらと不安定では、自分は河のなかへ流されてしまう。

その夜、登代の身体は小倉の身体に一晩じゅうしがみついて離れなかった。この男とこの夜を最後に、明日からは別の男の肉体と接して行かねばならないかと思うと、女の本能はそれをいやがった。不安であった。小倉時男と同棲する前にも、数名の男を知ってはいたが、それはほんの娘の頃であり、まだそれだけで男の肉体を知りつくしたというゝ安心はなかった。どんな知らない、恐しい男の肉体があるのか、それが不安の種である。登代はその不安を、率直に小倉に告白した。すると小倉はしばらく黙っていた。

小倉は自分の肉体に十分な自信がないのだ。登代が新しい生活にはいることによって、これまで小倉や、それ以前の男から見せられなかった新しい未知の世界へはいりこむことが、彼には不安だった。その不安は登代をそんなしょうばいに沈めさせようと、決心したときはなんでもなかったのだが、そんな不安を彼女から聞かされると、急に彼自身も不安になった。——自分の女に、自分よりすぐれた男の肉体の存在することを知られることは、男には本能的な恐怖である。女の頭のなかにどっかとあぐらをかいている自分の像が、その男の像とすりかえられるにちがいない。その結果、彼の彼女に対する威厳は急速にくずれ去るにちがいないからだ。本当の嫉妬というのは、相手の男が自分より金があったり、美貌であったりすることよりも、相手の男の肉体が自分より女をよろこばせる上にすぐれていることに対する恐怖である。もし、相手の男が自分より金持であり、美貌であっても、肉体的に劣弱であったならば、彼は胸の焼け爛れるような奥深い、どうにもならぬ絶対的な嫉妬を感じる必要はないにちがいない。

「男のなかには、キング・コングみてえな奴がいるからな。一種のかたわだよ。そんな奴に出会わすと、身体がこわれてしまうから、よっぽど注意しないといけないよ、――ほら、よくあるじゃないか、おかみさんをもらっても、もらっても、死んでしまうというのが、――それなんか、みんなその口だよ。子宮がやられるんだ」

登代が男の肉体を本能的に恐れているのをさいわいに、小倉の男の本能は、その恐怖をもっとあおりたてようとやっきになった。

「そんな男に逢ったら、あたし、いやだわ。どうしたらいいのよ」

登代の恐れるのは、そんな男の肉体よりも、その肉体に反応する自分の肉体であった。もし自分の肉体が小倉の肉体よりも、他の男の肉体を、いいように感じたら、どうなるだろう、――そのときは、小倉に対するいまの自分の愛情にも変化があるのではないか、年増女の本能はそれを不安に感じている。そこまでは、小倉はわからなかった。――

「ラジオじゃ、暴風警報が出ているけど、ちっと降ってくれた方がいいんだよ。百姓もよろこぶよ」と、おかみは茶を淹れながらいった。

主人は火鉢をへだてて、小倉とむかいあって坐り、筆をにぎっていた。罫紙に借用証書の文面を書いているのだ。

茶の間の火鉢の前に坐らされて、愛想のいいおかみから、熱い茶をさされながら、小倉はさっき感じた疑惑が、どんどん胸のなかにひろがって、胸が押しつぶされそうになるのを感じた。いまならば、まだ間にあうのだが、——ぼんやりとした眼つきで、小倉は主人の筆のうごきをみつめていた。

「じゃ、ここへ判子を押して下さいよ」

主人は借用証書を書きおわって、それと一緒にうしろの小さな金庫から札束をとりだし、畳の上に置いた。

思わずためらう気配が出て、小倉はちょっとのま、落着かぬ様子を見せた。

「早くすまさないの？　あんた」

と、登代が横からいった。小倉はあわてて、内ポケットから財布をだし、そのなかにしまってある印鑑をとりだして、借用証書に捺印した。今日から自分以外の男の腕に抱かれる登代の肉体が、にわかにたまらなく愛惜された。よく締まった身体つきや、皮膚のなめらかさや、夢中のときの彼女の世迷い言やそんなときの誰も知らないしぐさが、つぎつぎと熱い頭に浮かんでくる。——小倉はへんに咽喉が乾いて、胸が苦しくなった。

「かあさん、あのひとたち、まだ帰らないかしら？　お客さんだけど」

と、昨日、上原謙のファンだといった若い女がはいってきた。

「四時には帰るっていったんだがねえ。困ったね。お馴染かい」

「フリの客よ、——帰すわ」

女が出て行こうとするとき、

「あたしじゃ、いけないかしら、——」

登代はおかみにいった。いまどきのことだから、きた日か翌日から客をとるぐらいのことは、生娘でもない彼女には覚悟は出来ていたが、それがきた日もきた日、まだ小倉のいる眼の前で、何故自分からそんな行動に出るのか、彼女自身よくわからなかった。突然、そういわずにはいられない衝動が身うちから彼女をつきうごかした。けれども、登代は小倉の眼の前だからこそ、そうせずにはいられなかったのだ。

小倉はびっくりした表情をして、彼女をみつめた。

「あたしが出ちゃ、いけない？　まだ駄目？」

「駄目って、わけじゃないけど、——」とおかみは、小倉の方をちらっと見た。「いま、きたばかりで、——そんなにしなくてもいいんだよ」

小倉に気をかねて、そういうのを、

「どうせ、すぐにもお店へ出るんだから、いいわよ。——このひとだって、あたしが立派に勤めることが出来るのを見て帰った方がいいのよ」

わざと小倉を無視していった。小倉の弱々しい視線が、自分の左の頬に灼きついているのを感じていたが、その部分の皮膚がひりひりとして、かえって快かった。

金を受取っている以上、小倉には一言もいうことが出来なかった。

「そうかねえ、——いいかねえ」

「いいわよ、かあさん」

昨日ほかの女が呼ぶのを聞いて、そんな呼び方をするのかと思っていた「かあさん」という言葉が、自然に口から出た。それがまたしょうばい女らしい感じを、小倉に与えるのを、登代は感じた。そんなことが、小倉を苦しめているのが気持よかった。

「それじゃ、部屋へ案内するからね」

おかみに案内されて、二階へあがりしなに、

「じゃ、あんた、いいわね。行ってくるからね」

小倉の顔をみつめると、小倉は片頰をひき吊らせるようにみにくく歪めて、うなずいた。泣き笑いの表情である。あきらかに、彼女をひとにくれることを悔いている眼である。もうとり返しのつかない、このどたん場に追いこまれ、にわかに狼狽して、もがいている眼である。

七年間の小倉から無視された生活は、この一瞬間のために、黙々と忍んできたような気がした。その瞬間、登代は小倉時男に、はっきりと憎悪を感じた。小倉のしつこくすがってくる哀願的な視線を、気づかぬようにはずして、おかみのあとから、二階の階段をあがる彼女の胸は満足でふくらんでいた。

「なんとかって、むずかしい名前の颱風があるっていうけど、大したことなきゃいいがね。すこし、雨でも降ってくれないと、いつまでも暑くてねえ。それに、——蚊が減らなくて

困る」——主人は団扇で、ばたばたとはだけた胸をはたいた。

二階の気配にひとりでに全身の神経があつまって、聞き入る姿勢になる小倉の耳に、部屋のなかを飛んでいる蚊の唸り声が聞えた。血の気のひいた額に、じっとり脂汗が浮いた。

『改造』（昭和22年10月号、改造社）初出

対談　女郎たちの中にいい女をみた

水上勉×田中小実昌

本誌　実は、売春防止法が実施されて、ことしがちょうど二十年なんだそうです。そこでひとつ、昔の娼婦というか女郎、そういうものの情緒とか情けみたいなものを中心に、いろいろ経験も交えてお話をうかがおうと思います。

水上　田中さんは、十七、八のときはどこにいらしたんですか。

田中　ぼくは福岡の高等学校に行っておりました。

あそこは、柳町に大きな、りっぱな遊廓がありまして、そういうのはのぞいてはみましたけれども、上がってないんですよ。

水上　ぼくは十八が中学卒業する年で、ぼくらの中学は、遊廓へ行ってこないと、冬、ストーブに当たれない。

三月の卒業式近くになると、柔道部の選手がもうすでに淋病か何かを患っていまして、包帯した一物を見せて、こういうことになったらあかんぞ、しかし、卒業までに君らは行かなきゃ、ストーブへ当たらせないというてね。

そのストーブは、弁当をあったためたりしなきゃならない。それのために、どうしても女郎屋へ行ってこなきゃ弁当もぬくめられぬし、一人前になれない。とにかく卒業できない。それでぼくは行きましたよ。

田中　昔は、若いのでお女郎屋さんに行かないというと、一人前じゃないということがあったでしょうね。

水上　たとえば社会へ出て、徴兵検査が来る。そうすると、その検査の日は必ず遊廓へ行くことがおきてみたいなものでしたね。きょうからは鑑札もらえたという感じ。警察からしかられない。未成年は登楼禁止なんだから。童貞を破れる日の徴兵検査も目安になりましたね。良識ある父親でさえ「さァ、行ってこいよ」、カネを渡す。たとえば丁稚をしておっても、番頭が「ようやく一人前になった、おまえ、もうきょうから行っていいんだよ」……。あの遊廓というところは、ぼくにすれば、人生の登竜門みたいな感じでしたね。当時、ギザ一枚（五十銭）、それでいまでいうショートタイム、線香一本といいましたけれども、非常に実のある時間でした。

田中　何分ぐらいでしたか。

水上　ぼくの感じでは相当長かったな。もっとおってもいいというふうに女の方から、ずるずるしておってもいい。そういうことで、次の客が来るまでおらしてもらえる、ずるやかたの中における自由が、わりとあったなァ。

田中　たとえば尼崎に初島というのがありまして、いわゆる赤線ですけれども、ぼくは実は、赤線がなくなった後も同じようにやってたんで、行ったんです。十五分なんて、ほんとに十五分で厳しいもんですよ。ショートが十五分で、時間が三十分。十五分たったらもうダメ。だから、時間にして払えばいいんだけど、おカネがぐっと上がる。

水上　わたしらの時分は、外を見てちょっと雪でも降っとると、小降りになるまでおれとかいう。それは、線香一本だけでね。引き手のバアさんが裁量したんですね。引き手のバアさんというのは、表でまた火鉢して見張っておる。大体、財布の底を全部当てるくらいの力があった。だから、これはギザ一枚か、二枚持っているかということがちゃんとわかるんだよ。そういう力もあったと同時に、このババさまだけにうまくしておけば、娼妓が風邪引いて、頭重たい日なら、ちょうどカネがないけど、こんなやつとならゆっくりしてたらいいというふうに、経営者との間にあのババさまが、もう一つ才覚を働かした。あれはいい制度ですね。

田中　私は、広島県の呉の育ちなんです。軍港町でして、これがまたりっぱな遊廓があった。朝日町というところですけど、家とそう遠くなかったもんですから、ぼくはやっぱり興味があったんでしょう、よく遊びに行きました。朱塗りの欄干の橋があったり、中庭には池があった。あの当時としてはすごくいい建物で……やはり軍港町で、大きな産業だったんじゃないですかね。

水上　舞鶴の近くに海兵団があって、そこにもやっぱりありました。たぶん一番大手の妓楼のご主人は、市会議員だったんじゃないでしょうか。それぐらいの力があり、ちょっとした財閥です。

ぼくは、みみっちいところをずっと歩いてきて、東京へ参りましたけど、吉原なんかりっぱな御殿みたいなんで、びっくりしたなァ。洲崎でもびっくりしたね。学校みたいな建物で、すごい階段だった。入り口のところがピカッと光ってて……。

田中　広い、ゆったりした階段でしたね。私は吉原は知らないんですけど、中村の遊廓は焼け残りましたので……。あそこなんかも、いい家はすごい階段ですね。玄関も広い。ヘタすると十五メートルあるような玄関。

水上　あれはやっぱり繰り込めるようにできてるんですね。まあ、そういう大きなところは縁がなかったな。その裏の裏の裏に通りがあったでしょう。ちょっと薄暗いところで。そこらが私の得意場でね。そこは安い。こっちは身なりがダメだから、十間の玄関はどうしてもダメ。引き手バアさんは、入れてもくれぬ。だから、向き、不向きがありましたね。私は、五番町の中に、ある行きつけの路地がありまして、そこだけ行っておりましたよ。

田中　ぼくは、洲崎あたりでリヤカーに湯たんぽ積んで、湯たんぽ屋の手伝いをやっていたんです。

水上　あれは、湯たんぽ屋がずっと配るのか。

田中　注文があるとやる。ぼくは長い間、湯たんぽというのは、お茶を引いた女が、寒いから、またぐらの間に入れて寝てるんだと思って、大変ロマンチックなことを考えていたら、あれは、回しを待っている男の客が抱いてる。（笑い）最近になって、洲崎の遊廓のお嬢さんから聞きまして、がっかりした。（笑い）カネの湯たんぽですけど、リヤカーで引いて……。そうすると、二階からでも何でも

「湯たんぽ一個ちょうだい」と女が注文するんです。

水上 ようやく待ってた彼女が来て、こっちはいそいそとしたところへ、必ず三分ほどすると、また出ていく。そして十五分ほど上がってこない。あれは悲しかったね。どこへ行ってもそうだった。

田中 ちょいと顔を出して、まだ忙しいんじゃないですか。（笑い）

水上 こっちは床急ぎしとるもんだから、もう来てくれたと思ったのは間違いなのかな。来たら、必ずちょっとだけ話して、スーッと行っちゃう。これがまた十五分ほどかかる。そのイライラというのは、湯たんぽどころやない。（笑い）けりたい気持ちだね。（笑い）

田中 だけど、その十五分の方の相手も忙しいですね。（笑い）

水上 じらすのが上手というより、彼女たちは必死で回っているんだけど、客がそのようになってしまうんかな。

○

田中 瀬戸内海の大崎下島に御手洗という町がある。あそこは船宿といって、海岸にズラッと並んでいて……オチョロ船といったんですね。いまはさみしいけど、あのころは、いわゆる情緒があったでしょうね。おそらく船乗りなんかの洗濯もしてやったんだと思います。

水上 時化(しけ)れば、また一晩長くいたり、いいですねェ。

田中 これは親しい人から聞いた話ですけど、那覇の波の上というところは、行くと、一週間なら一週間、泊まっちゃってるんだぞうです。それで、廊下で七輪で物を煮てくれたりする。

水上　それで家路を忘れて、外が晴れて、船が出るのに行かない。

佐渡の小木で聞いた話ですけど、一日来て、女郎の親切に負けちゃって、いかに自分はダメな女房をもらっとるかということがわかった。（笑い）

わりと金持ちの男で、小木の港からその男の在所が見える。在所のおっかあや子供が見えるぐらいの近いところなんだけれども、小木から帰らなかった。女郎のその七輪の火にまいっちゃったんだね。

小木というところは、抱えの女主人が出てきて、「だんなさま」というふうに迎える、どんな一見の客でも「だんなさま」といわれて、翌日、七輪でやってもらうと、何ともいえんことになって、あげくの果て、一生帰らずに、在所の村を見ておった人がいるというんですね。それほど女郎の情というものはすごかった。

身受けされてええ女房になった者もおるそうだけど、まあ、女房にならずとも、ふっといい妓というのがいましたね。

田中　中には、自分の奥さんがもと女郎だといって、威張る人がいる。「若いのに、何だおまえ、毛切れか何かして。それはおまえのところのかかあが悪いんだ。オレのところのかかあは昔、女郎だから、教えてやる」といって威張るんですよ。（笑い）

水上さんの場合は、いろんな小説でずいぶん女郎さんが出ますね。

水上　ぼくが自慢できるのは「せんずり、せんずり」というて、ぼくを笑わした、チズという妓です。これはべっぴんじゃなくて、うちわみたいな顔をしておったけれども、小説に書いたとおりなんです。ぼくの友達もほんまによく行った。ぼくは府庁にいたから、月給八円五十銭。だからパッと泊まりに使っちゃうと、飯食っていかんならんから、もうダメ。やっぱり二遍ぐらいしか行けない。それで行かなかった。そしたら金閣寺の小僧のNが、「水上はな、淋病や。おまえ、うつしたんやろ」チャランポランその妓にいうた。お茶引いて、ショボンとしておったそうです。「回し取って、わたしがうつしたのかもしれん」……。ぼくはそんなこと、そいつにいうた覚えない。ぼくは家にじっとおったんだから。そしたら翌朝、下宿のおばさんが、「女の人が面会どすえ」というから、のぞいてみたら、その妓が日傘さして来ておって、ウワウルシ買うてきて、ポンと部屋に置いたまま、パーッと走っていきよった。見ると、「これをせんじて飲んでください」と書いてあった。何のことかわからなんだ。そんなもの、押入にほっておいて、あいつ、バカじゃないかと思っておった。そしたら、何げないときに、Nがしゃべった。ああ、それであいつ、来たんかと思った。あのころは、朝、外出禁止なんだ。それをぼくの勤めの前に来るんだからね。

田中 お女郎さんというのは歩けなかったですからね。

水上 だから、必死ですよ。いま、そういう女性はいなくなったねェ。

田中 女の人は、わからないでうつすんですね、淋病を。

水上 たくらんですることじゃないもの。

田中 女の人は淋病にならなくて、自分がからないでうつしちゃう。「つぼうつし」

というそうですけど。（笑い）

○

田中　だけど、五十銭というのはやはり安いですよ。泊まれば五円ぐらいしたんじゃないですか。

水上　ぼくは二円ぐらいのところだったな。並以下のところ。十二時ごろ行くと、あんどんにネコが群がるようにして、五人ぐらいがいて、立川文庫読んでおる。そしてお客が来ると、五人ともネコの目のようにじっと見る。その中の一人をぼくが指でさす。そうすると、一人が行くのをうらやましそうにじっと見ていた。いまから思うと、臭いような部屋で、洗濯もしてないし、腰巻は汚れているし、最低でしたね。もうカネがないから五十銭でも、ええ顔して泊めろというわけですよ。どうせお茶引くんだから、泊めろ。そして口説いて寝て、宿泊所のかわりにして、朝早く出ていくというそんなことをぼくはやりました。そういう女たちというのは、十人並み以下ということもまたありますけれども、かわいそうでしたね。最低のところというのは地獄でしたから。女たちも、あまり賢くないから、だんだん落ちていくわけです。がんばれない。回しを上手に取って、貯金して、ちょっと人に小ガネを貸したりしてボスになっていくという才覚、それがない。脱落すると、一つ一つ妓楼が落ちていく。橋下がその最終駅よ。

田中　それに年もとりますし、昔は、一つ年とるというのは、いまと違ってうんとあれがありましたからね。二十が二十一というのは、商品価値が落ちていく。もう二十四、五で年増なんていったもの。

水上 悲しいことに、年増になってくるとだんだん化粧がかかる。ところが、あの時分でクラブ美身クリームとかレートクリームというのは買えない。悪いものを売りに来る仲間がおる。カネがないから、粘土みたいなものを塗らざるを得なくなる。それでまただんだん肌を荒らして、落ちていく。最後には鉛みたいな顔になる。

田中 現に鉛の毒があったんですね。

水上 そういうので病人になっていく。それでも借金が返せなくて、何とか田舎に帰るぐらいとか、それほどの時分でしたね、昭和の不況というのは。御大典前後から……。

田中 御大典というのは五年ぐらいですか。

水上 昭和三年です。

田中 ぼくも、名古屋のひどいところを知っていますよ。畳がこやしみたいな……。

水上 そこで性処理をせざるを得ない青年がいたんだよね。ずいぶんいた。また彼女たちも、故郷へはゼニためて帰らなきゃならないから、それはもう必死だったんだろうな。

田中 頭のいい人、小利口といううんじゃなくて、ちゃんとした人は、結婚するんですよ。

水上 タンスなんか三さおも持ってたし、いまでいえば、カラーテレビどころじゃなくて、ビデオも入れて楽しんでおる、そういう人もいたんですよ。でも、そこはとても高くて、ぼくは入れなかった。

田中 それから、お女郎屋さんの奥さんというのは、お女郎さん上がりの人がいたんじゃないですか。そういう人は出世ですね。

○

水上　ぼくは、仏さんがあって、骨箱が置いてあるところで泊まったことがあります。あれは、廃娼令（売防法）が出てからの時分ですね。

田中　仏壇というのはわりとあるんです。

水上　多かったですね。あのころは本門仏立講というのがあって、客がないと、夢中でたいこたたいてた。「オーイ」と呼ぶと、ポンとそのたいこがやんだりして……。（笑い）そういう妓がおりました。

田中　信仰にこってくるんでしょうね。

水上　貧乏でも、そこでちゃんと一家をなしておった。とにかくそういう風格があったんだよ。（笑い）いまそんなのおらんな。それに持ち部屋だから、自分で哀しい飾りをしとった。京都あたりは、暦が大切でしょう。行きもしないのに、稲荷さんに行ってきたというふうに、稲荷さんの買い物をだれかに頼んでちゃんと飾ってあるのよ。そういうのを皆、小まめにしておったな。

田中　部屋にいろいろあるというのも、哀しいというか、いじらしいというか……。私が福岡にいたころ、西陣町というところに、ほんとに映画に出てくるような、街道筋のお女郎屋さんなんかありましたね。

水上　手すりがあって、いい建物でしたね。ぼくの記憶ではあの町へ行って気分のよかったのは廃娼令が出てから一年ぐらい営業してもいいという、あの時期でした。

田中　三年だと思うんです。法令ができて、それから実施までに一年あって、それから何かが一年あった。それで、法はあっても罰則がないという時期があった。

水上　いまも残っているのは、ぎりぎりまでがんばっておった妓ですね。亀戸で一番長く続いた。もうやめて、就職したろうなと思って行ってみると、ポツンとその妓だけがんばってる。やっぱりああいうのはよかったな。何もぼくを待ってるわけじゃないんだけど、がんばってるんだよね。ちょうど二年半目ぐらいのときでしたね。それでもご主人が、その妓にやらしてる。だから、ちょっと素人っぽくなっちゃってた。

田中　ええ。

水上　廃娼令で、もう女郎じゃない。けれども暫定的にやっていいというわけだからやっている。二年ぐらいたっちゃうとどこか自由で、活動写真も見に行けたし、ちょっと気が向けば休むし、気まぐれに客をとるという感じ。

ご主人は、どこかへ勤めに出ていた。政府からの補助金が出たから、そのたてまえ上、何かしてなきゃぐあいが悪い。ところが、その妓だけはまだ罪にならないから、私はまだここにいたいと、一部屋あてごうてもらって、個人営業するようなイメージだった。

あのころにぼくは、愛着感じますねえ。遊廓自体が、全部スナックになったり、あるいは皆店を閉じてしまったり、妙な事務所になったり、色変わりしていく。そのときに、昔のままポツンとある店だけ残っていてそこにがんばっている……ああいうのはよかったなァ。

『週刊小説』（昭和53年4月28日号、実業之日本社）初出

ねえあんた

歌　ちあきなおみ
作詞　松原史明
作曲　森田公一

ねえ　あんた　なんかとってあげようか
おなか　すいてるんじゃないの
飲みはじめたら　いつだって　全然ものを　たべないんだから
胃腸が弱い男はさ　長生きしないって　そう言うよ

ねえ　あんた　ボタンが一つ　とれてるよ
外を歩いて　おかしいじゃない

私 針も持てるんだ こっちへおかし つけてあげるよ
ダラシが無い 男はさ 出世をしないって そう言うよ

ねえ あんた マッチが いっぱい入ってるね
いろんな店へ 行ってるんだね
まわりがみんな さわぐとき ひとりで寝たりしちゃ いけないよ
やぼで無口な 男はさ バカにされるって そう言うよ

ほんとだよ あたし図画が 得意だったの
田舎の町の 展覧会で 賞品もらった こともあるんだ
だから ほら 壁もフスマも 私が選んで 変えたんだ
それだけ 借金かさんだけどね
この天井も 毎日 見てると いろんな模様に 見えて来るんだ
羊や船や 首かざり
あんたの顔にだって 見えてくるんだ

ねえ あんた なんでそんなに 不機嫌なの
あたし何か 言っちゃったかしら
ほかの何処かの 人みたい 良いことばかり 言えないんだよ
すぐにおこる男はさ もてないって 本に出てたよ

ねえ あんた 今言ったこと ウソだろう
ゴメンてひとこと 言っておくれよ
こんな処の女にも 言っちゃいけない 言葉があるんだ
そんなこと 言う男はさ ここじゃ帰れって 言われるよ

やっぱりあたしは ドブ川暮らし
あんたを待ってちゃ いけない女さ
そうなんだろう
ねえ あんた…

昭和47年10月22日、リサイタル初演

赤線最后の日
3.31事件!
小島功

なあ 倅 たのむ!
軍人恩給が入ったら返えす
どうする
フケツだけど
四十年間遊んだ掉尾をかざらせましょう
八月十五日の心境だ
勝ってくるぞといさましく〜 ウーイ

新兵どもを並んどるわい! ワハハハ
お待ちしてました
えらいハンジョウだな
閣下にはこの子を特配しようと思ってますよ
並べ! ずるいぞ
特配反対!

うるさい どの客がいいか
女にきいてみい
そうよ あんた達の小銃より
わしの古刀がいいとさ
クーデターでもおこすか
どうせ取りこわしをするのだから
大変よ 廊下が私の上で
玉砕か……
わしは本懐である
うう!! 父が……
最后の花むけだ
遺骨収集団

『別冊週刊サンケイ』（昭和33年2月25日号、産業経済新聞社）初出

売手のない買手
（買春夫）

富永一朗

『別冊週刊サンケイ』（昭和33年2月25日号、産業経済新聞社）初出

悲シクハアリマセン

喜代美

悲シクハアリマセン
悲シミナンテ　モウ
ドコカへ行ッテシマッタ
悲シイナンテ
ゼイタクナ甘ッタレデス
ダケド
朝眼ガサメテ
昔ノヨウニ
スグ起キルコトガデキナイノハ

タシカニ
悲シイ習慣デス
頭ガオモク
背中ヤ腰ガ痛ク
ソシテ
心ガ痛ムノデス
考エテモ仕方ナイコトヲ
ドウシテモ
繰返シ考エテイル
イチバン重ツタイ
眼覚メノ時間デス

『何ヲ考エテイルノ』
オ客サンガ
カナラズ聞キマス

『何モ考エテイナイノ』
カナラズ答エルコトニシテイマス
幾通リモ作ツテアル
身ノ上話ノヒトツヲシナガラ
オ客サンノアイヅチニ
馬鹿々々シサガコミアゲテ
眼ヲソラシマス

一度 本気にナツテ
ホントノコトヲ
言イカケタコトガアリマシタ
ソノオ客サンハ
海ノヨウニ深イ眼ヲシテイマシタ
絵ヲ描イテイル
人デシタ

『君ノ眼ハ、悲シミガ』
コオリツイタヨウダ』
トカ言ツテイマシタ
ダケド ソンナ人ハ
メツタニ来マセン
筋書ノキマツタ話ヲ
スラスラタドリナガラ
ホカノコトヲ考エテイル毎日デス

悲シクハアリマセン

（婦人新風より）

『よしわら』（大河内昌子 編、昭和29年、日本出版共同）所収

えらい人

京一　路子

菊花のバッジをつけた偉い婦人が
私たちを前に話している

一人の婦人はこう言つた
「私にもあなた方と同じ年頃の娘がいます、それを考えると胸がつぶれ
そうです」

白いお揃いのかつぽう着をきて
みんな一生けんめいに話をきいた

そつと隣りの、のりちやんを見たら
鼻の頭は汗でぶつぶつだつた

一人の婦人はこう言つた
「でも皆さんは若くてお美しい
心の中まで汚さずがんばつてね」

みんなうつむいてしまつた
私たちは　ちつともお美しくなんかない
心が汚れるつてどういうことかしら

「みなさんはちつとも悪くないのです
みなさんをほつとく政治が悪いのです」

それから悪い政治の話を聞いた

――法
――法
――法
そうすればみんな救われて
社会は明るくなるのです、と

政治つて一体なんだろう

私は
もう四時をすぎてしまつたし
店から迎えがこないかと思つて
ひやひやしてしまつた

（婦人新風より）

『よしわら』（大河内昌子編、昭和29年、日本出版共同）所収

赤線の街のニンフたち

五木寛之

ある作家から、

「きみはセンチュウ派か、センゴ派か」

と、きかれた。

ピンときたので、

「センチュウ派です」

と、答えた。

その作家は目尻(めじり)にしわをよせてかすかに笑うと、それは良かった、と言った。

良かった、と言うべきではないかも知れない。だが、私には、その作家の言葉にならない部分のニュアンスが、良くわかった。

おくればせながらも、センチュウ派の末尾に位置し得たのは、良かったと思う。だが、良かったから元へもどせ、などとは言いたくない。滅んだものは、もうそれでおしまいだ。どんなに呼んでみたところで、ふたたび返ってきはしない。

後はただ白浪(しらなみ)ばかりなり――。何の文句だったろうか。終ったお祭り。紀元節。失われた祝祭を復活させようとするのは、空(むな)しいことだ。私は、そう思う。

良かった、というのは、過去の記憶を飾るささやかなリボンにすぎない。センゼン派は皆、それぞれのリボンを頭に結んでいる。私のそれは、短くて貧弱だ。だが、風が吹くたびに、そいつが揺れるのを私は感じる。そのことを少し書こう。いわゆる赤線廃止のまえに、その巷に一瞬の光陰を過した〈線中派〉の感傷である。

そのころ私は、池袋の近くに住んでいた。立教大学の前を通りすぎて、もっと先だ。十畳ほどの二階の部屋に、十人ほどのアルバイト学生が住み込んでいた。私もその一人だった。

呆れるほど金のない連中ばかりで、何だかいつも腹をすかしていたように思う。

仕事は専門紙の配達である。業界紙とは言わずに、専門紙と言っていた。世の中に、これほど様々な新聞がある事を、私はその職場ではじめて知った。有名なものもあり、そうでないのもあった。

株式新聞、重工業新聞、日本教育新聞などが有名なところだった。ほかに数十種の専門紙があった。

毎朝、まだ暗い東京の街を、私たちは青い自転車を飛ばして出動した。目白を通り、飯田橋を抜け、日本橋の一角まで、十数台の自転車を連ねて全力疾走する。

事務所で各自の新聞を揃え、配達にかかるのだが、その地区たるやべらぼうな広さだった。

そのため私は今でも、月島や、佃島（つくだじま）のあたりの露路を頭の中に思いうかべる事ができるし、町屋や、葛西橋（かさいばし）あたりの地理もくわしい。

「ついに一ドル相場実現……」

という証券新聞の大見出しを憶（おぼ）えているから、たぶん世間は景気が良かったのだろう。

だが、私たちは、少しも、良くなかった。配達を終えて、また自転車を池袋方面へ走らせる時には、うんざりしていた。金もなかったし、ひどく疲れていた。

そんな中でも、やはり時には女のいる街へ出かけた。どこをどう工面したのか、記憶にはない。今おぼえているのは、ファジェーエフとか、カターエフとか、オストロフスキイとか、その度に古本屋へ持って行った作家たちの名前だけだ。

新宿二丁目あたりは問題にならなかった。あんな所はブルジョア階級が豪遊する場所だと思いこんでいた。一度だけ、配達用の青自転車で駆け抜けた事がある。豪華さと、美人が多いのに驚嘆した。少なくとも、当時の私には、そう思われた。

私が時たま出かけるのは、北千住（きたせんじゅ）の街だった。立石（たていし）や、鐘ヶ淵（かねがふち）の方面へは、近くの採血会社の帰りに寄ったりした。

新宿の街は、その辺といろんな面で違うように観察された。だいいち、名前が高級だった。英語や、フランス語や、ドイツ語の名前の店が、そこにはある。

私の知っている北千住の店は、〈正直楼〉といった。女の子の名前が、マツという。それにくらべると、新宿には、アンヌとかエリカなどという女がいそうな気がした。

視線が会うと、すっと伏目になって半身を扉の陰に引くようにする。新宿の客は知的なので、こんなソフィスティケイションが有効だったのかも知れない。

私は新宿に感心したが、自転車からは降りなかった。私の行くのは、お化け煙突の街だった。

月のなかばに、週末をさけ、出来れば雨降りの夜をえらんで三河島の駅から歩いた。夜半を過ぎると、四百円位で泊れる事もあった。

だからといって、待遇が悪いという事はなかったように思う。女の足音を待ちながら、雨の夜明けに戦前の〈家の光〉などを読んでいると、そのまま眠ってしまう事があった。朝、五時から自転車を走らせているのだから、無理もなかった。

冬の終り頃だったろうか。そのまま、女が金を帳場に持っていった間に、眠り込んでしまったらしい。目を覚ますと、五時だった。女は私の隣りで寝ていた。

「なぜ起さなかったんだ」

「だって、兄ちゃんが、あんまりぐっすり寝込んでるもんだから――」

東北から出て来て六ヵ月という女の子は、しんそこ恐縮しているように見えた。自分が帳場に行ってもどってきた何分かの間に、あんたはもう眠っていた、よほど疲れているに違いないと思って起さなかったのだ、と彼女は言った。

「帰る」

と私は言って服を着た。配達の時間がせまっていた。

「まだ暗いよ」

「配達の仕事があるんだ」

彼女は、玄関で私の靴をそろえ、

「ごめんなさいね」

と、訛(なま)りの強い言葉で囁いた。「そこまで送っていく」

私は、その日に限って青自転車で来ていた。車のスタンドを靴先でバタンとはねて、私は走りだした。

「ちょっと待って」

と、女が後ろから叫んだ。彼女は着物の前を片手で押えて玄関に駆け込んだ。何か果物でも持って出てくるのだろうか、と私は想像した。女が出てきた。

「ほら。後ろのタイヤが抜けてる」

と、彼女は手に下げてきた空気ポンプを差し出して言った。私は、がっかりしたが、自転車を立て、空気ポンプを受け取った。

「あたしがやってあげる」

女はたくましい腕を見せて、空気ポンプを押した。ギュッ、ギュッと音を立て、タイヤが固くなった。

女はポンプをはずすと、手でタイヤをにぎり、

「固くなった」

と、言って、一瞬、照れたように笑った。

「これで大丈夫」

「うん」

「あんまり来ないほうがいいよ、こんなところ」

「眠るだけなら家でも眠れるからな」

皮肉を言って私は走り出した。暗い空に、巨大なお化け煙突の影が見えた。みち足りた睡眠と、不満な欲望とが入りまじって、妙な具合だった。風が冷たかった。日本橋への道は遠かった。

「固くなった」

と、言って照れた女の顔を思い出すと、私は何となく、良かった、と思う事がある。

だが、それはすでに滅びてしまった祭りの笛太鼓だ。それを復活させようとは思わない。失われたものは、二度と返ってこない。それが本当なのだ。


『週刊読売』(『後期線中派の感傷』改題、昭和42年4月21日号、読売新聞社)初出

ああ寂寥(せきりょう)、飛田〝遊廓〟の奥二階

野坂昭如

飛田(とびた)の名前をはじめてきいたのは、中学四年の時で、当時ぼくは大阪に住み、近くの床屋で順番を待っていると、ちぢれっ毛に兵隊の乗馬ズボンをはいた青年が、同じ年輩の連中に「まあこれも勉強やおもてな、あがってみたってん」と言い、彼はそれまで京阪沿線橋本の遊廓へはあそんだことがあったらしいのだが、飛田は初めてで、その広大な規模と、女のよさにつき感嘆して語ったものだ。

ぼくはすでに女を知っていたが、淫売婦、女郎という存在についての認識はまるでなく、ちぢれっ毛の詳細きわまる体験談を必死できいて、しかしよくわからず、中でも「センジョウしてくれよんねんで、ハクい女やったわ」のセンジョウの見当がつかなかったことを覚えている。

戦前の日本で、有名な遊廓というと、ある人は、東京吉原、京都島原、大阪新町、長崎丸山をあげ、また丸山のかわりに名古屋中村をいう場合もある。今でこそ、大阪の飛田といえば、神戸福原の浮き世風呂、尼崎初島とならんで、関西における密淫売、座ぶとん売春の本家のごとくいわれ、前二者は戦災で焼かれたが、飛田は難をまぬがれ、戦前の遊廓

のどっしりした建物が残っているから、いかにも吉原クラスに由緒ありげなのだが、その歴史は浅い。

昭和五年に出版された「全国遊廓案内」によると、次のごとく紹介されている。

「大阪市飛田遊廓は、大阪市住吉区にあって、関西線天王寺駅で下車し、西南に約五町ほど行ったところにある。

元難波新地にあった遊廓と、新町遊廓の一部が大正七年にここへ移転してきたもので、まだあたらしい木の香がするほどの遊廓である。現在貸し座敷は二百二十軒ほどあって、娼妓は二千七百人いる。九州四国方面の女が多い。大門を入ると中央の大通りを中心に、縦横、街は幾筋となく、整然と別れて、和洋折衷の貸し座敷がずらりとならんでいる。店は全部写真制で、陰店(かげみせ)は張ってない。揚屋や引き手茶屋もなく、客は直接貸し座敷へ登楼するのだ。娼妓は全部店稼ぎ制で、遊興は時間、また通し花制でまわしはとらない。費用は一時間一円五十銭で、午後六時から十二時までが五円二十五銭、ひけから翌朝六時までが四円九十五銭、六時から正午までは二円七十銭、正午から六時までは四円五十銭ということになっている。ただし台の物は別、芸妓をよべば一時間の玉代は約九十銭」

若い方には、ちと難解な言葉があるだろうから解説いたしますと、「陰店」は表からは見えないところに女がたむろしていて、客は一度、入り口を入ってから相手をえらぶシステム。「写真制」は、娼妓の顔写真がアルバムにはってあり、これによりえらぶ方法。「まわし」は、一人の客につきながら、別の客から指名されれば、そちらでもちょいと稼ぐこと。「台の物」は酒肴、茶菓をいう。そして値段、女の数を除くと、街のたたずまい、当時とかわりない。大門も歓楽街とネオンがついて、同じ場所に残っている。

大阪新町の遊廓は、たとえば夕霧伊左衛門冥途の飛脚など、ここを背景にしたものだし、同じく南五花街遊廓は富田屋、大和屋というような全国的に知られた揚屋で有名だが、飛田はその点、新興遊廓に属し、これまでそれほど人に知られることなく、まあ、売春防止法の、法網をくぐって座ぶとん売春を発明した、その発祥の地として、今後の歴史に名をとどめることになろう。

○

ここへ潜入しろといわれて、まず困ったことは、いったい男手を必要とするのかどうか、昔の遊廓には男衆というのがいて、土間のすみにシケモクくわえて座り、とどけられた寿司やそばなど店屋ものを、取り次いだり、掃除してたりしたものだが、ぼくがかつてここへあそんだ限りでは、男のそういう姿をみたことがない。といって居残り佐平次をきめこんだら、とても使い走りつとめて、遊興費の代わりにするどころではない。まず五体満足では、飛田から出られないであろう。名にしおう西成の管轄なのだから。

初冬の昼間の飛田、通行人は大工、左官など職人風の二、三人連れか、子供、それに買い物姿のおかみさん。道幅の広いわりに数が少なく、また車もみえないだけが、やや異様な感じの、その一画を、ぼくはなんとかもぐりこもうとキョトキョトしながら歩いた。

旧赤線の、昼間の風景というものは、なんとも荒涼たるもので、ややゴーストタウンに近い。ここは焼けていないから、屋根の瓦はあくまでどっしりと重そうに黒光りし、壁もちっとやそっとの地震ではビクともしない厚さでそそり立ち、そのいたるところくずれ、穴があき、子供の落書きに汚され、家並みの構えは、あるいは大正七年ごろには、それがもっともモダーンだったのか、異様な破風(はふ)を飾った洋館、それに対抗したのであろう、まるで寺院のごとく大仰な屋根をいただいた和風建築、いずれもほとんど人の気配はみえず、たまにさわがしいのがあるからのぞいてみると、そこは下級アパートとなっていて、かつて娼妓の草履(ぞうり)、粋客の靴がびっしりならんだはずの玄関に、子供のサンダルが二十ばかり、ひっちらかしてあり、赤ん坊の糞までおっこっているありさま。

観光指定店と看板を立てた「F」という、これは抜きん出て整備された店があり、この玄関には帳場がみえて、そこに六十年輩の品のいいおじさんがいたから、ここはてっきり料理屋なのかと、厚いガラス戸をあけ、たずねてみたら、この店は吉原でいえば松葉屋のように、夜の大阪観光ルート、飛田を代表する店で、昔の、女部屋の様子を観光客にみせるのが商売。

ここへ客として上がると、南からヤトナを呼び、料理を運ばせ、ひとさわぎした後、二階へ上がって、その昔の強者(つわもの)どもの、夢の跡を拝見させていただく。これで一人一万二千円くらいかかる。もちろん団体ならぐっと安くなるだろうけれど、これではとても座ぶとんの実態をつかめない。このおじさんに、どこか雇ってくれるところはないだろうかとたずねたら、上から下までぼくの体をながめた末、ひょいとそっぽをむいて、「男はいらん」といいよった。なんとなく癪にさわる話やで。

再び表へ出て、おびただしい看板に気がつ

く。「仲居さんは表におりますが、中では従来通り営業しております」「のれんの出ている店は、営業中ですから、遠慮なくお入りください」

飛田の、かつて女郎部屋だった店は、現在、料亭と称している。料亭には仲居さんがいて、彼女達が、客に酒肴を供する。すると、いかなる運命のいたずらか、客と仲居は一目みたとたんお互いに好意をいだき、矢も楯もたまらず、その場で愛をたしかめあう。そして、客は女に、なにがしかのプレゼントといっても一緒に表へ出るヒマはないから、金を渡して、「好きなものを買いなさい」といいおき、別れる。ムードとしては、旅人さんと料理屋の女の間に生まれた、束の間の恋情てなもので、歌謡曲にはもってこい。

○

いくら歩きまわっても手がかりなく、一時ごろになると、今度はオーバーにいえば、銀座の夕暮れ時のように、若い女が陸続とここへくりこんできて、年齢は二十才から二十七、八、ごくふつうの、まあ三流商事会社のBG、料理屋の女中、場末の喫茶店ガール的風情のそれが、三々五々といっても連れはなく、一人消え二人消え砂にしみこむように、廃屋めいた元女郎屋へ姿を消す。ぼくはてっきり仲居さんなるもの、住みこみと考えていたのだが、通いなのであり、だからこそ「アルバイト料亭」という看板も数多くあるのだろう。つまりアルバイト仲居なのだ。後で聞いてみると、正午から八時までの早番と、四時から十二時までの遅番があって、これは前者のご出勤風景だったわけ。

女が入ると、荒涼としたあたりのたたずま

いは、今度、陰惨な感じにかわった。つまり壁はくずれ、ガラス破れた広壮な建物の玄関に、姿はみせないといっても、安物の、きわめて派手な着物姿がチラホラしはじめたからであって、ちょいと上田秋成風ですらあった。

いかになんでも、真っ昼間から登楼もはばかられ、道ばたにたたずんで客の按配をながめていると、これがまるでない。他人事ながら商売になるかと思うほどで、見通しのいい一本道をながめ渡し、のれんのかかった店は七軒あるのだが、二時間近く待ってついに一人の客も上がらなかった。これではさぞかしモテるであろうと勇みたったのだが、こっちは住み込むつもりでえらく汚なづくりだから、少しヤツしましょうと、同じ並びにあるトルコ風呂へ入り、ひげをそり、何事も勉強とばかり、「どや、スペシャルやらんか」といったら、世にもおぞましき男というふうに、ミストルコはぼくをながめ、「おきなはれ、アホらしい」といった。考えてみると、これはかつての芸者と娼婦の関係に似ているかもしれぬ。ミストルコは技術は売っても、簡単にはころばぬというわけだ。

「どないやねん、飛田の景気は」「まあまあでしょ」「えらいすいてるやんけ」「そうでもないよ、いつもこんなもんや」やりとりの末にこの三十ばかり、おそろしく太ったミストルコは、ぼくに気を許したとみえ、飛田ははじめてというと、「ほな、夜、もう一度来なはれ、うち案内したるわ」「あんたくわしいんか」「仲居さんとよう美容院で一緒になってな、話きいとるもん」

まず一人先達をみつけ、今度はなるべくボラれそうもないいっぱい飲み屋を探し、というのも、飛田から阿倍野へかけて、うっかり美人のいる店へ入ると、たちまちビール一本五千円ぐらいふんだくられるからだが、ようやく釜ガ崎の手配師風のが二人飲んでいるおでん屋をみつけ、ここで酒を飲む。四十がらみのおカミさんは、ついせんだってまで品川で働いていたとかで、こっちがうっかり東京弁をつかったらえらくなつかしがって、このおばはんも飛田を案内するという。えらい親切な人ばかりいてはると思ったのだが、なんのことはない、これは一種のポン引きであります。

六時にトルコへ出かけ、皮のジャンパーを着こんで、お化粧をおとしたあから顔の、まさにレジスタンスの女闘士といった風情のミストルコと同道、「あんた、どんな女よろしいの」「まあ、若い子がいいねえ」とたんに彼女またも軽べつしたようにぼくをながめ、それはご自身の年齢のせいもあろうが、「若い子おか、ほなHやな」太っているせいだろう、肩でフーフー息つきながら先へ立ち、「ごめん」と、一軒ののれんをくぐる。玄関先は、まず上等の商人宿といった構え、すぐ右にバーのカウンターが延び、正面に屏風が立てられていて、左が奥座敷への通路、電話が一つ。八人の女が謝恩パーティがえりの女子大生よろしく、白の訪問着を身にまとっていずれも立ったまま。女闘士がなんと交渉したか覚えてない。「まあお上がり」と横から、昔なつかしいチャンチャンコ着たやり手婆さんがスリッパをそろえてくれ、靴を脱いで一段上がると、三人の客が、ニタニタ笑いながら女におくられてあらわれ、いずれも四十前後の役人風。ぼくはどう女をえらんでいいかわからず、美人はいないが、たしかに若い、二十前(はたち)のも二、三人はいるその女子大生まがいをながめたまま突っ立っていると、女闘士がおいでおいでをして二階へ上る。この部屋がまたいい。表の荒廃ぶりとことなって、内部は掃除がゆき届き、什器調度も時代ものだから、たとえば天井は格子組みで、赤く塗られ、テーブルもナントカ合板などのペラペラではなく、あまつさえ長押しにはああなつかしの頭山満の額さえかかっているではないか。欄間の彫刻にしろ、細かく桟の入ったガラス戸にしろ、いちいちうれしくて、茫然としていると、女が二人やって来て、テーブルのそばに立つなりクルッと着物の裾をまくり、長じゅばんをむき出しでベタリとすわる。別に挑発しているわけではなく、化繊のしわを防ぐためだろう。

○

続いてビール一本と、〝時そば〟の後の方のそば屋の竹輪のごとき魚肉ハム三切れ、キャベツ十四、五片かざったオードブル一セット千二百円が二つ運ばれる。女闘士は「まず二千四百円、それから仲居さんに千円ずつ、あんたもっと居はんねんやったら、あと二セットつけたげなはれ」。計六千八百円を払って、これで二人のうち一人を選べるわけだが、ぼくのそばにすわったのは、年齢十六、七才、厚化粧でどうにか幼さをごまかしてはいても、目から頬にかけて、はっきりあどけなさが残っている。もう一人は二十五、六、着物の袖口ならまだしも、衿からもシャツがのぞいて、なんとも色気がない。「ほな、私、かえりますわな」女闘士立ち上がり、「これ、時間というのは決まってるの?」と愚問を発すれば、「まあ、そういうことは、向こうで二人になってから話しい」つまりこの部屋は、敵娼をきめる場所で、何もいわぬのに年輩の仲居、女闘士と去り、ぼくは女に導かれて、すぐ隣りの、机一つぽつんと置かれた寒々しい部屋。床の間の布袋さんあぐらかいた掛け軸だけがただ一つの飾りで、女はすぐに先刻の部屋から座ぶとんを二つ、特に大きいわけでもないそれを床の間側にならべて敷き「おビール飲みますか?」ときく。別にエエカッコするわけでもないが、痛々しさが先に立ち、いかにあどけないとはいっても、こういうところで働くからは、一皮むけば天人お玉か火の車おまん、ものすごい女にちがいない。気を楽にしろと叱咤激励するのだけれど、どうもふるいたたぬ。女はまたクルッと裾をまくって、今度はぴたり体を寄りそわせ、こちらの肩に手をかける。以前の赤線ですら、客が女の生まれ、素姓をたずねるのは、あまりに月並みすぎることで、女がそれをあそびと心得、客にあわせていわく因縁の数々用意しているなら、まだ救いもあるけれど、この少女を前に、「君いくつ」「どうしてこんなことしてるの?」「喫茶店にでもつとめればいいのに」など、どうしてきけましょうか。時候の挨拶もできないし、せめて銀座ホステスの、「こちらお静かな方ね」というバカげた台詞でもつぶやいてくれりゃキッカケとなるのだが、おそらくこの女、客と会話らしいものを交わしたことがないのだろう。それは遊びの時間が短いせいでもあり、彼女がこの道へ入って日のたたぬためでもあろうか。かつていわゆる「処女屋」の処女を買ったことがあって、このときも具合わるかったが、この田舎の木賃宿風部屋で、訪問着の少女と黙りこくってる時間というのも間がもてないものであるよ。

「ビールもう一本もらうか」さすがに少女は少し怪しいと思ったらしく、「おたく、新聞社の人?」「いや、そうじゃないよ」「この前、いやらしい新聞ありますでしょ、そこの人来はって、写真とっていきはった。座ぶとん売春いうて」少女は、どういう気持ちで座ぶとん売春を口にだしたのだろうか、自虐的な心があるのか、売春の意味を、それほど重大に考えてないのか、それとも手を出しかねているぼくへの誘い水なのか。娼婦に金を払い、抱かないで帰ることは、最大の侮辱を与えることになる。妙に仏心をだしても仕方がないので、下の玄関で客を待つことにくらべれば、客と横たわっている時間は、たとえ座ぶとんの上ではあっても、むしろ女にとって体を休めることになるのだと、わからないでもない。だが、ぼくはそのまま帰った。どうも、しばらく、娼婦にあわなかったので調子が狂ったのでありましょう。今になると、ややくやしい感じであるよ。

八時におでん屋へ顔を出し、協定値段とやらでビール一本二百五十円一級酒百五十円と店の造りからみれば割高なのをおカミ相手に飲み交わし、九時半にもう一度廓内を歩く。こりたから、少し年増の床上手なのがええというと、「K」にともなわれ、ここはまたぐっと小さな、間口三間ばかり、黒壁のちょうど目の高さのあたりに、細長い窓があいていて、なにやら武家屋敷風。玄関は、道より一段下がってあり、やはりノレンがかけられ、中に入るとここは一人も女がみえぬ。左手に敷き台があって、「奥さんいてはるかあ」とおでん屋のおカミがいう。奥さんとはこれまた妙な呼びかけで、沓脱ぎのそばには子供の靴が二足あり、つまりここに女郎屋一家が住みながら、女を置いているのだろう。おらんのかなあ、どうしようかとおカミはぼやき、だがあくまでもエプロンの下に手をつっこんだまままねばったところをみると、ポン引き料がここは高いのかもしれぬ。二分ばかりして、灰色の毛糸のセーター着た三十くらいの小太りの女が表からとびこんできて、ぼくをチラッとみるなり「すんません、今、よんできます」またしばらく待つと、眼鏡をかけた五十くらいのおっさん、「いやなあ、熱帯魚がちょとおかしなりよって、どうも塩ビの槽はあかんらしいわ」という。これはまったく飛田にふさわしくない台詞で、田舎そば屋にでもまよいこんだ感じ。

ここの店には二人のアルバイト仲居がいて目下営業中、乗りかかった船だから待つことにして二階へ上がると、廊下にスリッパが二足ならび、いかにも息をひそめているような襖のあんばい、新宿は花園町のおもむきが色濃くただよっていた。

この店は、万事投げやりで、女を引きあわせる部屋にカバーのかかったミシンやら、子供のピンポン道具がおいてある。たちまちおっさん、まったく銘柄まで同じビールとつまみを運び、「こういう料理はあんたお口にあいませんやろな」なんならミカンでも持ってきましょうというから、いかにも浮き世ばなれした感じ。このおっさんつかまえたれと、おでんやのおカミに千円をにぎらせ、一緒に酒でものまへんかと、誘う。おっさんもぼくを三流週刊誌と見立てたらしく、しきりに名がでては困る、写真はあかんと廊下のすみでゴチャゴチャやっていたが、結局酒には目がないらしく、ウイスキーがいいそうで、これを連れ出し阿倍野のSバーへ行く。後は、おでん屋のおカミがとりしきり、なんとものんびりしたことや。

○

おっさんの家は、飛田でも旧家で、今ある店はかつての支店。赤線はなやかなりしころには枚方(ひらかた)、橋本にも分店をもち、えらい花やかな生活だったそうだ。戦前、電話が三本あり電燈の数が百二十一、切れた電球を一銭で売り小遣いはそれでまかなえたほどだという。ややもすれば昔ばなしになりがちで、現在をきくと、がっくり力をおとし、「こうヒモがようけおっては、どもなりません」なんでも現在飛田で働く女三百六十三人のうち、ヒモつきは三百四十八人で、フリーはただの十五人。そのヒモはほとんどが極道もので、「ほらあんた、すごいもんですよ。一人のヒモが二人から五人のタマをかかえてね、大体月に一人頭三万から七万くらいまで、しぼりよんですわ」

かつての娼妓は、いわゆる身売りで、金に困った親が、娘を三年五年の年季奉公させるのとひきかえに前借金をうけとり、売られた娘は年季のあけるまで、煮てくわれようが焼いてくわれようが文句いえず、体を売ったのであり、そして戦後の赤線にはこの前借制度がなくなって、あくまで女は女郎屋の部屋を借り、もちろん着物やら化粧道具やらを、半ば強制的に押しつけられ、知らず知らずのうちに借金がふえ、その借金に身をしばられて、勤めにはげむという面もあったが、いちおう個人の意志によって、男に体を売る、いわば自由営業だった。それが三十三年以後になると、表向き娼婦の姿は消えたが、実は暴力団によって、だまされ脅迫された女が、ある面では明治の身売りよりさらに苛酷な条件によって、春をひさぐ結果となっている。

大阪のいわゆる極道者のなかの軟派が、南のダンスホール、ボーリング場、あるいは駅や盛り場で、遊び好きな女の子、家出娘をひっかけ、スケコマシの方法にはいろいろあるけれど、とにかく因果をふくめて、飛田へ仲居として送りこむ。はじめから売春と知っているのもあり、また料理の上げ下げだけと信じているのもあり、どっちにしても、その日から客をとりはじめ、それには稼ぎがわるいとたちまち制裁がくわえられるからである。

「うちとこなんか、まあ年いってますから、そうでもないけど、若い子おなんかよう顔をお多福カゼみたいに腫(は)らせて、それでも店に出んとまたなぐられる。台所の洗面器に氷割ってねえ、顔をつけては、早う腫れをとろうと思うて、それはやっぱり若い子おですがな、いくら金で買われるいうても、みにくい顔をみせるのは恥ずかしいんでしょ」

極道が女をひっかける。すぐに輪姦して、もうまともな女としては生きていけないと、タマに観念させる。飛田へはめこみ、近くのアパートの一室を与え、金はすべて巻き上げ、ただし、いかにも惚れた男の窮状をすくうあわれな私と、タマが自己陶酔に酔えるような、舞台装置はつくっておく。たとえば、この金がないと指をつめられるの、高とびしなければならないの、または半年辛抱すれば結婚するのと。しかし、一日もしないうちに男のカラクリがわかる。逃げたいにも暴力団の監視の眼が恐い、明日こそはと考えつつ、二日を過ごす。と、すでに好むと好まざるにかかわらず、娼婦の暮らしが身にしみこむ。それほど現在の自分をあわれに感じなくなる、ときおり粗末なアパートをたずねてくる、ダークスーツの極道、彼女にとって最初の男に抱かれるだけで、満足を覚え、身の切り売りを悲しく考えない。常にあわれな自分と直面し続けるほどの強さは彼女達にない。

「えらい労働ですぜ。八時間労働いうことにはなってますけど、客あったら十二時間くらい男に抱かれずくめいうこともありますからねえ。それであんた、着るもんも金も、男は逃がさんとこ思うから、ロクに渡さへん。この寒いのにセーター一枚で昼間はまあよろし、これから冬になって午前一時二時にかえること思うてみなさい。私は、こんな商売してるけど、かまうことないから逃げなさいいうてようすすめますねん。五万円な、五万円うまいこと貯めて東京へでもどこへでも行ったら、住所わからんいうねんけど、なんせ暴力団うまいことおどかして、ヤキ入れたりするとこ最初にみせとくから、みなブルくうてもて、あきまへんねんなあ」

ぼくはヒモについて、必ずしも女を食いものにする寄生虫のごとき存在とは考えない。むしろ売春婦にとって、客との交渉からうけたさまざまな負債を、たとえヒモになじられるにせよ、金をまき上げられるにしろ、女がヒモと生活することで、差しひき零(ゼロ)にすることができるのならば、むしろヒモは売春婦の命のたよりどころのようにさえ思う。そしてこの場合、ヒモとタマはやはりやさしい心のふれあいの上になければならないのだが、この飛田のヒモは、まさに論外であろう。

○

翌日、ぼくは、まあ話はできないまでも、ヒモの姿をみてやろうと考え、前夜にきいた話から、射的場、そして美容院のそばの喫茶店、これは美容院に来るタマをつかまえて連絡とるために待っているのだそうだが、ここに張りこみ、ようやく二人それらしいのを見つけた。一人は美容院の前で、女と話しこんでいて、女は三十近くおとなしいスーツを着ており、男は二十七、八か、背は六尺あまりダークスーツにダブルカフス、あまりにもなにからなにまで整いすぎて、かえって野暮にみえる青年とのカップルが、見ていると一時間あまりもしゃべりこみ、やがて女は泣き出して、それを男が肩をだくように、みたところきわめてやさしい身のこなしで、歓楽街とあけすけなネオンの、骸骨のように浮き出た大門をくぐっていったのと、これは喫茶店で、やや小柄な美男子、東映のギャングスターに生き写しで男と二人連れ、これまた二十分くらい電話をかけ、「いいから来いよ。カバンどうするんだよ。これなくちゃ富山へかえるったって、そうもいかねえだろう。バカやろ、梅田までとどけられるもんか。それともそっちで車代払ってくれるんならいいけどよ。地下鉄で来りゃすぐじゃねえか。逢って話すりゃわかるんだから、なあ」と、東京弁。話の具合を按じると、ひっかけた女の鞄を預かっていて、これを餌にここまで引き寄せようというのらしく、すでに美男子の男はその女と寝ていて、連れの男にこれをまわすしくみとも考えられる。連れは貧相な男で、キョトキョト店内をながめまわしては、煙草をせわしく吸う。どうやら女がこちらへ来る様子だから待っていると、一時間ばかりして、眼鼻立ちのはっきりした、ファッションモデルといっても通るような二十ばかりの美女があらわれ、たちまち美男子と口論をはじめて、つまり美男子は彼女に結婚を申しこみ、親にも逢わせるといったのに、その約束をすっぽかしたというので、女は北の喫茶ガールらしい。「もうだまされへん」「嘘ばっかりついて」というはしばしに、男に惚れこんでいる弱さがありありと見え、男は十分のみこんだふう
にあしらって、これまた女が泣き出し、それ

を中にはさむようにし三人連れで表へ去る。周囲の客もウエートレスも、ずいぶん声高に連中しゃべっていたのに、まるで気にとめず、ぼくはいらいらして、「これはヒモだよ、気をつけろ」とよほど注意してやりたかったが、やはりギャングスター酷似の人相は凄味がきいて、ただ見送るだけ。

どうせのことならと、ようやく度胸をきめて、昼間の三時、「Y」という中どころの構えの店へあがり、やり手婆さんがご指名はときくから、「誰でもええ」実際にもう女をえらぶ気持ちはなく、でたとこ勝負でかりそめの情をかわそうと、とはいっても病気が気になるから、クロロマイセチンを口に含み、ルーデサックをにぎりしめ部屋へ通って、今は顔なじみになった、東京じゃまるで人気のないビールのレッテルを横目にながめるうち、現われいでたる二十七、八、ラメの入ったセーターにスラックスをはき、まあ家政婦さんにしてはちと色どりが派手かいなというシロモノ。もちろん長パンツに、セーターの衿元からは紐でむすぶ下着の、その紐がはみ出ていて、なんともうすら寒い。男なんて勝手なもので、こうなると、ヒモよ、もうちょいええタマを世話せんかいと、先ほどの喫茶店でみた、ファッションモデルまがいの女の、ここへ送りこまれるのが心待ちにされるような気分となり、どうにもふるい立たぬから、「まあ、いっぱい飲みなはれ」注ごうとすると、センはしたままなのを、女は洋服簞笥の金具にひっかけてグイッと器用に抜いて、魚肉ソーセージをつまみながら、はや暮れかける飛田の一室で、「この一軒置いて隣りで、五日ほど前、自殺さわぎあってねえ」「自殺さわぎって、未遂か」「いや死にはったよ、未遂なんかなんぼあるかわからへん、別にさわぎもしませんわ」淡々と語る女とさしむかい。初雪もふらねば置き炬燵もなく、さしつさされつ、これはもう遊びなんてものではなく、ああコウリョウ、コウリョウとつぶやきたくなる風景でありました。

『宝石』(昭和42年3月号、光文社)初出

消える抹香町

川崎長太郎

私の、住居としてゐる小屋から、二十メートルばかりのところに、いにしへの東海道、現在では国道何号線とか云ふ、八間幅で可成広い道路が通つてゐる。

この道路の両側には、旧幕時代、女郎屋が並んでゐて、所謂宿場女郎が、旅人達の所望にまかせ、淫を売つてゐた由らしい。明治三十四年生れの私が、どうやらもの心ついた時分には、もう女郎屋はなくなつてゐて、とびとび、それらしい建物が旅館に模様換へしてゐた。即、国道に面した、堂々たる総二階で、玄関からすぐ広い階段が設けてあり、二階の表廊下にはいろいろ細工施した手摺りなどみえたりして、往時の面影忍ばれるやうであつた。が、昔の女郎屋だつた旅館も、大正大震災にあつて全く姿消してしまひ、同じ名前で今日でも営業続けてゐる旅館は、二軒きりよりなくなつた。

昔、国道の、両側にあつた遊廓は、明治の中頃とり払われ、町の裾廻しみたいなところにあたる一劃へ移転し「新地」と呼称されてゐた。私が、そんな方面へ脚を入れたのは、多分八九歳の頃、お祭りの山車ひつぱつて、集とともに繰り込んだのが最初であつた。ぐるりに、黒く塗つた板塀めぐらして、町家(まちや)と境し、同じ色で塗つた門柱のある出入口をはいると、突き当りから左右に一列「東海楼」「錦昇楼」「加納楼」その他七八軒の、同じやうに総二階で、千本格子のはまつた張店、とりどりの趣向こらした、背の低い塀に囲まれた構への女郎屋が並んでゐた。時は、祭りの日だつたし、古風に大きな家、装つた女達、揃ひ着てうかれた氏子(うじこ)のはしやぎ振り等、子供心にもなんか華やかな別天地へ来たやうに思ひなされ、一寸奇異な感抱いたものであつた。

その目的もつて「新地」へ脚を向けたのは、大人の分になりかかつた、二十時(はたち)分であつた。海岸に近い私の家と、遊廓とは可成離れてゐたが、風向きによつて、そこでたたく太鼓の音など、手にとる如く聞えてき、耳について寝つきにくい思ひをしてゐたやうであつた。当時、私は家の業に従ひ、魚籠担いで毎日箱根の山坂登り、温泉旅館へあきなひに行くことしてをり、同じ天秤棒揃へ登つて行く仲間には、年頃の若者も相当ゐて、帰り路、行きがけとは嘘のやうに軽くなつた籠振り振り、彼等は女郎買ひの話その他、手ばなしに始めるのが、おきまりのやうであつた。最初は、そんなエロ話きく、こつちの耳までけがれでもするやうに、辛さをしかじかと父へ訴へ、再三彼を困らせたやうな私も、次第に顔赤らめたり、ムシヅの走るやうな思ひを覚えなくなつて行き、いつかわれから彼等のざれ口に聞き耳たてるやうな工合であつた。

事前に、魚屋仲間より仕入れた予備知識、想像も手伝つて「新地」ではどんなことするものか、童貞の私にも大体の見当ついてゐたところで、三円位の金を用意し、女郎屋へ上り込み、うちかけ着た、いやにおしろい臭い、始めて逢つたとし上の女と一緒に床へはいつたものの、どうにも所期の目的は達せずじまひの、その後も両三度、脚を運んだが結果は同じことで、魚屋しながら、文学書に親しみ、自分でもわけのわからぬやうな文章書いてゐた私は、担ぎ仲間からみればひどく青臭い、臆病者の小僧に過ぎなかつたのであらう。

　第一次世界大戦の好景気は、お多分に洩れず「新地」にも黄金の雨降らせたやうで、「錦昇楼」と云ふ、一番隅にあつた女郎屋など、三階建の、てつぺんに望楼までしつらへた、見上げるやうなものに改築したりした。が、それと一緒に、ぽつぽつ普通の町家の間に挟まり、小田原では皮切りである「淫売屋」が店をあけるやうな状況にもなつてゐた。町の東寄りで、貧民窟みたいに呼ばれてゐて、近所に矢鱈と寺の多い街すぢに、私娼のたむろす家が出来始め、その家数はごく少なく、構へも殆んど普通の家とたがはない、ゐる私娼の数始め一軒に三四人位のもので、路地を行く男を、障子の陰からコソコソ呼びこむといつたふうな、ごくい、ぶせき風情であつたが、大戦景気が束の間に下火となるにつれ、ものの数でなかつた「淫売屋」側へ、客をとられがちとなつて、蛭に生血吸はれた何かの如く「新地」方（がた）は年々寂（さび）れて行つた。既に魚屋を止め、親共の困るのも尻眼へかけて上京し、つたない文売ることなど始めたりして、ついでに童貞も白山あたりの待合で捨ててゐた私も、たまに帰郷した折その必要覚えると「新地」へは脚を向けず、場末の街の暗がりを好んで徘徊するやうであつた。

　いはば、新興勢力とみるべきか。目立たない街筋ではあれ、普通の町家の間に散在して、しかも「新地」をしのぐ繁昌示し出した「淫売屋」は、終に当局の眼にもあまつてか、昭和初年、同じ地続きではあるが、ふだん水がじくじく涌いてゐたりして、ろくな田にも畑にもならないばかりでなく、旧幕時代には罪人の首はねた刑場の跡でもある一劃へ、束になつて移動することを命じられる運びとなつてゐた。

でこぼこな、草も満足にのびないやうな捨地をならし、どぶ川をまつすぐに改めてみたりして、そこへ平家建（といふ指令のもと）ながら、部屋数十前後、それぞれの板塀めぐらし、入口には門まであしらつた娼家が、次々出来て行つて、第二次世界大戦前にその数三十を越え、戦後になると、どぶ川またいだり、道路の向う側へはみ出したりして、年々ふえる一方であつた。ふえたのは、娼家の数のみでなく、段々二階建も許可になつたものか、競（きそ）つて今迄の平家の上へ二階をつぎ足したり、或は東京や熱海の糸川式に、ぐるりをコンクリートで塗つて、店先にも椅子を並べたりと云つた、西洋風の構へに改築するだけでなく、次から次へと景気よくテレビのアンテナもたてるふうな有様であつた。この分で行けば、どこまで発展するか、一寸見当のつかない「抹香町」二三年前までの繁栄振りであつた。

里言葉（さとことば）こそ口にしない迄も、へんに仰山な大時代なあたまを結つて、うちかけ着て、又当の女郎のみならず、やりて婆とか、妓夫太郎（ぎゅうたろう）とか云ふ、厄介な人物が介在したりするやうな女郎屋の空気は、所詮旧時代の遺物とし、時勢からとり残されるべき宿命にあつたのであらう。昔の刑場のあとへ出現した私娼街へ、みるみる客を横取りされて「新地」は立ち行かなくなり、大東亜戦争になる前、一軒残らず女郎屋は店をしめてしまひ、現在ではアパートのやうなものになり下り、残骸を止めてゐるやうな始末である。昔、絃歌のどよめきで私などを悩ました色街の、今も同じい二階の長廊下の手摺りに、蒲団が並べて干してあつたり、煮たきの道具が仰がれたりするのは、通りすがりの者の眼にも沁みるやうであつた。土台石まで、すつかりなくなつてゐる一軒のあとは、箱根細工の原料となる丸太の置場に代つてゐたりした。望楼つきの三階建を誇つた「錦昇楼」は、戦後一階をぶちぬいてダンスホールに改造し、あぶれたやうなジャズが表まで聞えたりしてゐたが、それも一年と続かず、先年熱海に大火のあつた直後、建物のこらずばらされて、トラックで熱海へ持つて行かれ、今日では温泉旅館と面目改めてゐるやうであつた。

小田原の「新地」のみならず、現在日本全国にも、遊廓が昔のままの姿で遺つてゐる土地は、ごく少ないのではあるまいか。見聞の狭い私の知る限りでは、八王子のそれだけのやうである。横須賀にも、まん中に桜を植ゑて、両側にオランダ風な構への女郎屋が並んでゐたが、戦災を蒙らず今日でも無事でゐるかどうか。吉原は、戦後あの通り、私娼街と選ぶところのない凋落振りであり、新宿あたりにしてもほぼ同様の成行きらしかつた。

○

売春防止法案によつて、私娼街にも、とり潰しの手がのびることになつた。泣いても、笑つても、この三月一杯、赤線区域は一揃に姿を消すべく余儀なくされる仕儀となり、わが「抹香町」も勿論お目こぼしにあづかる訳には行かなかつた。かつて、遊廓「新地」を駄目にした新興勢力も、実はいくばくもない寿命であつたのだ。

思はずわが「抹香町」などと書いたが、それには重々理由あつてのことで、暫私と私娼街とのつながりを辿つてみたい。肩をつぼめた如く、こつそり普通の町家に挟まつて、営業してゐた当時からの馴染で、その後きれぎれではあるにしても、三十年になんなんとする彼我の縁であつた。

女房と名のつく者と暮したのは、二十九から三十にかけての約半年間だけ、あとは玉の井、亀戸と云つた魔窟で、その方の慾求をどうにか恰好つけてゐた。旗をまいて、小田原へ帰り、永住のつもりで、今もゐる物置小屋へ寝起きするやうになつてからも、前々通り「抹香町」へ赴き、私娼を抱くしかなかつた。その間、私も若い身空で、ちよいちよい好きな女を恋することなど、してゐた訳だが、あまり貧乏だつたりして、いづれも実を結ぶに到らず、あたらその点青春を持ち腐れにしてゐたも同然であつた。つい、もつて行きどころがない儘に、一円か一円五十銭の金握つては「抹香町」へ出かけてゐた。独身でゐて、しかも性慾だけは一人前な男にとり、私娼街は一種の救済機関、安全弁の役を果すところであるに違ひなかつた。若しもそれなかりせば、私のやうな意気地なしにしろ、どんな間違ひしでかし、破廉恥罪とか何んとかで、縄目の恥曝してゐたか知れず、世の未婚者にもこのことは大体当てはまりさうであらう。

小説を、たまに同人雑誌か、ただ同様な文芸雑誌に発表する一方、東京の大きな通信社から、月々三十円貰ふカコミものの原稿料で露命つなぎ、小田原へきてからも、干ぼしになることまぬがれ、時々は「抹香町」へも行けたが、戦争が敗けときまる二年ほど前、紙の統制その他で、私のカコミ原稿は不用と云ふことになり、それでも約半年近くは、編集に当つてゐたH君のポケット・マネーで、同額の仕送りうけたが、それも切れると早速困つてしまつて、乏しい衣類持ち出し、質屋へかけつけたりしては、その日の喰ひつなぎするやうな羽目に追ひ込まれて行つた。人間、食慾か性慾と云ふ段になると、口のついてゐる動物の本能か、どうしても喰ひものの方が先になるやうで、そいつを探すだけでも血眼と云ふ状態となつては、いつか忘れるともなし「抹香町」の方角忘れてしまひ、終戦後もざつと四年ばかりは、その筆法で同方面へ御無沙汰のし通しであつた。今思ひ出しても、終戦前後の、ひとの一生からつもれば、それ程短かくない期間、性慾も私娼街もてんで頭にないものの如く暮してゐたのが、不思議な気がしてならない。その間、私は半身不随の中気病みみたい、僅かに息だけしてゐたのに過ぎなかつたか。

再度、カフェ街入口、といふ文字を掲げた鉄骨アーチの下くぐり、蜂の巣の如く平家建の娼家が、とりどりの板塀めぐらしてかたまる一劃へ脚入れた瞬間、私は懐しいところへ来たと云ふより、いつそ気の滅入る、五十にもなつて妻子なく、こんな場所へやつてきて、女抱くしかないわが身の姿を、あの世から生みの母でもみてゐたら、どんな思ひをすることか、などとそんなこと考へたりして、穴へでもはいつてしまひたいやうな勝手さへ覚え、とぼとぼ消毒液の悪臭たちこめるたそがれの巷、徘徊したものであつた。

が、一度目より二度目三度目と、妙な圧迫感もなくなり勾配、爾来八ヶ年「抹香町」とは一年も縁の切れたためしがなかつた。腐れ縁などに譬へたら罰が当る位「抹香町」は私にとり助け船であつた。そこで女を抱き、さまざまな女心に触れ、数多くの作品も出来たのであつた。

一度だけで、二度逢はない娼婦もゐたし、一緒に映画みに行つたことがある、戦災未亡人で、月々子へ仕送りしてゐる中年の女もゐたし、小説には書いたが今はその顔もはつきり思ひ出せず、どこでどうしてゐるのか、その後の消息知る由もない女もゐたりした。そんなにして、異性と云へば「抹香町」一本槍のやうに過ごしてゐる裡、私の書くものがひよんなことで、ブームみたいな工合となり、ひと目につき出すにつれ、小田原の膝もと始めとし、東京から名古屋から、又宇都宮あたりから、人妻、女給、未亡人、妾等々、女人が物置小屋へ推参するやうな次第となり、中で一緒になつてもいいと思つた女工、向うから捨て身で結婚を求めた三十女や、又は相方肉体関係に陥るのをあらかじめ用心してゐた人妻などと、それそれねんごろにし、身辺が大分賑になる間も、時々は「抹香町」のぞきに行くこと忘れないやうであつた。何分にも、振り出しからして、不見転芸者の手ほどきうけ、東京にゐる間も、小田原へひつそくしてからも、その方は殆んど娼婦の厄介ばかりかうむつてゐた私は、人妻や未亡人、美容師の如き、一応堅気と見做されてゐる女性より、女工、女給、キャバレーの女等と云つたふうな連中に、どことなくウマが合ふやうであり、とりわけ「抹香町」の諸君とは、大体誰彼の別なく、いきなり親しめてゐた。いはば、同類のやうに身近な者と云つても、あながち甘ッたれた感傷弄するの嫌ひはなささうであつた。

が、それは狭い私一箇の量見で、世間で娼婦達をみる眼は又別であつた。一例としてこんな話もある。新しく出来た、ある銭湯は「抹香町」に近いところから、娼婦連中が、ひる日中(ひなか)から、七ツ道具か丶へ、よくはいりに行つてゐた。ところが、彼女達と同じ風呂につかり、同じ上り湯浴びるのは困ると、漁師のかみさんやなんかの常連から苦情が出てき、両方の板挾みとなつた揚句に、銭湯では娼婦連しめ出すの余儀なきに立ち到つたのであつた。一部の者には助け船、世間一般からは同浴するのも身のケガレといみ嫌はれる、そんなところから今度の売春防止法もまかり出たものとみるべきであらうか。

四月から、法案は実施の運びだが、ここ一二年来、その前触れの小手試しみたいな圧力が「抹香町」へも徐々に加はつてゐた。いやがらせ、干渉の手が既にのびてゐた。前だと、店の戸は終夜明けぱなしで、夜中であらうが、朝方であらうが、いつでも客の勝手次第、娼家へ上れたのが、十一時きつかり戸をしめ、その後は客が店をたたかうとどうしようと、断じて入れてはまかりならぬ、又娼婦は店先軒下或は往来へ飛び出して行つて、通行人の袖ひいたり、帽子や何かをひつたくッたりしてはいかん、店の中へ釘づけの姿勢を保ち、言葉をかけるにも大声は禁物、などといろいろ彼女達の振舞ひや娼家の営業振りに、制限を加へ始めてゐた。そんな粛正沙汰が、客の方へもおのづと反映し、今迄大ッ平(ぴら)に行けた「抹香町」が、なんか窮屈な場所みたい受けとれてくるばかりでなく、早晩廃止になるときまつた、気詰りな私娼街より、いつそ新しい方面開拓したがましとでも合点したものの如く、ひやかし客の脚始めみるみる減り加減、先達まで鰻のぼりの勢ひで、どぶ川またぎ道路飛び越え、新築々々でふくらむ一方だつた、昔の刑場あとも、忽ちにして火の消えた如き有様となつた。昨年の春まで、三百人余りゐた娼婦の数が、半減・三分の二減といふ勘定になり、もとは十人以上店先へたむろしてゐたところが、五人四人といふふうにさびれ、路地や入口のあたり迄大分薄暗くなつたやうであつた。先のみえた商売から、いち早く足を洗つて、堅気になるか、それに近い勤めに転向した者も、数の中にはゐたことであらう。が、小田原へんでは、彼女達の相談にのり、身の振り方に力貸すと云ふ、国営の更生機関あることをきかないのであつた。そんな施設欠かさない、三大都市にしたところ、そこへかけつけて、別社会に出て行く人数は、全体からすればごく僅かなものらしい。赤線地帯から、姿消した娼婦の多くが、うはべは立派に異つても、それを元手に稼ぐことは同じで、履歴書も別段いらない、キャバレー、バー、のみ屋と云つた方角へ、続々と流れて行くやうである。現に東京あたり、又街娼の姿がふえ出したとある。ひとつところにかたまつた、娼家の廂下から飛び出して、今度は自分勝手に相手を探し出すばかりでなく、誰からもピンはねられる気遣ひもない、身軽な夜毎の稼ぎにつくといふのであらう。個人の自由意思に基づく売春行為は、法律もあらかじめ是とするところであつた。が、彼女達が、これまでのやうな営業届出すこと止め、税金とられる負ひ目も免れ、好き勝手に男を抱いて相手から金銭せしめる、いはば売春の横流しが、果して彼女達を幸ひするものかどうか。又、必要から、遊びから、彼女達と行を共にする側の、衛生や健康等をこれまでのそれより多く保証するかどうか。却々、いちがいに片付かぬ、面倒な問題がのこるであらう。いづれへとも腰がきれず、依然として娼家の店先にしやがんでゐる連中の数も、減ればと云つて、ふえる様子は更になく、「抹香町」へはいつてくる、老若さまざまな客脚も、日に日に心細いものとなつた昨年の七月、娼家の経営者達は組合協議の結果、料金を殆んど倍額に値上げしてゐた。即、一寸上つて遊んで行く値段が、二三百円から五百円に、一時間前後ゆつくりして行く場合が、五六百円から千円に、十一時から翌朝までの泊りが、千円から千五百円に、と云つたふうである。それでなくてさへ、稼ぎが左前になつてゐる娼婦達に、これは泣きッ面に蜂であり、客の方にしてから、決して有難いことではないので、二度行くところは一度といふふうに、いやでも加減せざるを得なかつた。もとより、娼家の経営者にして、そのへんの事情とくと知らぬ筈もなく、したが追ひ詰められた者の、一種背水の陣とでも云ふべきか、どうせ長いことはないこの商売、今の裡客からしぼれるだけしぼつて置け、と云つたふうなやけッぱちな算段らしかつた。娼婦達は、詮方ない組合の規定とあつて、値上り料金を客に強要し、前々からの馴染には、いくらかそこのところを割引して、上つて貰ひ、帳場へは何んとか云ひ繕ろふやうであつたが、娼家側の背水の陣も、当然のことながら一向に能率上らず、結果は前に増して悪いやうで、五人ゐる娼婦が、ひと晩中一人のお客だにありつけず、鼻揃へて全部お茶ひくやうな場合も、珍しくなくなつて行つた。

それにも増し、経営者側の頭痛の種は、今以つて転業のメドが、どうもつかないことである。東京の私娼街に持ち出しても見劣りしない位、堂々とした洋風の構への家も出来てゐれば、殆んど軒並みと云つた位、テレビのアンテナはりめぐらす、年々歳々わが世の春を謳つてきた「抹香町」の業者達は、存分に味しめた商売に中毒して、手脚の自由すつかり奪はれてか、あと一二ケ月に期限のせまりつゝある今日、店先きが日ましさびれるのを尻目にしながら、資産あるものも、それ程ないものも同様、よそ目には形勢傍観、動きがとれないと云つた恰好であつた。伊東あたり、今年にはいり、既に旅館に転業した娼家が相当あり、熱海・糸川でも、戸をしめた娼家や、手廻しよくバーに店構へなほしたところあり、娼婦達の姿など、ひと頃とは較べやうもない位の減り方であつた。

○

きれぎれではあるが、このところ足掛け四年間、私は「抹香町」のN子と馴染を重ねてゐた。

彼女は、とし四十「抹香町」へ流れてきてからも、七年余たつてをり、以前にやはり外の土地で同様な稼業してゐた者で、二十代には一度世帯もつたためしもあるやうであつた。昨年始め、廃業して、某国立結核療養所へはいり、無料患者と云ふ特別扱ひうけ、約半年ばかりで、一応咳も止まり、痰もひき、胸部の欠所も大体塞つたところで、再びもとゐた「抹香町」の娼家へ戻つてきた。が、自身の健康の都合といふより、先のみえてゐる商売を又やり直すのも心なしと、娼家の主人側もすすめるまま、そこの台所女中のやうな役割りを新たに買つて出、娼婦達の膳ごしらへや、もう一人ゐる若い女中と、一緒に店のふき掃除など始めて、そんなに肩身の狭い思ひせず、三度の食事にありつき、旁ゝ客と娼婦の間にたまにははいつて、やりて婆のやうな口をきいたり、娼婦達が寝込んだ時の世話や、使ひ走りの用も足したりして、いくらか彼女達の心づけ貰ひ、それがN子にとり唯一の収入と云つたやうな塩梅でもあつた。前は二階へあつた部屋を、階下の六畳へ移し、箪笥鏡台その他、そつくりそのまま飾つてゐて、客をとつてゐた時分と寸分違はない部屋の様子だつたが、商売を止め店へ出ることをしなくなつてからは、殆んど一人の馴染も現はれず、たまに私が台所口から上つて、彼女の部屋へ通る位のものであつた。馴れ染め頃、その気立てを好き、女房にとまでのぼせた覚えのある私は、相当年月たつてゐながら、彼女がとしとつてゐるだけ床の工合も細やかな、花類が好きで、天気の日には洗濯することも怠らない、どこか世話女房風な肌合ひの、その都度行き届いたサーヴィスしてくれる相手に、六十近いやもめ男の泣き所摑まれてゐるみたいで、又既に何度か彼女をモデルにし、二人のしがない触れ合ひを作品にものしてゐる私でもあつた。書かれる方は、小説類などあまりみないN子は知らないふうで、拙作など読んだためしもなく、行き摺り客から、お前のことが書いてあるやうだ、どうもここの家のことらしい、とでもつッつかれたりすれば、あとで顔出した私に、そのこと一寸ほのめかすやうでゐて、深く糺しも、別段とがめだてもせず、もう書かないで、などと軽く駄目おす程度に止めるやうであつた。

無料で半年ゐたが、療養所にゐる間の小遣ひは自分もちだつたから、それまでにつもつてゐた借金含め、N子は合計三万円近くの借りを娼家へ持つてゐた。この四月になる迄、その方のカタつけるべく余儀なくされてゐるばかりでなく、商売してゐた時分と同じ青い畳敷いた部屋あてがはれ、女中みたいな役はしてゐると云ひながら、三度のものをただでたべさして貰ふ手前が、日まし暇になつて行つて、一週間の裡一二度位、四人よりゐなくなつた娼婦が一人残らずお茶ひくやうな模様に、もともと頭脳の古風な彼女は、段々たべるものも咽喉につかへる有様となりがちであつた。大男の主人は、この頃親戚の手伝ひ仕事に毎日程出かけてゐる、帳場あづかる玄人上りの女将も、ひどく愚痴ッぽい女に変りつつあつた。そんなこんなで、四月を待たず、一日も早く娼家を出、自由な空気を吸はないことには、一度ヒビのいつた体始め思ひやられると、N子はわが身の振り方に日夜心砕くやうであつた。

療養所から戻つて後、ゐる時間は前と同じでも、以前の三倍近い金置いて行く私の顔をみる度、唯一人の相談相手とある如く、おしろいも塗つてゐない、薄鼠色した面長の顔面きしませ加減、ふたことめにはそのこと云ひ出し、箱根の某温泉旅館へ行き、表面は女中だが、泊り客の所望にまかせて夜伽ぎもするやうな勤めをしてみてはどうかと思つてゐるのだが、などと持ちかける時もあつた。きいて、彼女達の境涯にしては、至極無理のない転向振りに、大体賛成してみせると、N子もそこへ行くには、間に話をとりもつ顔見知りの人間がをり、いつでもこつちの都合次第、と結構乗り気のやうであつた。が、若い身空ならまだしも、四十をこえ且つなほつたと云ふことになつてゐても、いまだに床の上げおろしが苦になるやうな病弱な体をかかへ、女中兼娼婦の役がいつまで勤まるものか。そこで働いてゐる裡、幸運にも彼女をひきとり、世話しようと云ふやうな奇特な人物が現はれるなら別のこと、中途倒れるか、旅館を追ひ出されるかして、ひと脚毎に暗い、身動きのとれないところへ落ちて行き、どうにか六十を迎へるまで生き永らへたにしたところ、保護うけてゐる老婆の大半が、前生涯体を売つて生きてゐた経験の持ち主だといふ、国立の養老院あたりへ辿りつくのが関の山なのではあるまいか、そんなゲンの悪い想像が、あとから私の頭にわいてくるやうであつた。

前に一度、N子はどこか子守り奉公の口でもないか、と半分溜息まじり、ふッと漏(もら)してゐた。その節のこと思ひ出し、次に彼女の顔みたところで、箱根の旅館の話も、ないよりましには違ひないが、それより根こそぎ脚を洗ひ、派出の家政婦にでもなつてみる気はないか、台所仕事など、もとからお手のものだといふし、映画もろくすッぽ見に行かず、昼間も家の中へこもつてゐるのが好きといふやうな持ち前なら、他人の家庭へ行つて、雑事や何かの用を足す仕事が、いつそ性に合つてはゐないか。いくら馴れてゐる仕方にせよ、段々寄る年波(としなみ)で、みず知らずの男の意のままになるやうな商売は、何んとしても云云と相手の反省求めるやうな口きき出してゐた。N子も、私の云ひ分、素直に耳傾け、家政婦結構、夜分体の安まるやうな勤めが大事と得心するふうだつたが、迚も小田原近ぺんでは、とひどく尻込みしてみせるのである。町中の銭湯始め、しめ出し喰はすやうな身分の女と、あらかじめ百も承知の上で、依頼先へこれを周旋し口銭(こうせん)とるやうな向きも、又それと知つてゐて、家事や何か委せるやうな家庭も、滅多にない道理であつた。又、口を拭ひ、素人風に装つてみたとしても、とんだ方面からお里がばれ、しッ尾が出てしまふかも知れなかつた。そんな心配のない、当人さへ堅く素性(すじょう)の知れないやう振舞つてゐれば、決して化け皮はがれる恐れのない、東京か横浜あたりへ行つて、都会地であればある程、需要の多い家政婦だとも云ふから、などと畳みこんで、口が酸ッぱくなる位、聞き手の尻たたく工合だつたが、どうもその場ではつきりした返答しにくいらしく、N子には多年しみこんだ稼業の垢を綺麗さつぱり洗ひ落し、家政婦如き素ッ堅気な身分に転向することが、一寸容易な業ではなささうであつた。まだ、四月まで間もあることだから、よく考へて置いて、とひと先づ私はその話をひつ込めてゐた。それより、目下背負つてゐる三万円近い借金の方が、さし当つて彼女には切実らしく、商売止めてゐる身では、そんな相談に乗つてくれる人なんか、みつけやうもどうしやうもないと云ひ出したりするので、その方ならなんとかする、と私は即座にのみこんでみせた。平生、何かにつけてケチ臭い人間ながら、彼女の場合が場合であり、ひとつには数々N子をモデルに作品を書いてゐて、先方がそのことには余り頓著しないのをよいことに、これ迄国立療養所を見舞つた折の外、お礼らしいお礼してゐない手前もあつて、彼女の借金はそつくり自分がひき受けてもいい気で、固く念まで押してゐた。きいてN子は、ひと方ならぬ有難がりやう示し、正月にはやもめ同志で一本でもお酒のまう、女将にさう云つて、少し位貰つてきて、数の子肴にしたりして、などと薄鼠色した、ひどく血色のすぐれない顔色多少気色ばませるやうであつた。

お茶ひきが多く、お通夜の晩みたい、家の中がひつそりするやうでは、娼婦達からの心づけも殆んどあるまいし、正月の髪結ひ代にもこと欠くかと、暮も大分押し詰つた時分、私はいくらかの金を用意し、例の如く台所口からはいつて、N子の部屋へ上つた。渡したものを受取つてから、元日是非こい、ごはんをたいて待つてゐると膝を進め加減である。雑煮とあれば、話の辻褄も世間並みだがと、のみ込みかねたこつちの顔つきみてとつて、彼女はたきたての御飯はおいしいものだと説明加へ、つづいてあすこにと云つて、窓先きの方肉のそげた手で指さし、空鑵(あきかん)の中へ三升ばかりのお米がはいつてゐるのだと教へたりした。娼家近頃の内幕に、三度の食事ただ頂戴するのも気がひけ、必要の時は自分でこつそりたいてたべてゐるやうな女であつた。

翌日、電話口へ出た女将にことづけ、元日はこつちの都合つかず、十日頃行くから、N子にさうつたへてほしいと、勝手にことわりの口上述べてゐた。溺れかけた者が、摑まうとする藁シベとなるのがいつそもの憂く、われから身をかはした寸法であつた。それればかりか、約束の十日となつても「抹香町」へ赴かず、正月中はずつとN子の顔見ずじまひの、二月もなかばとなりながら、まだ全然彼女の許へ脚を運んでゐなかつた。一度いたちの路きめこんだ最後、再びN子の顔見ないでゐるに越したことはないと、いよいよ私は逃げ腰はるふうで、又一方彼女の顔がまともにみられなくなつた、と云ひたいやうな心づもりでもあつた。近いうち、ひとに頼むか、書留郵便にするかして、N子の背負つてゐる借金とほぼ同額の金だけ届け、あとは一切知らないことにしようと腹をきめ、そもそも彼女に殉じ、運命を共にする気がない以上、なまじひに下手に深入りしたからとて、いつなん時、相手を裏切り泣きをみせるやうな羽目になるかも分らないし、とどのつまり、世間によくあるやうな切れ方して、こつちは首尾よく姿くらまさうと云ふのであつた。

正月に、N子のところへ寄りつかなかつた理由には、もう一つ、前々からのでんで、私の作品読んだのをきつかけに、小屋訪問思ひたつたある女性と、もう一年近く関係してゐるからであつた。三十を少し越え、大柄で色白の、目方も十五貫余、上背が五尺三寸からある女は、ひと口に云つてしまへば半玄人と云ふ身状の、生れは神戸だが、戦後単身東京へ出てきてからは、銀座へんのキャバレー振り出しに、料亭の女中、老政治家の妾等転々としてき、一度も世帯の下にはいつたことのない女で、ひと晩小屋へ泊つて行くことが相当度重なつても、帰りがけその都度汽車賃と称し、私の手許から二三千円位もつて行くだけの、今もつてその住所はいつかな明かさないやうな工合でもあつた。が、埃ッぽい部類にせよ「抹香町」あたりの女達とは又趣きの別な、どこか東京の街すぢの匂ひもするやうな女盛りの大女抱いて、いまだに飽きること知らず、先方もどうした風の吹き廻しか、正月には二日にき、十三日き、晦日近くの二十八日にも、いつもの流儀で何の前触れなし、突如現はれてゐた。お互に、気は許さないにしたところ、肉体方面は存分距てのない交り続ける、そんな相手あることで、私の脚が余計「抹香町」から遠のくのであらう。が、住所明かすことしない女は、二月にはいつてまだ一度も姿みせてをらず、彼女に求婚する者も出来たらしい折から、毎度汽車賃出し渋る、しみッたれた爺の小屋など、てんで頭になくなつてゐるのかも知れなかつた。

金だけ届け、N子の顔はもう見まいとし、東京の三十女も現れないとなれば、私はいやでも腰を上げ、ひと先づ勝手知つた街へ赴き、新顔探してその方の用たすしかなかつた。既に、としてでもあり、結婚はきつぱり断念したつもりながら、まだそれと手応へがなくもない、男である部分まで、この際潔く抹殺してしまふ気にはどうもなれない往生ぎはの悪い私は、この先どこでどんな女とどんなかかはり合ひもつのであらう。

私事はそれとし、いまだ娼婦の更生機関な

ど影も形もない小田原あたり、それとは丁度裏腹な、一泊三百円也の連れ込宿が、日につい で出来て行く模様であつた。とし甲斐にない私如き、どつちみちものの数でないとして、さしづめ女房もつことがめんだうな世の多くの若者達には、今迄より高いものにつくとしたところ、別な方面に安全弁が如才なく用意されつつある勘定であつた。

が、時も花の四月に、「抹香町」が姿消すとは、一抹の哀感なきを得なかつた。わが半生、東京でも小田原でも、主として娼婦の腹の上を転々とし今日に到つた、と見做してもさして大袈裟な謂でなく、一度はかりにも妻にしようとまで心にきめたことがあるN子ぐるみ、馴染の娼婦街が消えてなくなつてしまふのであつた。

まさか、昔の刑場あとが、いにしへに還つて、ペンペン草の繁みにまかせるなどとは考へられない。二月にはいつて、五六軒店じまひした家もあるが、ひと昔前「抹香町」の為め潰れた「新地」の轍を踏み、ばらし甲斐のある建物は、ばらして箱根の山へでも運んでゆき、温泉旅館か近頃流行の会社の寮にでも変化するか、外側をコンクリートで塗り窓つけた、洋風の二階建は、さしづめ貸し間専門と云ふことになつて、天気のいい日は手摺りや何かに夜具・蒲団類が並べられ、晩方には部屋の隅や廊下から、炊事の煙りが漂ふ光景みせるか。ある家は土台石まで、あまさずとり除かれ、その跡へ木工細工の原料が山と積まれたりするか。又、風俗営業（何の意味かよく分らない）と新たに呼称され出した料理屋・のみやが模様換へして出現するかも知れず、非風俗営業と呼称されるところの旅館（一泊三百円也?）・飲食店もぽつぽつ出来始める運びとなるものか。が、いづれにせよ、昨今の不景気控へ、場所柄も寺の多い町端(はず)れだし、一、応娼婦のゐないことになつた一劃が、往時の繁栄呼び戻すなど、所詮むづかしい話ではないのか。

それより先づ、ちんちくりんで上背も五尺に足りず、身寄りも殆んどない、正月には内(ない)緒(しょ)で御飯たいたりして、私のくるのを待ち暮してゐた時があつたかも知れない老娼婦の消息は、この分だと皆無雲を摑むやうな次第になりかねなかつた。

『群像』（昭和33年4月号、講談社）初出

亀戸天神裏

大林清

一

昼間見ると、その街は荒涼たる風景の中にある。

東西に中川、横十間川、南北に竪川、北十間川にはさまれた江東亀戸町は、精工舎、日清紡績、日立製作、東洋モスリンその他大小無数の工場に囲繞されて、戦災前は煤煙に陽もかげるほどだつたが、今はそれらの工場の大部分が、いたづらに煙突を林立させ、焼爆の創痍癒えぬ面貌を白日の下に曝してゐる。

だが、その街だけは、夜ともなれば周囲の濃い闇から切りはなされて、活き〳〵と灯影によみがへり、建ちならぶペンキ塗りのバラックの窓々をいつぱいにあけ放す。

脂粉の街、廃頽の街、性慾の街、亀戸天神裏の私娼窟がそれであつた。

十二時を廻つても、珍しくまだ泊りの客のつかない秋子が、形だけカフヱー風に作られた店のテーブルに化粧鏡を立てゝ、肌のあれをパフで叩いてゐると、入口の戸にぶつかりながら、一人の男が入つて来た。

外から品定めもせずにいきなり入つて来るのは、泥酔した客か馴染にきまつてゐる。

秋子は期待と警戒を半々に泛べた顔を上げた。

若い男であつた。上着なしのワイシャツに黒のズボン、靴は旧海軍の短靴。たいして酔つてはゐないらしいが、青黒い顔に眼が鋭い。髪も乱れてゐる。顔立にはまだどこか少年のあどけなさがあつた。と云つても、二十七八歳にはなつてゐるであらう。

「遊んでいらつしやいよ、いゝんでせう!」

秋子は職業的な媚びを眼もとにこめた。

男はうなづきながら、追はれてゞもゐるやうな落着のない様子で、

「朝までいくら?」

「十枚でいゝわ。」

「千円?」

「さう、おそいから。」

千円は泊りの最低である。それ以上はこの客には無理だと思つた。

「いゝだらう。」

男はもう上り端へ腰を下して、靴を脱ぎはじめてゐる。

秋子は卓の上の鏡を伏せ、窓と入口のドアをしめた。朋輩の幸子と染代はそれぐ〵に泊

りの客を取つて、部屋へ入つてしまつてゐるから今日はこれで終業であつた。

「ごめんなさい、待たして。こつちよ。」

土間から上つて案内に立つた。

細長い三畳の部屋である。鏡台に小引出、電気スタンド、どれもここへ来てから買つた安物ばかり、あと装飾と云つては、アメリカの古雑誌から切り取つて壁に貼つた裸体美人画、それから映画俳優のブロマイド。往来に面した窓には、昼でも室内が暗くなる仕掛の暗幕が引いてあつた。

「今お茶持つて来るけど、おそいから先にお床敷いときませうね。」

秋子はさう云つて、さつさと押入れから夜具を出した。やれ〳〵これで今日も終つたと思ふ以外には、何も感動も昂奮もなかつた。ここへ来てから半年目の今日この頃になつて、やうやく職業と感情を分離出来るやうになつたと、自分では思つてゐる。

男は片隅へうづくまつて、ぼんやり秋子の手もとを見まもつてゐた。

「煙草あがらないの？」

「切れちまつてるんだ。」

「光でよければあつてよ。」

秋子は小引出をあけ、サックと同居してゐる吸ひさしの光の箱を出してやつた。

男はうまさうに一服して、どうやら気分が落着いたらしい。壁によりかゝつた姿勢で、両脚を投げ出し、はじめて秋子の顔をしげしげと見まもつた。

秋子は古着屋で出来るだけ安く派手なのをと選んで買つた錦紗を着てゐた。白昼の光では汚点(しみ)だらけなのだが、夜は結構それで胡麻化せた。女を買ひに来る男は、着物など眼につく色彩のものなら何でもいゝらしかつた。

「ぢや、きまりのものお願ひ出来る？」

男はうなづいて、ズボンのポケットから裸の札束を抜き出し、十枚をかぞえた。いくらも残らないやうに見えた。

「済みません、先にお寝みになつていらしつてね。」

秋子は無雑作にそれを受取り、奥へ入つて行つた。

茶の間では秋子たちが「ママさん」とか「お母さん」とか呼んでゐるこの店の女主人の澄江が、千円づゝ折つた紙幣をそばへ置いて、帳面をつけてゐた。

秋子は、これお願ひしますと、持つて来た紙幣をちやぶ台の隅にのせ、勝手もとへ茶を取りに立たうとした。

「どんなお客さん？」

澄江が大学ノートから眼をはなさずにさうきいた。

「若い人。」

「さうらしいね。何だか陰気ぢやないか、気をつけた方がいゝよ。」

澄江はもう十五年も前から、この亀戸で稼業をしてゐる。その前はやはりこの土地の、その頃は銘酒屋四百軒をかぞえたと云ふ全盛時代の娼婦(でかた)であつた。蔭で声を聞いたゞけで客の素性を適確に看破する慧眼は、さう云ふ経歴から来てゐた。

今は昔とちがひ、主人は娼婦たちに食住を供給し、その費用として分合を取る形式になつてゐる。前借で女を縛れなくなつたことがこの世界では大きな革命だつたが、さうした変動にも、澄江は逸早く頭を切り替えて来た。それ〴〵事情があるにせよ、転落して来る女たちは、例外なく家庭の愛情に餓えてゐる。家庭的愛情で遇することが、女たちを長くゐつかせる無形の前借だと云ふことを、澄江はよく知つてゐた。

二

部屋へ帰つてみると、男はもう床へ入つてゐた。秋子が帯を解きはじめても、身動き一つしなかつた。

電燈をスタンドだけにし、掛布団の端をめくつて、からだを滑り込ませた。そのまゝ仰向いて天井をみつめる。起きてゐるうちは気が張つてゐるが、かうして横になると、からだの芯から疲労がにぢみ出て来て、ものを考へるのも大儀になる。触れあつてゐる男の汗臭さと体臭もたいして気にならなかつた。

さつきまで聞えてゐた隣近所の店の女たちの嬌声も絶えて、亀戸三丁目のこの界隈も、さすがに深夜の静寂に飲まれてしまつてゐる。

秋子は身じろぎして、男の寝息をうかゞつた。

「ねえ、ねえ……ほんとに寝てるの？」

「うむ」

寝てゐた声ではない。

「こつち向きなさいな。」

秋子は自分の方からからだをねぢむけた。遊び馴れないで、はにかんだり、逆に尊大にかまえたりする客がよくあつた。そんな客にはこつちから水をむけてやらなければならなかつた。

「遊びませうよ。」

男は心もちからだを固くしたまゝ、まだ仰向いてゐた。

秋子は股の間へ男の太腿をはさんでみた。

「考へごとをしてゐるんだ。」

男は秋子の脚を押しのけた。

「遊ばないの？」

「うん、寝ていゝよ。」

秋子は体面を傷つけられたやうな気がした。こんな客ははじめてゞあつた。気をつけた方がいゝと云つた澄江の言葉が思ひ出された。夜中に青酸加里でも飲まれたらたまつたものではない。

男は眼をあいて、天井をみつめてゐた。店へ入つて来た時の険しさが消えて、澄んだきれいな眼であつた。

「何か悩んでることでもあるの？」

「探してゐる者がゐるんだけどね、この土地に島田延子つて女ゐないか。」

たいして期待してゐない訊き方であつた。

「島田延子？　さア……その人を探してるの？」

睡む気のさして来るのを追払はうとして、秋子は二三度まばたきした。疲労のはげしい時は、客を遊ばせながら睡つてしまふこともあつた。

「亀戸へ来てゐるつて聞いたんだ。」

「その人があなたの好きな人か何か？」

半ばからかつたつもりである。大抵ならこの辺で、馬鹿云ふないとか、実はさうなんだとか、こつちの誘ひに乗つて来るところだが、男はだまりこんでしまつた。冗談にする筈の言葉が宙に浮いて、秋子は引込みがつかなくなつた。

「聞かないわね、その名の人は。今ここにはあたしたちみたいな女が二百人ぐらゐはゐるんだけど。第一しよつちう動いてゐるでせう。早いのは今日来て明日やめちやふし……」

「あんたいつ来たんだ。」

「三月前よ。」

ここでの生活を短く云つて、なるべく初心（うぶ）らしく見せかける習性がついてゐるせいで、秋子はつい嘘をついた。

「やつぱりその頃らしい。熱海の糸川べりから住み替えて来た筈なんだ。」

「熱海であなたの遊んだ人なの？」

「さうぢやない、前から知つてゐた女さ。熱海にゐると聞いて行つたら、もうこつちへ住み替えたあとだつた。」

「明日組合で聞いてみたらいゝわ。ここの女たちの本名ののつた台帳があるから、事情を云つたら調べてくれるわよ。この家の並びを右の方へ行つたところに、亀戸カフェー商業協同組合つて看板が出てるわ。」

「うん。」

男は浮かない返事をした。

秋子はもう瞼が食付いてはなれなくなつた。島田何とかつて女が、この男の情婦（いろ）だつて許嫁（いひなづけ）だつて何だつていゝぢやないか、こつちの知つたこつちやありやしない。

「あんたほんとに遊ばないの？　寝るわよ。」

かつた。
「お金捨てるみたいでつまらないぢやないの。」
まだ義務の観念が残つてゐて、秋子は男の前を手で探つてみた。昂奮してゐる様子はな
「あゝ、寝てくれ。」
「ほんとだ、あんた聖人ね。」
おかしくなつてくす〳〵と笑つたのが、もう夢心地であつた。仰向けになるが早いか、
軽い鼾をかきはじめてゐた。

三

秋子が男を送り出してから、洗面を済ませて茶の間へ入ると、染代が化粧を落した時の
青黄色い不健康な顔をして、一人でぼそ〳〵茶漬を食べてゐた。
「ママさんは?」
「知らない、どこかへ出かけたんだらう。」
染代の不愛想は今日にはじまつたことではない。もと渋谷あたりで芸者に出てゐたこと
があるとかで、齢は三十を二つ三つは出てゐるであらう。泥水が皮膚の毛穴の一つ一つに
泌み込んでゐる感じの女で、秋子や幸子などは頭からなめてしまつてゐる。自分の方から

口をきくことがなく、決して胸を打ち割つて見せないが、客には蜜でもなめさせるやうに愛嬌がいゝ。見てゐて胸の悪くなるほど色気があつた。

「幸ちやんと秋ちやんも、お客の取り方は少うし染ちやんを見ならふんだね。」

澄江はいつもさう云ふ。

染代は決して客を数取らなかつた。きまりのものしか払はない客は見むきもせず、祝儀をはづむ客となると摑んではなさない。だから、秋子や幸子が一日に七人客を取るところなら、染代は四人か五人で済ませて、しかも稼ぎは多いのである。

「こつちは生身なんだもの、無理な稼ぎをしてたら長もちしないよ。」

染代はさううそぶいてゐた。

だが、そのやうな染代にも抜穴は一つあつた。倉田と云ふ遊び人の情夫がついてゐて、時々こつそりとカフヱー・スミヱの裏口から訪ねて来たり、天神様の境内で会つたりしてゐた。倉田は三十一二才の苦味走つた男で、来るたびに染代の稼ぎ溜めた金を、洗ひざらひ持つて行つてしまふらしく、それが証拠には、倉田が来たあと、染代は好きな煙草も買へず、味気なく配給の刻煙草を吸つてゐることがよくあつた。

染代は茶漬をかつこんでしまふと、さつさと食器を勝手もとへ運んで、自分の部屋へ引取つて行つた。

入れちがひに、花模様のワンピースを着た幸子が、何か流行歌を口づさみながら入つて来た。

「お早やう、今頃朝御飯？」

幸子は小娘のやうに快活に、秋子の向ふ側へすわつた。

「どこへ行つて来たの？　あゝさうか、滝森さんを送つて行つたんだね。」

秋子は冷えた飯を頬張りながら、幸子をからかつた。

昨夜幸子に泊りをつけたのは、滝森と云ふN大学の学生で、幸子がN大附属病院へ内科の診察を受けに行つた時の知合であつた。会社の女事務員から、何か複雑な事情で家庭を飛び出して、この土地へ堕ちて来た幸子は、女の成熟の片隅に、まだ何か稚なさを持つてゐて、滝森が大学生と云ふだけではじめから夢中になつてゐたし、滝森の方もどうやら真剣らしく、三日か五日に一度ぐらゐの割で、幸子の客になりに来てゐた。

「さうよ、駅まで送つて来たの。あのね、ちよつと相談があるのよ。」

幸子は染代の去つて行つたあとをうかゞつてから、ちやぶ台の上へからだを乗り出すやうにした。

「あたし結婚するかも知れない。」

「え？」

秋子は耳を疑つて、幸子を見まもつた。

「ほんとよ、だつてあの人がさう云ふんだもの。お母さんと姉さんを説き伏せさへすればあとは誰も反対する者はゐないんだつて。」

「あんたそれ正気？」

「モチ正気よ。」

幸子は頬をふくらませて見せた。相談するのではなくて、胸に包んでゐられなかつたのが本音らしい。

秋子は際どいところで話を外らした。

「さう、さうなつたら何をお祝ひしてあげようかな。」

幸子はほとんど秋子と同じ時期にこの世界へ踏み込んで来た。商売の飲み込みはむしろ秋子より早く、秋子のやうに変な人情に縛られたりすることがなく、いかにも戦後の娘と云ふ感じであつた。それが結婚と云ふ女の夢の前には、こんなにももろく、自分自身の判断を誤つてしまふのであらうか。

客は馴染になると、どうだ結婚しないかぐらゐのことは大抵云ふ。むろん口先だけである。かうした場所で働く女たちの虹のやうな遠い夢が、たとへそれがどんなすれつからしの女にせよ、世間なみの結婚にあることを、客の男たちはよく知つてゐる。それを好餌にして、少しでも女を夢中にさせたい、もてたいと云ふ男の魂胆は見えすいてゐた。

仮りに客が真剣にそれを望み、万難を排して結婚したとする。人間に過去がついて廻る限り、その結婚生活には必ず破端が来る。実例は秋子がここへ来てからでも、周囲に幾つかあつた。

「いゝよ、本気にしなくつても。そのうちにあつと驚かせちやふから。」

「どうぞ。」

「昨夜のあんたのお客変つてたわね。いま栗原橋んとこで会つたけど、何だか身投げでもするみたいに川をのぞきこんでた。」

「さう。」

秋子はいかにも関心がないやうに答へた。

幸子の部屋とは壁一重なので、お互ひに客との話は筒抜けなのであつた。昨夜の男の話がふと思ひ出された。女を尋ねてこの街へ来たのだと云ふ。客の話など半分嘘に聞く癖がついてゐるのだが、何か心に残つてゐるものがあつた。二十七か八の血気の男が、女の体温に触れてゐて、最後まで手を出さなかつたと云ふ奇蹟のせいかも知れない。

四

その男がまたやつて来たのは、それから十日ばかり後の、遠雷の聞えてゐる宵の口であつた。

「ちよいと、よつてらつしやいよ。ねえ、お話があるのよ。」

入口に立つて、甘つたるい声をかけてゐた染代が、ふいと口をつぐんで、秋子のよりかかつてゐる窓際をふりかへつた。

「あんたのお客だよ。」

秋子もまさかにそれが、あの夜の薄汚なく汗臭い青年だとは思はなかつた。

男は汚れのない白ズボンに鼠の上着を着て糊のきいたワイシャツに、ネクタイさへ締めてゐたし、髪にも櫛目が入つてゐた。

「この間は……」

秋子に目礼して笑ふと、どこかまだ翳のある表情にはちがひないが、皓い歯が印象的であつた。

秋子はしばらく男をみつめてゐてから、われに返つて部屋へ案内した。

「人ちがひしたわ。」

「馬子にも衣裳つて云ふからな。」

男はてれたやうに笑つて、壁際へよりかゝり、足を投げ出した。

「そんな意味ぢやないけど……」

云ひながら部屋を出て、茶を運んだ。妙に胸がはづんで、化粧のムラが気になつたりした。

「今日は、お泊り?」

男は腕をかざした。この間はなかつた時計が、そこに光つてゐた。

「帰るかも知れないが、泊りをつけとかう。」

「ぢやお床敷きませうか。」

今夜は遊ぶ気で来てゐるのが、秋子にはわかつた。押入から夜具を引き出してのべながら、

「探してた人みつかつたの?」

男は首を振つて、ポケットから札束を摑み出し、千円づゝまとめたのを三つ、茶盆の下にはさんだ。

「でも、この前とは感じが変つてるわ。」

「その話はよしてくれ、馬鹿々々しい。」

声は低いのだが、秋子がぎくりとしたほど強い調子であつた。眉間に深い縦皺をきざんで、横にころがつた。

秋子は床を敷きおへてから、はじめて気づいたやうに、茶盆の下の紙幣を手にした。

「あら、こんなにいたゞいちや多過ぎるわ。」

「かまはないよ、取つときな。」

投げやりで不逞なところも、この前のおど〳〵した男ではなかつた。

秋子が茶の間へ金を持つて行くと、染代か幸子が告げでもしたのか、澄江はあがつたの

がその男であるのを知つてゐた。

「ばかにいゝ恰好をして来たつてね、これぢやないかい。」

澄江は声をひそめて、人差指を鍵にして見せた。

「まさか。」

否定はしたが、秋子の胸を刺すものはあつた。

「近頃の若い男は油断がならないからねえ。」

澄江も別に、深い意味で云つたのではないらしかつた。

男はこの間のやうに、床へ入つて秋子を待つてゐた。

「やつぱり帰らう、十一時にはここを出る。」

「ぢや時間で遊べばよかつたのに、さうしたらどう？」

秋子は解きかけてゐた帯の手をとめた。こんな商売の仕方を、染代なら嗤ふかも知れない。

「いゝんだ。ある時は使ふんだよ、船に乗つてゐたからな。」

「あんた船員さん？」

「海軍だつたんだ。」

「あゝさう。陸（おか）へあがつた河童ね。」

秋子が入つて行くと、男は腹這ひになつて枕もとに置いてあつた煙草を取つた。

秋子も同じ姿勢になり、男のライターを擦つてやつた。

「君はどうしてこんなところで働いてるんだい。」

「そりや云ふに云はれない事情があつてよ。」

お定りの客の問ひに、お定りの文句で答へる習性がつい出て、秋子はすぐそれを取消すやうに、

「誰も好きでこんなところへ来る者はないわ。考へるといやんなるから、考へないことにしてるの。」

今度は本音であつた。

秋子の両親は静岡県清水にゐる。以前はかなり手広く茶の仲買をやつてゐたが、戦争でそれが駄目になつた。終戦後立ちなほるにしては、父親が齢をとり過ぎてゐた。秋子の二人の兄のうち、一人は戦死し、一人はいまだにシベリヤから還らない。そこへ父親が茶の売買に手を出して、大きく負債を背負ひ込んでしまつた。その負債を月々償還し、併せて一家の生活を支へて行く責任は、いやでも秋子の肩にふりかゝつて来た。会社勤めもわづかの期間してみたが、とてもそんな収入では追付かなかつた。

娘が親のために身売をするのは封建的だと云ふが、結局さうするよりほかに方法はなかつた。たゞ前借で縛られないだけのことである。ここにゐれば、ともかく食住主人持ちで月に二万や三万の収入はあつた。手取り三分余りの割でそのくらゐにはなつた。

「好きで来る者はないだらうな、いゝ商売ぢやない。」

男は煙草をはさんだ手で額をおさえた。

秋子はふいと、彼の探してゐると云ふ女のことを想ひ泛べた。

「島田さんて人のことを考へてるのね。」

男は秋子を見たが、今度ははげしい声を出さなかつた。

「復員してからずつと探してゐたんだ。」

「恋人？　許嫁？」

男の眼が燃えた。憤りと憎しみと悲しみがまぢりあつて、炎を吐き出したやうに見えた。

突然、その手が煙草を灰皿に擦りつぶし秋子を押しころがして来た。

秋子は呼吸をはづませた。この稼業をはじめてからはじめて感じる昂奮であつた。つゞいて男に強く抱きしめられると、からだが火のついたやうに熱くなつた。もう商売の意識はまつたくなく、男の股の間をうはづつた気持で探つてゐた。

五

酒も料理もない五十軒のカフヱーの、妖（あや）しい色電気の光芒の中では、まだ人影がうごめき甲高い女の嬌声が交錯してゐた。

秋子は先に立つて、北十間川の河岸まで出た。

十一時が来て、男に上着を着せる時、そのポケットの重いのに気づいた。何気なく手をさし入れてみると、冷たく固いものが指先に触れた。息の根もとまるやうな気がしたのはそれが拳銃とわかつたからである。

男はあはてゝ上着を引つたくり、自分で手を通した。

「そこまで送つて行くわ。」

秋子は落着を失ひ、男のあとから店の土間の草履を突かけた。兇器を所持した客を上げた場合、警察へ密告するやう内達があつたのだが、そんなことはまるで念頭に泛ばず、ただ男をこのまゝ危険の中へ放してやる不安におろ〳〵してゐた。

「もうここでいゝ。」

男は栗原橋の袂に立ちどまつた。

その橋の向ふには、焼けた工場の残骸が奇怪な影をゑがき、北十間川の水は黒く闇を沈めてゐた。

「あたし、あなたを帰したくないわ。」

秋子はさう云ひながら、これは愛情の言葉だと思つた。何の理由で何故さうなつたのかは、自分でもわからなかつた。

男はだまつて秋子を見すえた。

「あなたのポケットには、怖いものが入つてゐる。それ捨てゝ行つて！」

秋子の腕は、その途端、男の手に強く摑まれた。

「俺が怖いか。」

「あなたは怖かない。」

「俺が悪党でもか。」

秋子はうなづいた。

男は秋子を突きはなして歩き出し、橋の中ほどまで行つたところで、よろめくやうに欄干へもたれた。

息を飲む想ひでみつめてゐた秋子は、草履を鳴らしながら追つて行つた。

男は欄干に重ねた腕の上へ突伏してゐた。

「どうしたの、ねえ。」

肩へ手をかけると、その肩が細かく波打つてゐる。

「何を、あなたして来たの？」

男は顔を上げた。

「いゝえ、云はないで！　云つちやいや！」

男が何か云ひ出したら、秋子は耳を覆つてしまつたにちがひなかつた。

だが、男は何も云はず、ポケットを探つてゐたが、

「これだらう、捨てるぜ。」

黒いものが男の手の中から躍り出た。闇に吸はれたと思ふと、ちよつと間をおいて、水音が聞えて来た。暗さに馴れた眼には、星を映した川水の鈍く光る面が、そこだけかすかに揺れて見えた。

「また会はう、きつと来る。」

「えゝ。」

男は秋子の手を探つて、強く握りしめ、急に身をひるがへすやうに歩き出した。

秋子は長いことそこに立つてゐた。このやうなたまらない孤独を感じたことは今までになかつた。やうやく気を取りなほして、カフヱー街へ引きかへした時は、いつの間にそんなに時間が経つたのか、灯を消し、表戸をしめてゐる店が多かつた。

カフヱー・スミヱも暗くなつてゐた。裏口から入るつもりで、横丁へ曲つて行くと、勝手の木戸のところに人の気配があつた。

「だからよ、ちよつと顔貸してもらひてえつて云つたらいゝだらう。」

男の声が押し殺した調子で云つた。

「さうはいかないんだよ、たのむから今日はおとなしく帰つて。」

木戸の中は染代であつた。例の倉田が染代に会ひに来てゐるらしい。

秋子はそんな場面へ出て行くのがいやで、羽目へ身をよせた。

「何を云つてやがる、てめえうまいことを云つて、上村に惚れてるんだな。」

「よしてよ、冗談ぢやない。」

「だつて……」

「だつてつたつて、今あんたが顔を出したら何もかもぶち壊しぢやないの。」

「かまはねえよ。」

「それぢやあたしが困るよ。」

「困つたら住み替えるさ。ともかく今夜中に一本か二本要るんだ。ぐづぐづ云ふんなら、お前の部屋へ上つて行つて、上村に談判するぜ。」

「困つたね、ぢやいゝわ。」

染代は懐中でも探つてゐるらしい様子だつたが、

「これ持つて行きなさい、五千円あるから。」

「何だ、持つてるんぢやねえか。」

「ママさんに渡すお金よ。あとはあとで何とかするわ。」

白つぽい背広を着てゐる倉田は、渡されたものをポケットへねぢこんだ。

「せめて一本欲しいんだが仕様がねえ。ぢやまた二三日うちに来る。」

「昼間ひまならうちに来ておくれよ。」

「夜は上村が来るからか。」

「ばか。」

倉田の手がふいに染代のからだをたぐりよせ、二つの影が一つになつた。

秋子はやもりのやうに羽目板に張りついたまゝ、身動きも出来なかつた。

染代がうめきながら身悶えして、倉田からはなれようとした。

「よして！　からだが熱くなる、つきあつてもくれないで……」

倉田は乱暴にもう一度引きよせた。それが終ると、染代は涙声で叫んだ。

「帰つちやいや！」

「何を云つてやがる。」

倉田がはなれようとするのへ、今度は染代の方から取りすがつた。その胸へ顔を伏せて子供のやうに頑是なく泣きじやくりはじめた。

秋子は眼を上げて、暗い江東の夜の星を見た。染代も自分もこめて、ここで働く女たちの運命の哀れさが胸に泌みた。

六

幸子の結婚が本極りになつたのは、盛夏に入つてからであつた。七月いつぱいで店をやめ、いつたん埼玉の家へ帰つてから、九月頃結婚と云ふ段取りらしかつた。

「ふん、どうせまた舞ひもどりだよ。」

染代は蔭へ廻つて憎まれ口をきいた。

幸子が店を去る日は、夕立になりさうな蒸暑い午後であつた。澄江と染代はカフヱー街の外れまで、秋子は省線亀戸駅まで送つて行つた。

幸子は殺風景な広い往還を何度も何度もふりかへりながら歩いた。

「天神様へお別れ云つて来るの忘れたけど、あんた代りにお詣りしといてね。」

そんなことも云つた。

「あたしかうして歩いてゐたら、亀戸の女に見えるかしら？」

さう訊いたりした。

「大丈夫よ、絶対見えないわ。」

デシンのワンピースを着て、身の廻品を詰めたボストン・バック一個をさげてゐる幸子は、事実そんな女には見えなかつた。だが、その肉体に焼きつけられたここでの生活の烙印は、もうどうにも拭ひやうがないではないか。そのことを思ひながら、秋子は幸子のためにもつと喜んでやるべきだと思ひながら、心の沈むのをどうすることも出来なかつた。

亀戸駅で幸子と手を握つた時は、秋子もさすがに涙が出た。鄙びた駅の階段へ、ふりかへつて手を上げて行く幸子を見送つてから、眼のくらむやうな太陽の直射の中へ出た。見るから暑くるしいマッチ箱のやうなバラックの建ち並んだ日蔭のない街であつた。

幸子にたのまれたからでもなかつたが、カフヱー街へ曲る角を通り過ぎて、天満宮の境内へ入つて行つた。古い昔からの名所と云はれる亀戸天神も、崩れた土塀に焼失前の立派さを偲ばせるだけで、お宮も鳥居も、有名な太鼓橋も、戦後の造営になる間に合せであつた。境内の樹木は無残に焼けたゞれて手足をもがれ、池だけがわづかに蒼古の色をたゝえてゐた。

秋子は拝殿に立つて、十円紙幣を賽銭箱に投げ入れ、何を希ふ気持もなく合掌した。帰りは近道をするつもりで、裏へ抜けて行つたが、ふと、本殿の裏手から出て来た人影に眼をとめた。

派手な色のシャツに、鼠のズボンをはいた倉田と、本郷辺の医療器具店の主人で、染代に通ひつめてゐる上村であつた。上村の方は渋い色合のお召を着流してゐた。

向ふも秋子に気づいたらしかつた。倉田は何か二た言三言上村に云ふと、拝殿の方へ別れて行つた。

秋子はそしらぬ顔で行き過ぎようとしたが上村が後から来ながら声をかけた。

「お詣りかね。」

「えゝ。」

仕方なくふりかへつて会釈した。

「案外信心深いところがあるんだな。」

上村は追ひすがつて並んだ。頭が禿げてゐるのと肥満してゐるのとで、置物の布袋を聯想させる男だが、背丈は五尺一寸の秋子と大差なかつた。

「どうだ、そこらで氷でも飲んで行かないか。」

「結構ですわ、染ちやんに怒られるから。」

「はゝゝ、染公にはこつちで怒ることがある。今の男知つてるだらう。」

「え？」

秋子はとぼけて見せた。

「倉田つてゴロツキさ。染公と二人で、わたしをいゝカモにしようとかゝつてやがる。こつちだつてめくらぢやない、さう云ふ女だとはとうから睨んでゐた。」

上村は憤懣を制しきれないやうに云つた。秋子にまで馬鹿にされまいとして、先手を打つてゐるらしかつた。

秋子は返事のしやうがなくだまつてゐた。

いつかの夜の倉田と染代の密語を耳に挟んでゐるので、大体の経緯（いきさつ）は想像がついた。

「かうなりやア意地だ、ママさんに談じこんで、染代の奴をこの土地にゐられないやうにしてやるさ。」

「染ちやんてそんな悪い人ぢやないと思ふわ。」

平生は反目してゐても、いざとなると、弱い者同志の同志感があつた。

「いやア、あんなヒモのついた女を置いてたんぢやア店の商売にさはるよ。今の亀戸は昔とちがふんだ、もつと明朗でなけりやいけない。」

上村はきほひこんでゐた。境内を出て、しぜんにカフヱー街へ足をむけてゐたが、それと気づいたらしく、普門院の墓地の見えるところで急に立ちどまつた。

「おつと、わたしは用事を忘れてゐた。これからちよつとほかへ廻る。どうだい秋ちやんこれから仲よくしないか。実を云やアわたしははじめつから、染代みたいなあばづれより君の方が好きだつたんだ。」

「駄目々々、今更そんなうまいこと云つたつて、その手には乗らないわよ。」

「はゝ、まアさう思つてゐるさ。いまにこの布袋がいやつてほど可愛がつてやるから。」

上村は自分でも布袋に似てゐるのを知つてゐるらしく、太鼓腹を揺すり上げて笑ふと、小手で陽ざしを遮りながら、電車通の方へ遠ざかつて行つた。

七

染代が突然亀有の私娼窟へ住み替えて行つたのは、秋子が天神境内で上村に会つてから一週間と経たない後であつた。

澄江はそれについて何も云はなかつたが、店の上顧客(とくい)である上村の力が働いたことは、秋子にも感じられた。幸子と染代が去つたために、それから二三日は秋子一人になつてしまつたが、後釜探しに彼方此方と奔走してゐたらしい澄江が、その日は暑い日ざかりを汗まみれで帰つて来て、やつと小岩から一人来ることになつたよと、愁眉をひらいた顔で告げた。

戦前娼家四百軒を数へた亀戸が、現在五十軒に減つてゐるのは、終戦後ここから新小岩小岩、亀有、立石へ分散したからで、中でも小岩は七十軒の娼家を擁してゐた。

夕方になつて、その女がやつて来た。たいして美しいと云ふのではないが、男好きのしさうな丸顔の小柄な女で、この稼業に馴れてゐるらしく、一と休みするひまもなくすぐ着物に着替えて店へ出て来た。

「あたし今度御厄介になることになつたんですけれど、どうぞよろしく。」

新参の女は人懐こく秋子に挨拶した。

「どうぞ、あたしこそ。」

二人は窓から外の見える位置に、並んで腰を下した。まだ薄明るい時間なので、素見客(ひやかし)も少なかつた。

「こちらのお母さんとてもいゝ方らしいですね。」

「えゝ、ママさん家庭的よ。」

秋子は当らず障らずに答へた。朋輩をつかまえて、いきなり主人を褒めるなどは、心憎い悧巧さであつた。

「これ小岩で使つてゐた名刺なの。」

女は帯の間から、小型の名刺を出して、卓の上へ置いた。娼家の店名と、姓のない蝶子と云ふ名と、住所が刷り込んであつた。

「あたし萩野秋子、本名なの。」

「秋子さんね、あたしの本名は島田延子、延子なんてつまらない名でせう。」

秋子はふと、どこかで聞いた名だと思つた。そのあとから、あッと声をたてたいほどの驚きがこみ上げて来た。

延子の名は忘れてしまつてゐたが、島田の姓は記憶にあつた。二度来たきり姿を見せぬあの男が、探してゐる女だと云つて口にしたものなのである。

その時、もし延子が、通りがかりの素見客をみとめて立ち上らなかつたら、秋子の驚きに気づいたにちがひない。

「お先にかまはない?」

延子にふりかへられ、秋子は狼狽してうなづいた。

延子は馴れた調子で呼び込みをはじめた。その客は通り過ぎたが、あとから一人、会社員風の若い男が入つて来た。簡単に延子と話がまとまつた。

「ごめんなさい、お先へ。」

延子は飽くまでも愛想よく仁義を通して、奥へ消えて行つた。

幾度考へてみても、島田延子の名は、あの男の探してゐた女のものにちがひなかつた。その癖、延子にあの男のことを教へてやる気には全然ならず、むしろあの男のここへ現れる場合を考へて、その時はどうしたらいゝだらうと思ひ悩むのであつた。さう云へば、栗原橋の上で別れてからもうふた月になる。素見客の中にそれに似た姿を見て、胸をとゞろかせたことも何度かあつた。今まで無数の男に接して来ながら、たつた一人のあの男にだけこれほど強く心を牽かれるのは何故であらうか。

自分でも訳がわからなかつた。秋子もすぐ客を取つた。十一時過ぎまでにショート・タイムの客が三人、時間の客が一人、延子とは恰度交替のやうになつて顔があはなかつた。

こんな晩あの男が来るのではないかと云ふ予感があつたが、十一時半頃になつて降り出した俄か雨に客足を取られ、秋子が泊りの客を取れず、表戸をしめにかゝつてゐると、その戸をせはしく叩く者があつた。不思議に秋子には、それがあの男だとわかつた。

秋子は混乱した。観音びらきのドアを細目にあけると、やはりあの男が立つてゐた。最初に来た時と同じやうな風体で、乱れた髪から雫が垂れ眼が最初の時よりもつと険しかつた。

男は秋子だつたことに安堵したやうに、あゝと声を漏らし、

「泊めてくれないか、何しろこの雨で……」

と後をふりかへつたが、雨を見るのではなく、遠くをすかすやうな恰好をした。

秋子は素早く外へ出て、後手にドアをしめた。

「今夜は駄目なの。明日栗原橋の上で会つて。時間はあなたの都合のいゝ時でいゝから。」

「泊りがついてるのかい。」

失望が男の焦悴した顔を覆つた。それを見ると、秋子は動揺した。延子がこの男の探してゐた相手かどうか、それは同名異人でないとは云へない。が、もしさうであつた場合、この男の眼中から自分の存在の消えてしまふのが恐しかつた。何よりも一人になつて考へる時間が欲しい。

「さうなの。だから明日、栗原橋で朝の十時にどう？　さうして頂戴、お願ひするわ。」

「仕方がない、帰らう。」

男が踵をかへさうとするのを、秋子は腕を摑み、男の力に雨の中へよろめきながら、

「きつとよ、十時栗原……」

男は二つ三つつゞけさまにうなづき、秋子の手を振りもぎつて走り出した。

秋子は雨に打たれるのも忘れて立つてゐた。男の姿は建ち並ぶ店の軒下ぞひに、灯影の中へ浮き上つては消え、見る〳〵北十間川の方へ遠ざかつて行つた。見えなくなつてから、髪も肩も濡れそぼつてゐるのに気づいた。

店内へ入り、ドアをしめ、鍵を下した、そのまゝ、椅子へ崩れるやうにかけた時であつ

た。はぢかれたやうに顔を上げ、耳をそばだてた。

どこか遠くで、銃声に似た鋭い音がした。

やゝ間をおいて、もう一度それがすると、秋子は立ち上つた。

あの男は、もう拳銃を持つてゐない筈だつたと思つた。自動車のパンクの音かも知れない。

俄か雨が本降りになつたらしく、あとはしめやかな雨脚の囁きが、客の絶えた花街を包んでゐた。

八

四五日降りつゞいたあとが、急に秋めいた日和になり、深んだ空の色が、煙を吐かぬ煙突の林立に、鮮やかな遠近をつけて見せた。

そんな日の午後、ここを出て行つた時と同じ恰好の幸子が、ふらりと店先から入つて来た。

茶の間にゐた秋子は、逸早くそれを認めた澄江につづいて出て行つた。

「ママさん、済みませんが、また置いてくれませんか。」

幸子はぺこりと頭を下げて云つた。

「へえ、どうしたつて云ふの？」

澄江は呆れたやうに幸子を見た。

「婚約解消、あーあ、やつぱりママさんとこが一ばんいゝわ。」

「なァんだ、ばかにまた早いんだね。」

「でも、ひと月半夢を見たゞけ得した、なんて、さうでも云はなけりやね。」

幸子はさばく〳〵してゐた。どのやうな悲劇も、喜劇に書きかえて生活して行く女であつた。

「まァお上りよ、あんたが帰つてくれると、家ん中が明るくなつていゝ。」

澄江も心得てゐた。茶の間へ幸子を上げてからも、決して婚約の破れた訳などはきかなかつた。

尤も、幸子が語らなくても、理由は一つしかなかつた。一度魂を悪魔に売つた者は、決してそれを取り戻すことが出来ないやうに、貞操を金に替えた女は、その代償の高さを、生涯を棒に振ることに依つて償はなければならない。

秋子はだまつてゐたが、自分たちの位置をはつきりそこに見たやうな気がした。幸子の帰つて来ることを苦もなく云ひあてた染代は、さすがに年期を積んだ酌婦であつた。

その夜は久しぶりの雨あがりなので、カフヱー・スミヱも客がたてこんだ。

上村が珍しく姿を見せ、秋子に泊りをつけた。

「来よう〳〵と思ひながら、ついいそがしくつて足が遠くなつてゐたんだよ。」

上村は秋子の部屋へ通ると、すぐ下ばき一つになつて、太鼓腹を波打たせながら、寝床へ横になつた。買はれゝば客に取らなければならぬ身にはちがひないが、染代に通つてゐた上村に乗り換えられるのは、秋子の潔癖が許さなかつた。澄江は早くもさとつてゐたらしく、秋子が浮かぬ顔で茶の間へ入るのを待ちかねたやうに、

「あんた上村さんはしつかり掴んどいた方がいゝよ。ためになる人だからね。」

先手を打たれて、秋子は生返事をしながら上村から渡された五千円の金を渡した。

「ほらごらん、これだけはづむお客は、ほかにありやァしない。あんたゞつてこんな商売いつまでもやる気ぢやないんだらう。幸ちやんみたいにお嫁入りはむづかしいけど、せめて二号さんか、それでなけりやお金溜めて、何か商売をはじめるのさ。それが利口つてものだよ。」

澄江は珍しく説教めいたことを云つた。酌婦から主人の本妻になほり、その夫を戦前になくしてから、女手一つで店を新築し、立派に切り廻してゐる確かり者で、眼鼻立の派手な顔の白粉焼けに、昔の名残をとゞめてゐた。

「大丈夫よ、お母さん。」

今更自分にあがつた客を拒めはしない。気を取りなほして、秋子は茶盆を手に立つた。

「蝶ちやんをごらん、年は若いけど、なか〳〵どうして……」

澄江は声をひそめて、けしかけるやうに云つた。澄江の説教も扇動も、実は上客の上村を店から失ふまいとする打算から出てゐるのは知れてゐた。が、それが経営者として当然なことなのは、秋子にも判らなくはなかつた。

廊下を部屋へもどつて行くと、隣りの部屋から延子のうたふ流行歌が聞えてゐた。男がカーンと口で鐘を鳴らし、延子はなほうたひつのつた。どつちも酒を飲んでゐるらしかつた。

あの男はあの翌る朝、栗原橋に来なかつた。秋子が雨の夜に聞いたのはやはり銃声で怪しい奴を追跡する武装警官の威嚇射撃だつたと、噂はカフヱー街へひろまつてゐた。その怪しい奴があの男だつたかどうかはむろん知る由もない。たゞ秋子が漠然と感じてゐるのは、あの男がもう再びここへは現れまいと云ふことであつた。蝶子があの男の探してゐる島田延子であるかどうかも、たしかめてはみなかつた。それを知つたところでどうなるものでもない。この世界に棲む女には、たゞ現在だけがある。過去と未来を売り渡して生きてゐるのであつた。

「どうも失礼……」

秋子は部屋の襖をあけた。

上村は置物の布袋を仰向けにころがした形で、軽い鼾をかいてゐた。

秋子は枕もとに茶を置き、眼をつむる想ひで着物をぬいだ。

「裸になんな、一と汗かくよ。」

狸寝入だつたらしい。

「いやよ、恥しい。」

「恥しい？　こりや驚いた、そんなお嬢さんが亀戸にゐるとは思はなかつた。」

長襦袢で秋子が入つて行くと、上村はいきなり双膚をぬがせた。

秋子は抵抗しかけてやめた。昂奮も感動も何もない冷却した気持であつた。かうして一日々々亀戸の女になつて行くのだと思つた。

隣りの部屋でも、もう延子の流行歌はやんで、どこかくすぐられでもするやうな、秘密めいた忍び笑ひが聞えてゐた。


『大衆文芸』（昭和24年8月号、新鷹会）初出

吾妻橋

永井荷風

一

毎夜吾妻橋の橋だもとに佇立み、往来の人の袖を引いて遊びを勧める闇の女は、入梅もあけて、あたりがいよ〳〵夏らしくなるにつれて、次第に多くなり、今ではどうやら十人近くにもなつてゐるらしい。女達は毎夜のことなので、互にその名もその年齢もその住む処も知り合つてゐる。

一同から道ちやんとか道子さんとか呼ばれてゐる円顔の目のぱつちりした中肉中丈の女がある。去年の夏頃から此の稼場に姿を見せ初め、川風の身に浸む秋も早く過ぎ、手袋した手先も凍るやうな冬になつても毎夜休まずに出て来るので、今では女供の中でも一番古顔になつてゐる。

いつも黒い地色のスカートに、襟のあたりに少しばかりレースの飾をつけた白いシヤツ。口紅だけは少し濃くしてゐるが、白粉はつけてゐるのか居ないのか分らぬほどの薄化粧なので、公園の映画を見に来る堅気の若い女達よりも、却ってジミなくらい。橋の欄干のさして明るからぬ火影には近くの商店に働いてゐる女でなければ、真面目な女事務員としか見えないくらい、巧（たくみ）にその身の上を隠してゐる。そのため年齢も二十二三には見られるので、真（まこと）の年はそれより二ツ三ツは取つてゐるかも知れない。

道子は橋の欄干に身をよせると共に、真暗な公園の後に聳えてゐる松屋の建物の屋根や窓を色取る燈火（あかり）を見上げる眼を、すぐ様（さま）橋の下の桟橋から河面（かわづら）の方へ移した。河面は対岸の空に輝く朝日ビールの広告の灯と、東武電車の鉄橋の上を絶えず往復する電車の燈影（ほかげ）に照され、貸ボートを漕ぐ若い男女の姿のみならず、流れて行く芥（ごみ）の中に西瓜（すいか）の皮や古下駄の浮いてゐるのまでがよく見分けられる。

折から貸ボート屋の桟橋には舷（ふなばた）に数知れず提燈（ちょうちん）を下げた涼船が間もなく纜（ともづな）を解いて出やうとするところらしく、客を呼込む女の声が一層甲高に、「毎度御乗船ありがたう御在ます。水上バスへ御乗りのお客さまはお急ぎ下さいませ。水上バスは言問（こととい）から柳橋、両国橋、浜町河岸を一周して時間は一時間、料金は御一人五十円で御在ます。」と呼びつゞけてゐる。橋の上は河の上の此の賑ひを見る人達で仲見世や映画街にも劣らぬ混雑。欄干にもたれてゐる人達は互に肩を摺れ合すばかり。人と人との間に少しでも隙間（すきま）が出来ると見ると歩いてゐるものがすぐ其跡に割込んで河水の流れと、それに映る灯影を眺めるのである。

道子は自分の身近に突然白ヅボンにワイシャツを着た男が割込んで来たのに、一寸身を片寄せる途端、何とつかずその顔を見ると、もう二三年前の事であるが、パレスといふ小岩の遊び場に身を沈めてゐた頃、折々泊りに来た客なので、調子もおのづから心やすく、

「アラ、木嶋さんぢやない。わたしよ。もう忘れちやつた。」

男は不意をくらつて驚いたやうに女の顔を見たまゝ何とも言はない。

「パレスの十三号よ。道子よ。」

「知つてゐるよ。」

「遊んでツてよ。」と周囲の人込を憚り、道子は男の腕をシャツの袖と一しよに引張り、欄干から車道の稍薄暗い方へと歩みながら、すつかり甘えた調子になり、

「ねえ、木嶋さん。遊んでよ。久しぶりぢやないの。」

「駄目だよ。今夜は。持つてゐないから。」

「あつちと同じでいゝのよ。お願ひするわ。宿賃だけ余計になるけど。」と言ひながら、道子は一歩一歩男を橋向の暗い方へと引ッ張つて行かうとする。

「どこへ行くんだ。宿屋があるのか。」

「向の河岸に静ないゝ家があるわ。わたし達なら一時間二百円でいゝのよ」

「さうか。お前が彼処に居なくなつたのは、誰か好きな人ができて、一緒になつたからだと思つてゐたんだ。こんな処へ稼ぎに出てゐるとは知らなかつたョ。」

「わたし、パレスの方は借金は返してしまふし、御礼奉公もちやんと半年ゐてやつたんだから、母さんが生きてれば家へ帰つて堅気で暮すんだけれど、わたし、あんたも知つてる通り、父さんも母さんも皆死んでしまつて、今ぢやほんとの一人ぼつちだからさ。こんな事でもしなくツちや暮して行けないのよ。」

男は道子が口から出まかせに何を言ふのかといふやうな顔をして、ウム〳〵と頷きながら、重さうな折革包を右と左に持ちかへつゝ、手を引かれて橋をわたつた。

「此方よ。」と道子はすぐ右手の横道に曲り、表の戸を閉めてゐる素人家の間にはさまつて、軒先に旅館の灯を出した二階建の家の格子戸を明け、一歩先へ這入つて「今晩は。」と中へ知らせた。其声に応じて、

「入らつしやいまし。」と若い女中が上り口の板の間に膝をつき、出してあるスリッパを揃へ、「どうぞ、お二階へ。突当りが明いてゐます。」

梯子段を上ると、廊下の片側に顔を洗ふ流し場と便所の杉戸があり、片側には三畳と六畳の座敷が三間ほど、いづれも客があるらしく閉め切つた襖の外にスリッパが抜ぎ捨てゝある。

道子は廊下の突当りに襖のあけたまゝになつた奥の間へ、客と共に入ると、枕二ツ並べた夜具が敷いてあつて、窓に沿ふ壁際に小形の化粧鏡とランプ形のスタンドや灰皿。他の壁には春画めいた人物画の額がかゝつて、其下の花瓶には黄色の夏菊がさしてある。

道子は客よりも早く着てゐる物をぬぎながら、枕元の窓の硝子障子をあけ、「こゝの家、涼しいでせう。」

窓の下はすぐ河の流で駒形橋の橋影と対岸の町の灯が見える。

「ゆつくり遊びませうよ。ねえ、あなた。お泊りできないの。」

客は裸体のまゝ窓に腰をかけて煙草をのむ女の様子を眺めながら、

「お前、パレスにゐた時分露呈症だつて云はれてゐたんだらう。まつたくらしいな。」

「露呈症ツて何よ。」

「身体中どこも隠さないで平気で見せることさ。」

「ぢや、ストリツプは皆さうね。暑い時は涼しくつていゝわ。さア、あんたもおぬぎなさいよ。」と道子は男のぬぎかけるワイシヤツを後から手つだつて引きはがした。

二

道子はもと南千住の裏長屋に貧しい暮しをしてゐた大工の娘である。兄が一人あつたが戦地へ送られると間もなく病気で倒れ、父は空襲の時焼死して一家全滅した始末に、道子は松戸の田舎で農業をしてゐる母親の実家へ母と共につれられて行つたが、こゝも生活には困つてゐたので、母の食料をかせぐため、丁度十八になつてゐたのを幸ひ、周旋屋の世話で、その頃新に出来た小岩の売笑窟へ身売りをしたのである。

男はまだ初めてと云ふ年頃であるが、気の持ちやう一ツで、女ならば誰にでも出来る商売のこと。道子は三月たゝぬ中立派な稼ぎ人となり、母への仕送りには何の滞りもなくやつて行つたが、程なく其母も急病で死んでしまひ、道子はそれから以後、店で稼ぐ金は、いかほど抱主に歩割を取られても、自分一人では使ひ切れないくらいで、三年の年季の明ける頃には鏡台や簞笥も持つてゐたし、郵便局の貯金も万以上になつてゐたが、帰るべき家がないので、その頃半年あまり足繁く通つてくるお客の中で、電話の周旋屋をしてゐる田中と云ふ男が、行末は表向き正妻にすると云ふはなしに、初めはその男のアパートに行き、やがて三ノ輪の電車通に家一軒借ると、男の国元から一度嫁に行つたことのある出戻りの妹に、人好きのよくない気むづかしい母親とが出て来たゝめ、針仕事も煮炊もよくは出来ない道子は手馴れない家庭の雑用に追はれる。初から気質の合はない家族との折合は日を追ふに従つて円滑には行かなくなり、何かにつけてお互に顔を赤らめ言葉を荒くするやうな事が毎日のやうになつて来たので、道子は客商売をしてゐた小岩の生活のむかしを思返してふて腐れる始末。それに加へて男の周旋業も一向うまくは行かないところから、一年後には夫婦別れと話がきまり、男は母と妹とを連れて関西へ行く。道子は其辺のアパートをさがして一人暮しをすることになつたが、郵便局の貯金はあらかた使はれてしまひ、着物まで満足には残つてゐない始末に、道子はアパートに出入する仕出屋の婆さんの勧めるがまゝ、戦後浅草上野辺の裏町に散在してゐる怪し気な旅館や料理屋へ出入りしてお客を取りはじめた。然し毎日毎晩といふわけには行かない。四五日目に一人か二人もあればいゝ方なので、道子はその頃頻と人の噂をする浅草公園の街娼にならうと決心したが、どの辺に出ていゝのか見当がつかないので、様子をさぐりに、或日あたりの暗くなるのを待ち、映画見物の帰りのやうな風をして、それらしく思はれる処をあちこちと歩き廻つてゐる中、いつか仮普請（かりぶしん）の観音堂の前に来かゝつたのに心づき、賽銭箱に十円札を投（はふ）り込み手を合して拝んでゐた時である。「アラ、道ちやん」と呼びかけられ、驚いて振返つて見ると、小岩の私娼窟にゐた頃姉妹（きょうだい）のやうに心安くしてゐた蝶子といふ女、もとは浅草の街娼をしてゐた事もあるといふ女なので、訳を話して、道子はその辺の蕎麦屋に誘ひ、委しくいろ〳〵の事情をきいた。

　このあたりで女達の客引に出る場所は、目下足場の掛つてゐる観音堂の裏手から三社権現の前の空地、二天門の辺から鐘撞堂のある弁天山の下で、こゝは昼間から客引に出る女がゐる。次は瓢箪池を埋めた後の空地から花屋敷の囲ひ外で、こゝには男娼の姿も見られる。方角をかへて雷門の辺では神谷バーの曲角。広い道路を越して南千住行の電車停留場の辺。川沿の公園の真暗な入口あたりから吾妻橋の橋だもと。電車通でありながら早くから店の戸を閉める鼻緒屋の立ちつゞく軒下。松屋の建物の周囲（いまわり）。燈火の少い道端には四五人ヅ、女の出てゐない晩はない。代金は誰がきめたものか、いづこも宿賃二三百円を除いて、女の収入は客一人につき普通は三百円から五百円、一泊は千円以上だと云ふ。

道子は唯何といふ訳もなく吾妻橋のたもとが好さゝうな気のするまゝ、こゝを出場所にしたのであるが、最初の晩から景気が好く、宵の中に二人客がつき、終電車の通り過る頃につかまへた客は宿屋へ行つてから翌朝まで泊りたいと言出す始末であつた。

道子は小岩の売笑窟にゐた時から男には何と云ふわけもなく好かれる性質の女で、少し此の道の加減がわかるやうになつてからは、いかに静な晩でも泊り客のないやうな夜はなかつたくらい。吾妻橋へ出るやうになつても客のつくことには変りがなく、其の月の末にはハンドバッグの中に入れた紙入には百円札や千円札がいくら押込まうとしても押込めない程であつた。

道子は再び近処の郵便局へ貯金をし初めた。

三

或日の朝も十時過。毎夜泊りの客を連込む本所の河岸の宿屋を出て、電車通でその客とわかれ、道子は三ノ輪の裏通りにあるアパートへ帰つて来ると、窓の下は隣の寺の墓地になつてゐる木の間から、今朝は平素よりも激しく匂ひわたる線香の烟が風になびいて部屋の中まで流れ込んでくるやうにも思はれた。

昼寐の夜具を敷きながら墓地の方を見下すと、いつも落葉に埋れたまゝ打棄てゝある古びた墓も今日は奇麗に掃除されて、花や線香が供へられてゐる。本堂の方では経を読む声、鉦を打つ音もしてゐる。道子は今年もいつか盆の十三日になつたのだと初めて気がついた時である。聞き馴れぬ女の声を聞きつけ、又もや窓から首を出して見ると、日本髪に日本服を着た奥さまらしい若い女と、その母親かとも思はれる老婆の二人が、手桶をさげた寺男に案内されて、石もまだ新しい墓の前に立つて、線香の束を供へてゐる。

　道子はふと松戸の寺に葬られた母親の事を思ひ起した。その当時は小岩の盛り場に働いてゐたゝめ、主人持の身の自由がきかず、暇を貰つてやつと葬式に行つたばかり。それから四五年たつた今日、母親の墓は在るのか無いのかわからないと思ふと、何やら急に見定めて置きたい気がして、道子は敷いた夜具もそのまゝにして、飯も食はず、明けた窓を閉めると共に、再び外へ出た。

　道子は上野から省線電車に乗り松戸の駅で降りたが、寺の名だけは思出すことができたものゝ、その場処は全く忘れてゐるので、駅前にゐる輪タクを呼んでそれに乗つて行くと、次第に高くなつて行く道が国府台の方へと降りかけるあたり。松林の中に門の屋根を聳かした法華寺で、こゝも盆の墓参をするらしい人が引きつゞき出入をしてゐた。すぐに庫裏の玄関先へ歩み寄ると、折よく住職らしい年配の坊さんが今がた配達されたらしい郵便物を見ながら立つてゐたので、

「一寸伺ひますが、アノ、アノ、田村と云ふ女のお墓で御在ますが、アノ、それはこちらのお寺で御在ませうか。」と道子は滞り勝ちにきいて見た。

坊さんは一向心当りがないと云ふやうな面持をしながら、それでも笑顔をつくり、

「御命日（ごめいにち）はいつ頃です。お葬式は何年程前でした。」

道子は小岩の色町へ身売をした時の年季と、電話の周旋屋と一緒に暮した月日とを胸の中に数へ返しながら、

「お葬式をしたのは五年ばかり前で、お正月もまだ寒い時分でした。松戸の陣前（ぢんまへ）にゐる田村といふ百姓家の人がお葬式をしてくれたんで御在ますが……。」

「あゝさうですか。今調べて見ませう。鳥渡（ちょっと）待つて下さい。そこへ御掛けなさい。」

坊さんは日本紙を横綴（よことじ）にした帳面を繰り開きながら、出て来て、「わかりました。わかりましたが、お墓はそれなり何のおたよりがないので、そのまゝにしてあります。お墓はありません。あなたは御身寄（おみより）の方ですか。」

道子は葬られた者の娘で、東京で生活をしてゐるのだと答へ、「お墓が無いのなら、ちやんとした石を立てたいんですが、さうするにはどこへ頼んだら、いゝのでせう。」

「それはこの寺で知つてゐる石屋がありますから、そこへ頼めばすぐこしらへてくれます。」

「それぢや、わたくしお頼みしたいんですけど、石は一体どれ程かゝるものでせうか。」

「さうですね、その辺に立つてゐるやうな小さな石でも、戦争後は物価がちがひますから な、五六千円はかゝるつもりでないと出来ません。」

道子は一晩稼げば最低千五六百円になる身体。墓石の代金くらい更に驚くところではな い。冬の外套を買ふよりも訳はない話だと思つた。

「今持合(もちあわ)してゐませんけど、それくらいで宜しいのならいつでもお払ひしますから、どう ぞ石屋へ、御面倒でもお話して下さいませんか。お願ひ致します。」

坊さんは思ひ掛けない好(い)いお客と見たらしく、俄に手を叩いて小坊主を呼び茶と菓子と を持つて来させた。

道子は母のみならず父の墓も――戦災で生死不明になつた為め、今だに立てずにある事 を語り、母の戒名と共に並べて石に掘つて貰ふやうに頼み、百円札二三枚を紙に包んで出 した。坊さんは道子の孝心を、今の世には稀なものとして絶賞し、その帰るのを門際(もんぎわ)まで 送つてやつた。

道子はバスの通るのを見て、その停留場まで歩き、待つてゐる人に道をきいて、こんど は国府台から京成電車で上野へ廻つてアパートに帰つた。

夏の盛の永い日も暮れかけ、いつもならば洗場へ行き、それから夕飯をすますと共に、 そろ〳〵稼ぎに出掛ける時刻になるのであるが、道子は出がけに敷いたまゝの夜具の上に 横たはると、その夕ばかりはつかれたまゝ外へは出ずに眠つてしまつた。

次の日の夕。道子はいつよりも少し早目に稼ぎ場の吾妻橋へ出て行くと、毎夜の顔馴染に、心やすくなつてゐる仲間の女達の一人が、

「道ちやん。昨夜どうしたの。来なくつてよかつたよ。」

「うるさかつたのかい。わたし母さんの、田舎のお寺へお墓参りに行つたんでね。昨夜は早く寐てしまつたんだよ。」

「宵の口には橋の上で与太の喧嘩があるし、それから私服がうるさく徘徊いてゝね、とう〳〵松屋の横で三人も挙げられたつて云ふはなしなんだよ。」

「ぢや、ほんとに来なくつてよかつたね。来たら、わたしもやられたかも知れない。やつぱりお寺の坊さんの言ふ通りだ。親孝行してゐると悪い災難にかゝらないで運が好くなるツて、全くだよ。」

道子はハンドバツグからピースの箱を取出しながら、見渡すかぎりあたりは盆の十四日の夜の人出がいよ〳〵激しくなつて行くのを眺めた。


『中央公論』（昭和29年3月号、中央公論社）初出

「濹東綺譚」と私

小沢昭一

わが青春の〝忘れられない〟一冊は、永井荷風の『濹東綺譚』である。

戦争が終わって、今度はやたらに文化、文化とさわぎ出したころ、当時中学生（旧制）だった私は、文学少年ではなく寄席少年だったから、正岡容（いるる）の寄席随筆を愛読していた。荷風の作品に関心がむいたのは、その正岡経由である。正岡容著『荷風前後』の中の、《午、突如、海水帽、開襟シャツの永井先生御来訪、ただ〳〵その光栄に夫婦狼狽（略）崇敬廿有余年、現世拝眉を断念しゐたりし永井先生御来庵の栄に浴す。菲才不敏の作者冥利、茲（ここ）に尽く。挺身力作せざる可からず》

と大恐懼（きょうく）大感激大オーバーの日記文を読んで、私のあこがれの正岡の、そのまた崇敬の荷風を読んでみたくなった。一時期、噺家だったこともあるという荷風の経歴を知ったことも荷風へいざなわれるきっかけとなった。

荷風の『濹東綺譚』は、御存知のように、作者とおぼしき人物が、玉の井の娼婦お雪と出あい、そして通いつめ、女の心が自分に向いたと知って別れるまでの感懐を述べた随筆的小説であるが、老人の手にふれた時のような、作品の冷たいはだざわりに接した私は、その晩、逆に心がほてって眠れなかった。

私には、この小説の中に一貫しているイヤミに近い反文明の姿勢が快かったし、ドブの汚さと蚊の群れをむしろ美しいとする陋巷(ろうこう)賛歌もコタエラレナイ魅力だった。

そして、それよりなにより、醜業婦といわれた女たちに対するこの小説の愛着と賛美は、女郎屋好きの、それも場末ごのみだった私にとって、天下御免のォ墨付キをちょうだいしたような気分になった。

だから、その後の、私の浅草ストリップ通いも赤線巡りも、荷風文学をバイブルにして、私は私の好色を正当化していたようだ。

浅草の「峠」というコーヒー屋のカウンターのすみに、小屋がはねてから来るストリッパーと待ち合わせていたニ、フ、ウセンセイを見た時は、なんともウラヤマシカッタし、私が岡ぼれで通いつめていた清水田鶴子なる踊り子に「八文字ふむや金魚の泳ぎぶり」と、サラサラ色紙を書いて与えていた歯ぬけおやじの姿には、チキショウ、今に見ていろおれだってとハップンしたものである。

あれから、かれこれ三十年、『濹東綺譚』をひさしぶりに読みかえしてみた。

流麗の筆致、場景転換のあざやかな切れあじには、あいかわらず感嘆したが、しかし、全編どこということなく物足りなかった。

文中しばしば顔を出す荷風の文明批評――例えば隣家の、ラジオの物音や蓄音機の流行歌に対するあくなき憎悪なども、いま読むと、たんに時代の流れに背を向けた老人のくりごととしか思えない。……私がラジオでメシを食うようになったせいであろうか。

《わたくしは若い時から脂粉の巷に入り込み、今にその非を悟らない。或時は事情に捉はれて、彼女達(かのおんなたち)の望むがまま家に納(い)れて箕帚(きそう)を把らせたこともあつたが、然しそれは皆失敗に終つた。彼女達は一たび其境遇を替へ、其身を卑しいものではないと思ふやうになれば、一変して教ふ可からざる懶婦(らんぷ)となるか、然らざれば制御しがたい悍婦になつてしまふからであつた》

これは一編の終末ちかく、《わたくし》がお雪との別離を決意する理由づけであった。

……しかし、ねエ、荷風おじいちゃま、あなた案外「脂粉の巷」の女性を御存知ない。「一たび其境遇を替へ」ても、懶婦、悍婦になるとは限らない彼女達がいっぱいいるんですよ。少し、女に対して、人間に対して疑り深すぎやアしませんか。と成人した〃孫〃の私はいま思う。

「手にとるな、やはり野におけれんげ草」はわかる。だがれんげを野において逃げるなら、その逃げる理由を女のせいにしないで、自分の中にみつけてもらいたかった。〃孫〃の知りたいのは今やそこである。

ともあれ、おじいちゃまのクントウのおかげで、私もイッチョウマエの口をきいている。

踊り子とコーヒー屋で待ち合わせするくらいは、私もどうにか夢を果たせたが、カツドンたべて畳の上のノタレ死にをした荷風には、今に見ていろおれだって、という具合にはいかない。あんな壮烈な死に方が出来る生き方は、とてもこの〝孫〟には出来そうもない。
でも、ああなれたら……！　永井荷風は、こんどは、私の老後対策の参考書である。

『朝日新聞』（昭和52年9月26日付）初出

「赤線」とは何であったか？

竹中労

政治・そして社会制度は、目のあらい網であり、人間は永遠に網にかからぬ魚である。カラクリを打破して、新たな制度をつくってみたところで、それも所詮カラクリの一つの進化にすぎぬのだ。

人間はつねに網からこぼれ落ち、ダ落していく、そして制度は人間によってついに復讐されるのである——

一〇月三〇日の家宅捜索から、しつように続けられている、警察権力の張りこみ尾行を避けて、私はいま都内の仮の宿でこの原稿を走り書きしている。手もとに何の参考文献もなく、うろ憶えであるが、右にかかげたのは坂口安吾の言葉である（続・堕落論）。一九六九年春、『山谷／都市反乱の原点』を上梓したさいにこの一節を引用して、敗戦直後の上野駅周辺における娼婦狩り込みの実態を、ある種の〝なつかしさ〟をこめて、私は記述したことであった。

「売春防止法」は、昭和三一年五月二四日公布され、刑事処分並びに補導処分に関する規定をのぞいて三二年四月一日に施行され、三三年四月一日全面適用をみた。当時、私は山梨県から上京して、東京毎夕新聞文化部に入社したばかりであった。オピンク夕刊紙と俗称された三流新聞での仕事は、浅草六区のストリップ劇場まわりと、「売春防止法」の施行をめぐる風俗ルポがもっぱらであった。しかも悪友が世話した〝安くて家族的で環境絶佳〟と称する仮の宿は、洲崎パラダイスのどまん中に位置した。

いうならば、東京での私のジャーナリスト事始は、「赤線」まさに消えていく現場に、公私ともにあったのである。多少の誤りはあるだろうが、メモなしでも重要な日付けや事件は記憶しているほどだ。じっさい私は、ルポライターより作家にふさわしい、奇妙なら哀しい体験ばかりしてきた。もし小説の領域を、もの書きとしてえらんでいたなら、私はきっと市井の窮女、流民の日常を、ことこまかに描く営為に没頭したにちがいない。敗戦直後の上野地下道、山谷ドヤ街から一貫して、陋巷を漂泊してきた、文字通り娼婦を友として、かの女たちの生きざまに関わってきたのである。

——売春とは何かと、ひらき直って論ずることよりも、むしろ〝赤線・青線の追憶〟を語りたいのだが、それはいつか小説家にでも転向したときのことにして、抽象的にまずは措定しよう。売春とは、公序良俗・一夫一婦制度の欺罔が人間を支配するかぎり、決してなくなることのない、性の〝社会的常態〟である。

そして「赤線」は、階級社会におけるその最も道徳的、かつ合目的な形態である。いうまでもないことだが、どのような国家社会も人間の欲望を、全的にみたすことは不可能である。したがって、国家社会は制禦しきれぬ民衆のフラストレーションを、収納するべき機能を持たねばならない。

すなわち軍隊であり、監獄であり、そして「赤線」である。〝公娼制度〟を置くことによって、恒民社会の道徳は維持されるのだ。安寧秩序の安全弁として、「赤線」はまさに〝お国のために〟存在したのである。売防法施行にさいして、菅原通済（売春対策審議会々長）は、「一片の法律を以て、千年むしばまれた事態を解決できるものではない」と、問うに落ちず語るにオチている。「赤線」という顕在的な形態の禁止は、売春それ自体の根絶となり得ず、むしろ社会的な性の欲求の〝剰余の部分〟を囲内から放出して、たんに流動化したにすぎなかった。

早い話、この数年間の韓国・東南アジアにおける〝売春ツアー〟、日本人旅行客の集団醜行もまた、放出の一現象である。誤解なきように断わっておく、私はだから「赤線」を復活するべきであるなどと、短絡していっているのではない。売春は搾取と差別の社会の必然であり、いかなる制度を以て制度に換えようと、徹底した全体主義・独裁の政体下に人民を置かぬ以上、なくなりはしないということを述べているのである。

しかも流動の状況から再び、旧「赤線」の形態に、売春は徐々にだが確実に回帰する。大阪の飛田、松島、下関の栄町といったもと遊廓あるいは、青線では〝線前〟とまったく同じ風景が見られる。広大解釈をするなら関東吉原、関西雄琴等のトルコ風呂街も、旧「赤線」の再現といえよう。

○

なべて差別は、人間本然の美の根源であるからして、国家社会によって「人外」と切りすてられた娼婦の世界には、文明の擬制から蟬脱した、愛しくもこまやかな人情もまた、生まれてくるのである。〃線前〃、廓の女の中には、しんじつソーニャのような絢情を、いくらも見出せた。現在のトルコの姐ちゃんたちの中にも、がめついが気のいい女の子も多少はいるだろうが、その〃密度〃において比較になるまい。

「赤線」はある種の若者にとって、革命の学校であった。もう二十年以上も前のことになる、一九五二年の〃武装闘争〃に連累して山梨県に敗残した私は、ガリ版屋をいとなむかたわら、地方の労働団体に加盟して回天の見果てぬ夢を追っていた。市長のリコールがあり、新参の私が受け持ったのが穴切という甲府市の遊廓一帯であった、ふだん〃世話になっている〃連中は、バツが悪いのでそこを敬遠したというわけである。年の暮だった、木枯しの吹く色街を一軒一軒まわり、署名を求めて歩く。化粧を落としてコタツにあたっている、鉛色の顔をした女たちは、今時のホステスやトルコ嬢とちがって、住民登録もしていれば、選挙権を持っている者も多かった。けげんな表情をみせる女も、むろんいるにはいたが、十人のうちの七人までは静岡か信州なまりで人なつっこく、「へえ、俺んとうも署名できるだけえ?!」と顔をかがやかした。焼き立ての熱いモチを、田舎から送ってきたからと、新聞紙にくるんで掌にのせてくれた女もいたのである。

妙な話だが、いや大真面目な話だが、私は穴切では遊べなくなった。酔ったまぎれに、「赤線」に足がむくことがあっても、あっちこっちから声がかかるのだった、「共産党のお兄さん、お茶でも飲んでいかんけ」「またリコールけえ?」

菅原通済はこうもいっている（私の記憶は絶対に正確である）、「売春婦の保護更正の仕事は、知能の低い者のみを扱うのだから」ウンヌン、これが〝本音〟である。売春婦は白痴に近いものであるから、「離島のような所に収容するより他に方法はあるまいとすら考えられる」

「売春防止法」施行一年後、私は取材したレポートの中に、これらの言葉を引用した、引用しながら怒りを感じた。「法律と道徳は一致しなければならない」とも、この老人はいった。「性は純然たる私生活であり、闇の祭典と心得ねばならぬ」とも――

たしか通済の〝語録〟は、昭和三四年末に出版された『売春対策の現況』という政府刊行物に載っているはずである。坂口安吾の言をかりれば、人間はみごとにこぼれ落ちている、「売春防止法」はまことに史上最悪の〝ザル法〟であった。この目で見た、触れた廓の女たちは、恒民社会の女ども（たとえば団地の主婦連中）よりも、はるかに美しく、（言葉のほんらいの意味で）かしこく素直な魂を持っていた。

「赤線」は国家社会の要求による、人間のエンクロージャーである。しかしその反面、売春には女をかえって浄化する（一夫一婦の擬制から解放する）機能もあるという、二律背反をふまえないで、「赤線」禁止の是非をいうことは、ナンセンスであるだけでなく、人間に対する侮辱である。制度の側に立った発言なのである。

いかにも、「性は純然たる私生活」なのである。法律が制度が等しなみに括ろうとする〝売春〟とは何か？　私は、この半年間に、五度にわたって沖縄をおとずれた、コザには吉原という旧「赤線」がある。ニッポンから南に眼をうつせば、十七年前ではなくたった一年半前に、〃本土〃並みの「売春防止法」施行をうけた実例を、眼のあたり見ることができるのだ。

「売春防止法」施行に当って、琉球政府は娼婦たちを、〃特殊婦人〃と呼んだ。復帰と同時に、県警は三七名の売春取締り専従班をもうけた、〃本土〃から「沖縄の売春に取り組む会」(滑稽な名称である)の代表が乗りこんできた、市川房枝、藤原道子といった、〃婦人解放運動〃のお歴々である。

「コザの特飲街では、十五、六歳の少女売春婦がいると聞いているが、人権問題である。ただちに調査を徹底してほしい、更正施設については本土政府とすでに接衝して、本土の母子福祉施設に収容できるように話をつけておいた。特殊婦人問題は根気のいる仕事だが、大いに頑張ってほしい」(大要)

……という記事を私は沖縄で読んだ。この〃革新〃婆さんたちも、菅原通済とまったく同じ感覚である。エドワード・フックスの名言をひく、「いつの時代にも女性の解放という理想をネジまげて、娼婦たちを救済するという名目で、彼女らを苦しめ弾圧してきた張本人は、婦人運動家たちであった」

少女売春婦の聞書きを、次の章にかかげておく、コザの吉原に私が通って集めたメモの中の一つである——

○

何時(いち)の世(ゆ)にないば
ホーぬむぬ言(ゆ)がやよ
今(なま)までィのあわり
ジントーヨー　語れすしが

（いつの世になれば、オマンコがものを言う日がくるのかしら？　もしその日がきたらオマンコよ、私のオマンコよ、これまでの苦しみを、すべて語りつくすのよ）


ホー、ホーミともいうさ、男のはタニというんだよ。やーだ、ヤマトのオジサンのすけべ、あたし学校へ行っとらんからさ、共通語わからないからさ、こうして日本の人と話すのあんまり好きでないよ、でもさ汚い言葉を使っても、オジサン怒らないものね、やさしくて外人みたいさ。

　ほんとの事いって怒るなら、ウソをつくものね、そんなしてウソつくようになる。ひがみっぽく、でもさひがみっぽく、なるのあたりまえでしょう。十七、十七といえば子供であるけど、だまされて千八百ドルも借金背負わされたら、ひがまん人はおらんでしょう。うん、遊び人(あしばし)よ、こんなされた女は、たいがい暴力団(ぼうりょくらん)にかかってこんなされたのさ。

　あたしの生まれた宮古島ではね、宮古といっても、平良(ひらら)の市からちょっとはなれた狩俣(かりまた)という町だけど、海がすごくきれいなところで、キビやっていたんだけど台風でパーになっちゃって、父(おとう)が借金こしらえて島を逃げてきちゃったさ、あたしが五つのとき、母(あんま)と小姉(あんが)と弟(うと)たち七人して本島に渡ってきちゃった。

　名前、ここでは奈美というさ、この商売はじめる前に、占女(ゆた)買いしたらこの名前に変えたらいいっていわれたから……

　渡ってきた初めは、乞食の暮しで学校に行けなかったし、そのまま学校に行かずにしまったさ。歳のまわりが子年(にんてり)でしょう。宮古人(なーくんちゅ)の厄年だから、うちの家族だけじゃなくって一九六〇年にはずいぶん多勢が本島に渡ったよ、へー、日本(やまと)でも大騒ぎがあったの、アンポ条約？　ああ知ってる、佐藤栄作でしょうあたしのお客は学生が多いから、よく聞くさ。

学生はやっぱり若い方が好くさ、あたしゴムしないからね、妊娠？　毎晩こんなにお客とってたらするヒマはないでしょう、すけべな話ようせんさ、あんまりそんなの考えたことない、外人とか黒人のあれどう思うって、そんなのあんまり考えないさ、あたし男性に関心ないから、いいお客もいはするけどね、本当に自分からすすんで好きにはなりきれないね。

ボーリョクランのこと？　ああ、それはうちの小姉が瞞されちゃった、あたしじゃないさ。だって、処女でここに来たから。〝メトロ〟ってお店にさ、商売したいってひとりで入っていったんだよ、処女だっていえば雇ってもらえないでしょう、男は三人ぐらい知ってるって、歳は十八だってウソをついたさ。うん、本当は十五だったからね、お母さんもすぐに見ぬいたけど、知って知らんふりしたんでしょう、雇ってくれたさ。

そのお店はおかしくてね、お母さんだと思った人がそうではないわけさ、経営者のお姉さんで自分で好きでこの商売やっているのお母さんという人もね、もとはこの商売やってたけど、経営者と夫婦になって、自分もときどき商売をして、それを旦那がよろこんでいるのさ。一門狂人(ふりむん)だって有名な店なのさ、知らないからびっくりしたよ、コザの吉原って、みんなこんな店ばかりかと思ったよ。

最初のお客はよく憶えてないけど、中年だった。思ったより軽く済んだから自分で始末できたけど、十日ぐらい血がとまらなくて、メンスかメンスかって聞かれて困ったことだったさ。そんなふうに商売をはじめて、三年たったさ。

この商売をはじめた理由(わけ)？　出かせぎにいったきり、父親が帰ってこないからさ、母と小姉が軍ではたらいて。……話したくないさ、もう話す前から胸が苦しいから、あたし泣くよ、泣いても構わない？　じゃ話すけど。

結婚して普天間にいた上の姉がさ、PXに勤めていたけれど、アメリカーのジープにひかれて、両足つぶされて、そのときに妊娠八カ月だったのさ、手術中に陣痛がきたからもうダメだってお医者はいったけど、姉も赤ちゃんも助かったさ。でも片輪になった妻(かない)をほうり出して義兄は逃げてしまったよ、男なんて薄情だもの。収入はないし小姉がAサインではたらくしかなかったさ。外人(げえじん)相手なんてやだって、小姉は泣いて暮してたよ。でも、家に遊びにきた彼氏は黒ん坊だったけど、とてもやさしい人だったよ、あの兵隊と結婚すればよかったさ。なのに小姉は、沖縄の男を好きになっちゃって、それが悪い遊び人で、千ドル、千五百ドルという前借りで、あっちこっちの店をタライまわしにしちゃったさ……。おまけに妊娠させられて、小姉は首吊って死んだのさ、死んだときに赤ちゃんが出ちゃって、膝のあいだにパンティがずり下がって、その中で血んだらけの赤ちゃんがまだピクピクしていたさ、母はさそれを見てから精神がないようになって、よう動かんさ。

ちゃー　すがよー（どうしたらいいって言うのよ）、夜の仕事しかないでしょう、誰が好きでこんな商売するね、姉ちゃんの借金あたしが荷(かろ)うよう仕方ないでしょう。その男みつけたら、たっくるすよ（殺してやるよ）、ヤマトのオジサン、これ本当の話だって書いてよ、商売でウソつくけど、これは絶対ウソでないから、十七といえば子供であるけど、もう一生の苦労を全部しちゃったさ、十五のときからもう死んでいるさ、生きてなんかいないさ……。

日本の人は親切だから、祖国復帰すればきっといいこともあるでしょう。うたでも歌おうね。〽奥山育ちのウグイスが、花の小枝で昼寝して、春がくるよなゆめを見て、ホケキョ、ホケキョと鳴いてます。

復帰したらどうなるかねえ、あたしらの商売やっちゃいけない言うんでしょ。でもやめれないさ、借金も残ってるし仕送りもせんといけんしねえ、モグリでやっていくより他にないさ、さだみでむん（運命なんだから）。

○

一九七二年五月一五日、「売春防止法」は沖縄に施行された、六月十三日のことだが、私が定宿にしていたコザ市解放区Hホテルのまん前で、〝違反第一号〟が検挙されたのである。やはりホテルを経営する、N子という五六歳の婆さんが、第十二条（管理売春）にひっかかり、四人のホステスが参考人として同行を求められた。

……ちょっとした大捕者であったが、その内実たるや、お粗末の一言に尽きてしまう。そもそもこの解放区は、私の見聞する限り、一軒残らずコールガールをかかえて、売春を営んでいる、時間三千円から一万円（外人である）、とまり二万円という〝観光相場〟分け前はホテルと女と五分五分、もしくは四分六分。N子の場合はむしろ良心的であった。ホステスを住みこませて、三分の部屋代しか〝搾取〟していなかったのである。おまけに娼婦たちの年令は、いちばん下が満四一歳、最年長に至っては何と五三歳なのだ。大年増というも愚かな、正真正銘のお婆アちゃんに厚化粧をほどこして（夜目には娘に見えたという）、酔っぱらいのGIをだまくらかして客にとっていたのだ！

冗談ではなく私は感動する、新聞記事には出なかったが、彼女たちの前借は最低で二千ドル、平均四千ドルという高額である。それぞれ家族の交通事故、キビの干害での借金、息子の本土大学入学という、「前借有理」の事情をかかえていた。四人婆さんとN子とは同じ離島の出身なのである。〝本土〟並みの論理は、法と秩序はこれを管理売春と呼ぶ、庶民の感覚からいえば人助けである、美談である、いささかグロテスクの趣きはあっても正義の行為ですらある。

しかるに、（刑事諸君も気のすすまぬことだったであろうが）コザ署は、四人婆さんを更正指導するべく家族を呼んで説諭した上、施設にほうりこんでしまったのだ。いったい五十にもなった貧しい女に、百万円のゼニをつくる算段が他にあったというのか。肉親、とりわけ子供たちには、料亭で仲居をやっているとか、食堂に勤めていると切ないウソをついていたのに、隣近所にまで知れてしまう残酷を（沖縄はせまいのだ！）、あえてする「売春防止法」とは何だ……。

前借を棒引きにした、かかえ主から解放してやったと、馬鹿も休み休みいうがよい。施設からまもなく出てきた（これも形だけの懲罰である）婆さんの一人を、インタビューすることができた。彼女はこういっていた、「前借はもちろん返すさ、息子が交通事故で大ケガしたとき助けてもらったんだからさ、恩を忘れてはならんさ」。義理（じる）という、沖縄民衆にとっての欠くべからざる生活の倫理、法の論理よりも人間のモラルに忠実であろうとするこの婆さんは、借金を返すために一所懸命に努力するであろう。そう、彼女はどこかの闇にもぐり、その老いさらばえた肉体が春をよそおえなくなるまで、この〝娼売〟をつづけるにちがいない。〝管理売春〟の違反第一号として、N子をふくめた五人婆さんが摘発された事件は、沖縄にとっての（そして日本にとっても）悲劇か、喜劇か？

〝場所提供〟の第一号についても、やはり記録しておく必要があるだろう、コザ解放区手入れの数日前、那覇の旧「赤線」十貫瀬（じゅっくわんじ）の路上で、「特殊婦人N子が袖をひいたので」客に化けていた刑事がこれを逮捕、同じ夜にやはりもと特飲街の栄町で、二名の売春婦を袖引きの現行犯で逮捕、ただちに二人の宿泊している旅館の経営者に出頭を命じて、一回売春ごとに千円の部屋代をとっていたことを自白させ、これを送検したのである。

あまりの阿呆らしさに、笑いもできず涙も出ない、復帰〝世替り〟の沖縄に（笹沢左保風にタイトルをつけるならば）、「売春防止法」の残酷喜劇を見た、どこの世界にロハで客を泊める旅館があるものか、これが県警の売春取締りの実態である。そして十七年前、ニッポン低国でも、まったく同様の茶番劇が公序良俗の舞台に乗せられたのだ。

実際の第一号は、五月の下旬に摘発されるはずだった、『アカバナー心中』という記録小説風のルポルタージュで、私はその事件を書いているが、那覇市内のあるマンションで一五歳の少女がガス自殺した。彼女は二月にコザの少年院を仮退院したばかりで、〝保護観察〟中であったが、友人の紹介で売春婦を志願、栄町の某旅館に他人の住民票を使って住みこもうとしたが見破られ、旅館の主人に強姦され、客を一ヵ月ほどとらされた上で、メカケになれといわれ那覇市内に囲われたのである。

ところが細君に露見して、再び娼婦稼業に逆もどり、割烹料亭からサロンへと〝タライまわし〟にされて、雪だるまのように前借が増え、ついに友人のマンションで自殺した。

那覇署では捜査をすすめたが、主人が売春を強要したという裏付けがついにとれぬまま、証拠不充分で送検できなかった。けっきょく売春の真の犠牲は、制度と法によっては救済されない。この少女が売春を志願したのは、親が模合(頼母子講)で背負いこんだ借金の穴埋めのためだった。

この少女は、あるいはまたぞろ〝娼売〟で前借を返そうとする婆さん娼婦は、「知能の低い者」であるのか、「白痴にちかい離島に収容しなくてはならぬ」、人間のカスであるとでも、菅原通済や婦人運動家たちはいってしまいたいのか?

○

「赤線」とは何であったのか……、それは確かに地獄であったろう。売春という営みが人間の彼岸において、招来さるべきフリー・ラブ・コミュニティの実現によって、やがて消滅するであろうこと、を私はうたがわぬ、無政府の理想はそこになくてはならないのである。しかし、現行の「売春防止法」とは、(坂口安吾の言葉をくりかえし引用すれば)制度の欺罔にすぎず、その網の目から人間はこぼれ落ちる。

誤解を承知でいえば、まだしも「赤線」の囲内の中に、〝堕落の自由〟を保証された、以前の形態のほうが望ましいとすらいえるのである。今日的社会において、自由はユートピアにではなく、まさに地獄にこそ、奈落にこそ願望としてあるのだから。

花の縁勝（いんまさ）て　あん美（ちゅ）らさ無蔵（うんぞ）や
蝶（はべる）なて翔ばわ　我（わ）自由なゆみ

（拙訳）
ひと夜の花と散ってしまう
仵な縁をつい忘れさせるほど
あなたがやさしくしてくれるので
私は蝶々になりました
女郎に誠はないというけれど
お客に惚れる自由だけは
この苦海にもあるのですから……

（琉球島うた・『紺地小（くんじーぐわ）』）

現在社会において、性はたしかに（通済の言葉とはニュアンスをちがえて）「闇の祭典と心得ねばならぬ……」、文明と制度は人間本然の自由を、闇の世界に閉じ込めたのだ。

「赤線」という囲内に、ひそかな肉の祭典を封じこめたのは、やや後代に属する。沖縄についで語ったことのついでに、いまひとつの〈うた〉をひく、『古見ぬ浦ぬブナレーマ・ユンタ』。ユンタは〝誦み歌〟の転訛であると考えてよい。西表島の古見部落は石垣島を去ること三三・三三キロ、往古は島行政権を司る士族の部落で、漢学を教える寺子屋風の〝会所〟も設けられていた。古見の良港には造船所もあって、栄えていたのである。首里王府に御用府を上納する季節、若夏の五月となると、西表の島全体の婦女子は石垣の美崎（美咲とも）の港におもむき、海岸に帆布で仮小屋を建て、完納の祈りをささげる慣習であった。

若夏ぬ　いちゅだら
うりじぃん（陽春）ぬ　なりよだら
美与府ぬみやらび
古見浦ぬブナレーマ

……………………

長いぱかり（測り）　蔵ぬ主
幅ィぱかり　調びぬ主
長いぱかりぬ美らさ
幅ィぱかりぬ優さや
叶い布ん了しった
十尋ん　納めった

〔訳〕
古見浦の女たち　美しい山裾の娘たちは
陽春の候　若夏の候になったので
（御用布を納めに石垣へいった）
蔵元の検査役　調べ役が長さと幅を
測ってみたら
寸法通り完全だった　勤めは無事終った
十尋の布を完納したのだ

ここまでが長み（緩調）・早み（速調）で唱われる原歌である。添歌がある。

〽大うらぬ　戻りんや
長うらぬ　帰りんや
まーらん（馬艦船）やーん　這りぺーり
まーらん家ぬ　儲ぎむぬ
馬艦宝蔵　唯一つ
まーらん家ぬ　戻りんや
やまとぅ（大和人）やーん　入りいなぎ
やまとぅ家ぬ　儲ぎむね
油壺　唯一じィ

〔訳〕
蔵元に用布を完納した　戻り道に
遠い石垣までやってきた　帰り道に
首里へ布を運ぶ馬艦船の
船員たちの仮屋に　女たちは這いこんで
煙草入れたった一個もらってきた
そのまた戻り道　その足で
日本商人たちの宿所に入りこんで
梅香油の香水を
これもたった一壺もらってきた

註釈を加えるまでもないが、これはむろん売春の描写である。いや売春というよりも、御用布の完納に浮かれた女たちの〝娯楽〟であった、といったほうが正確である。たった一個の煙草入れ、香油の壺をプレゼントしてもらって、嬉々として女たちは古見の部落へ帰っていくのである。フリー・ラブ——性のまったき解放を、この古謡はもの語る。とうぜん、まーらん船員や大和商人だけでなく、「夜間には石垣の青年たちは三々五々として歩き、女たちの宿所の周辺に集合して、たわむれていたという」（喜舎場永珣編『八重山古謡』より）

売春のはじまりとは、およそこうしたものだったにちがいないのである、「儲ぎむぬ」という言いまわしに罪の感覚はない。これを「無知」と眺め、「自堕落」と観じる人々の眼に、文明と制度の欺罔をひとすじ赤い糸のようにつらぬく、娼婦の自由な心情け決して見ぬくことができないのだ。

こうした地つきの性の交換から、いわゆる放浪の娼婦たち、アモレオナグ（天降女）や歩き白拍子が生まれ、やがて一カ所の囲内に廓が、「赤線」がつくられていく。枚数最早尽きたので、売春の歴史を詳述するよゆうはないが、安吾のいうごとくそれはカラクリの進化であり、そして同時に人間を制度に呪縛する。どのようなカラクリの中でも、自由になろうとする自由は人間から奪えぬことを、前出の『紺地小』の美しく哀しい詞は、証明しているのである。

（一九七四・一二・八）

『創』（昭和50年2月号、創出版）初出

花江

小林亜星

昭和三十三年四月二日の夕方、名古屋駅に降り立つ。もちろん未だ、新幹線などはなかった。前日すでに、日本のストーリビルの灯は消えていた。廃業時、全国の赤線女性の数は、五万一千六百七十五人といわれ、天正十七年、京の島原以来、三百七十年にわたって続いた廓の歴史は、永遠に終わりを告げたのだった。

そもそも赤線とは、明治八年、時の警視庁が、『かかる地域は朱筆を以て囲むべし』とした事から発している。その様な世間から隔離された場所を、日夜徘徊して過ごした青春とは、一体何だったのだろう？　幼い頃見た蛍の灯忘れ難く、青い灯赤い灯に惹かれたのか？　性欲の跳梁（ちょうりょう）止み難く、排泄に時を過ごしただけなのか？

男は一生の間に、六千回やれるという説がある。だが、自家発電を一回すると、五回分帳消しになるなどと、まことしやかにいう者もあった。蟷螂（かまきり）にかぎらず、雄（おす）とは哀れな生き物だ。今いえることとは、赤線に一歩足を踏み入れた瞬間、自らの手で、自らの青春を射ち殺してしまったということだ。今様に言えば、紅灯街の徘徊は、モラトリアムからの、必死の脱出行為だったのではあるまいか？

だが、すっかり身に付いてしまった悪癖は、簡単には直らず、〝灯の消えた後も、チューソンは裏口健在〟などという情報に吸い寄せられて、こうして名古屋くんだりまで来ているのだから、救われない。チューソンとは、大須と共に知られた、名古屋駅西側の、中村遊廓のことだ。

なるほど静かだ。大店は全く灯が消えて、廃屋の様だ。裏通りに廻る。『女性求む、優遇します』の木札が、ゴミ箱に捨てられている。

「お寄りして……いいお話があるの」とか、「アーラ、腰が重そうね、軽くしていらっしゃいよ」とかいう嬌声も、すでに夢の世界の出来事になってしまった。

〝田毎〟という店の前まで来る。暗い玄関から、「おいでなも」と、遣手婆らしいのが声を掛けてきた。「まだいいの？」「床上手な娘がいいんでございましょう、したら、らっしゃいませなも」

隠れるようにしてあがる。相変わらずお茶と最中が出る。暫くして、「あて、花江です」と、二十七、八の、色黒の女が入って来る。ズンドーのサックドレスを通して、時々露わになる腰の線がそそる。

「廃業まだしてないの？」「泣くに泣けないおつとめってのは、もう終わったの、あては好きでやってます。紺屋高尾の心境……気に入らないお客さんだったら、ワチキは厭でありんす——ってわけ」「こっちは、今夜抱こうの心境だね、だけど気っ風がいいね」「キップなんて穴があいちゃあ、それっきり」「ハハハハ、全くだ」

「あて、本当に今日でこの仕事やめるの」「えっどうして？　廃業の日にみんなと一緒にやめればよかったのに」

聞けば、ここで稼いだ金で、アパートを経営しようと思っていたのだが、目標の三百万に、二千五百円足りないのだという。

「そうか、じゃこれで終わりだ、二千五百円出すぜ……今夜抱こうどころか、今夜タコーつきまっせだ」「シまッ、うれしい！」「だけどアパートか、すげえな……」

何となく鼻白む。この手で、当分客から法外な金を、稼ぐ積もりかも知れぬ。事実花江は、昭和五十三年に、秘密売春宿の大きな手入れがあるまで、総元締めの夜の女王として、中村一帯に君臨していたと聞く。

「あて、サービスします」

床をつけるや、花江は驚くべき積極戦法に出て来た。女の方からこんな事は、廃業以前にはなかった事だ。たった二日で、法律が女をこんなに変えてしまったのか？

思えば、男が堂々と女を買えなくなってから、男が犯す……という基本が、怪しくなってしまったような気がする。この頃から、ブルーフィルムも、女上位が多くなり、トルコに至っては、犯すどころか、男が女の為すが儘に身を任せる事を、当然とするほどになってしまった。

日本男子の前途暗澹たり、と思うのは筆者だけだろうか?

帰り際に、「オレも今日で遊びやめるよ、もうヤバイしな」というと、花江、「そうよ、ここは名古屋ですもん」と来た。

「えっ?」

「昔はオワリです」

二十年ふた昔。何処の盛り場も、見違える様に美しくなった。人の心も変わった。かつてドブ川の淵に咲いた、あざみ達の倖せを祈るのみだ。

今はもう小便だけの道具かな――円生

『キネマ旬報』(昭和54年11月号、キネマ旬報社)初出

洲崎の女

芝木好子

あはれ　おもひいづるは洲崎の海　かれはみやこになにをするらむ。

犀　星

隅田川が佃島のわきをぬって、海に流れてゆくあたりの干潟が埋立地になったのは、いつのことだろう。この一帯の街筋には工場街もあれば木場もあって、昔はかなり繁栄した下町らしいが、戦災で壊滅したまま忘れられたのか今は場末の町をゆくようなさびれかたである。風が吹くと下町特有の砂埃が庇の低い家々にざらざらと舞いこんでくる。私は同じ東京の下町に育ちながら、この界隈へくるのは初めてのことだった。木場があるせいか町はどこも川がめぐっていて、運河には通路のための細い橋が渡されている。この土地の外れに、運河で囲われてうしろは広い海につづく陸があった。以前は陸全体が遊廓街であったそうだが、戦災のあとは半分がバラック建の住宅に変貌して、残る半分がささやかな特飲街を形成している。

この特飲街のなかにある「花菱」という店の経営者菱田常子（ひしだつねこ）は、私の女学校時代のクラスメートである。私は彼女とは特に親しくしたことはなかったけれど、それでも彼女の生家が特殊な商売の家だということは早くから知っていた。私の学校は公立であったために、どんな職業の家庭の子女でも学生としての資格を失うことはなかったが、それでも公娼（こうしょう）とか私娼とかいう商売の女たちを置く家は差支えたに違いない。彼女も別の生業の家に寄宿しているかたちをとった。私たちの学校には有志からなったバイブルクラスがあって、一週間に一度集って礼拝をしたが、私も菱田常子もそのバイブルクラスで一緒になった。彼女は無口で地味な、目立たない女学生で、そのころから小肥りしていて運動が苦手らしかった。祈禱（きとう）が自分の番になると私たちはきまりきったことしか祈らなかったが、彼女のお祈りは苦渋にみちていて、懸命な声音をふりしぼって神に感謝をささげるので、私たちはげっそりしてしまうのだった。

「誰にも言えなかったので、長い間どれだけ苦しんだかわからないわ」

常子は未だに自分の家のなりわいをひたかくしにしていた。恐らく彼女が入学して一学期もたたないうちにクラスの全部が知ってしまっていた秘密のために、彼女は半生を悩んできたことになった。その救いを感じやすい少女らしく宗教に求めた時期もあったわけだ。彼女は結婚した時を最後にこの商売を離れて、平凡な会社員の妻になったのだが、今ではまた彼女の一番きらっていた街へ戻って、自身が帳場へ座っているのである。生きてゆくためにはそうしなくてはならなくて、二人の子供を抱えた戦争未亡人の彼女は、老母の店へ舞い戻ったのだった。しかし私のみたところ、常子は「花菱」のマダムとして充分な貫禄と手腕を備えていた。老母の代よりも女たちは多くなっていたし、彼女には人を使うための寛容と支配力とがあって、十八貫の座りのよい体躯(たいく)と、心易い人柄が客に親しさを与えるのだった。

時に私がふらりとたずねてゆくと、常子は快く迎えてくれた。そのころ私は仕事もうまくゆかず、家にも落着けなくて、あてどない気持になっていた。すると自然に常子のところへ足が向いていて、女には意味のないこの町にぼんやりまぎれていると、気が変ってよかった。常子はこちらがなにも言わなければ、せんさくすることのない女だった。

ある日もそろそろ日暮にかかる時刻にこの街を訪ねると、どの店も掃除がすんだまま、まだがらんとしていたが、常子は自分の店先へ盛塩をしてその余りの塩をなにか奇妙な鳴きかたをしながら店のまわりへ撒(ま)いていた。私をみると顔を赤らめて、「いらっしゃい」と迎えた。彼女も私にだけは気楽になるらしく、ありのままの女主人の座で私のためにあれこれもてなしてくれたが、それはラムネであったり、大きくてざらついたアイスクリームであったり、カルメ焼きであったりした。それはみなこの特飲街の中の駄菓子屋から購(あがな)われてくる代物(しろもの)だった。

この店も例外に洩れずタイル張の安っぽい店付で、女主人の部屋は上ってすぐの中廊下の向いの位置にあった。次の間の窓からは洲崎の海がみえたが、そこには顔色の悪い若い女がいつも座って縫物をしていた。私はこの女が物を言ったのを聞いたことがない。中廊下のわきに娼婦たちのたまり部屋があった。女たちはいつも四、五人から六、七人いて、若いのは十六、七から二十七、八までが多かった。登代という中年の娼婦を私が初めて見たのは仄暗い階段のところだったが、そのせいか私はハッと息を詰めた。痩せた女がだらりと両手を垂して物憂そうに階段を降りてきたのだ。そそけた顔に白粉がどす黒くういて、荒れつくした顔というのはこんなのをいうのだろうか。額にも目尻にも目立って小皺があった。着物がまた悪かった。桃色地に花模様の人絹まがいのぴらぴらした代物で、これでは顔の老けを一段と際立せているようなものだし、彼女の目は心の据りが悪いのか、たえずきょときょとしていた。

「おかあさん、出てきます」

登代は店先から草履を引きずって出ていった。私のおどろいた顔をみて、常子は苦く笑った。

「あれではお客もつかないわ。いっそ客引きの小母さんにしようかと思うけど、あれで御本人はお客を取っていたいのね。ああいう売れないのは、すぐいなくなるんです。どこかへ住みかえるために流れてゆくのね。借金を踏み倒して……」

ふたりは夕暮の町へふらっと出ていった登代のあとを見送った。登代の歩き方は右と左がだるそうにぐらぐらぐらとゆれる、どこか中心のない、危っかしい歩き方で、私にはどうしても尋常なさまにはみえなかった。私たちよりもまだ幾つか年上の女が、媚を売る商売に身を晒していると思うと、言い難い嫌悪が妙に腹立たしく私を捉えた。私は不機嫌に登代の後姿を見送り、女はいやねえと呟いた。常子はしかしなにも言わずに新しい茶を私に淹れてくれるのだ。彼女は行きずりの、好奇心だけで眺めている私を所詮はよそ者だと聞き流しているのかもしれなかった。

「女はいやねえ」という、そのやりきれない実感のなかから逃れられずに、今日まで座り続けてきた常子が、神に祈って苦渋の涙を流した日もあったのを私は思い出した。するといま黙って茶を注いでいる彼女に、浅はかであったという気持でしゅんとなった。私は一ときぼんやりと登代の消えた町を見送って暗い思いに充された。こうして私が登代を見たのは、しかしこの日限りのことになった。

登代の歩いてゆく特飲街の橋の外に小さな酒の店が並んでいる。そのあたりには釣舟宿もみえる。少しゆくと木場に出た。材木の町も不景気なのかひっそりして、河には材木の筏が浮んでいるきりだった。登代は河岸っぷちを歩いて、自転車ですれ違った男に、

「小母さん、危いよ」

と声をかけられたので、顔をあげた。一歩過まれば河に落ちるという意識は登代には稀

薄だが、おばさんと呼ばれると険しい顔で振向いた。派手な借着をして若づくりだが、夜の灯の下でなければごまかせない。登代は河岸を入った郵便局の扉を押したが、びくとも動かないので腹立たしそうに持った手紙を睨んで、切手を貼らずにポストへ落した。特飲街の女たちは店明けには三々五々洲崎神社へ縁起のお詣りをする。登代はお詣りにまわってぶらぶら戻ってきた。彼女は三月前から洲崎にきていたが、ひどい不景気でどうにも勤まらないし、若い朋輩と並んで客を引くのがいやで、さっさと店へ帰る気にもなれない。特飲街の入口の橋の袂はボートが四、五艘浮いている。上潮なのかコンクリートで築いた堤防の八分目まで水がきて、地形の方が低い。

　ボート屋の男の子が客の降りたボートを杭に繋いでいる。この掘割をまわって漕ぎ出ると東京湾までざっと一時間で出られる。沖釣や夏は汐干狩にも人が出てゆく。

「にいちゃあん」

　甲高い声がした。ボート屋の男の子はちょっと振返った。橋の袂の石段を駆け下りてくるのは、向いの雑貨屋の四歳になる男児で、小児麻痺のために脚が悪い。片肩をはげしく落しながら、嬉しそうに足許もみない。ボート屋の少年は危いよっと言いながら、急いでボートを縛りつけた。小さな艀からはどのボートも一跨ぎだった。水音がした。振返った少年の前から四歳の児は忽然と姿を消した。一艘先のボートの端に手が見えた。彼はあっ、あっと転げるようにボートを渡って、その手を摑もうとした。登代は橋の上から、小さな子供の手が夕暮の川面から消えるのを見た。たった今、うれしそうに全身を転ばして駆けていった子供は、登代の産んだ満夫の姿にそっくりだった。喉の奥をしぼるような絶叫が橋の上にしたと同時に、ボート屋の男の子は悲鳴をあげて助けを求めた。橋の向うの交番から巡査が走ってくる。ボート屋から人がとびだす。雑貨屋の主人は狂気のように石段を跳び、上着を脱ぐなり、子供の名をよんで水に飛びこんだ。河幅は十二、三メートルしかない。みるまに橋の上は鈴なりの人になった。

暮色が垂れこめてきた。提灯をつけた舟が狭い河に右往左往した。警防団が繰りだしてきた。堤防のコンクリート塀の上にサーチライトが取りつけられて、川面は真昼の明るさになった。落ちた者は必ず一度は浮んでくる。たいていそこを助け出すのだが、落ちた子供は一度も水面に浮いてこなかった。溺死者は落ちた場所から十メートルとは離れないという。その囲みのなかの水底を掻きまわす棒や網で水は濁り果てた。緊迫した捜査に拘らず死体は上ってこなかった。橋の上に折りかさなって覗いている群集は、巡査に追われても去らなかった。深刻な表情で囁いたり、根拠のない意見を述べたりしている。

「上ったぞォ!」

ゆらめく艀の下から、泥まみれの物体が掬い上げられると、群集はどよめいた。子供の母親が泣き叫んでいる。いつか橋の上を飾る歓楽郷のネオンが赤く灯った。自動車が橋の真中を徐行して通ってゆく。登代は自分がどうして橋の欄干を離れたのか解らない。物見高く集った人の間をかきわけてふらふらと歩いていった。誰か知らない男が彼女を抱えて送ってきていた。日没すぎてもいつもがらんとした大通りが、なんとなくざわめいている。登代は真蒼になって大通りの外れの横町を曲った自分の店まで辿りつくと、店の中のソファに倒れこんだ。泥まみれの物体にしがみついた親の顔が自分になり、この両腕に変り果てた我が子を抱いたのだった。ああもう満夫は死んでしまった。

店にいた若い洋装の女がびっくりして女主人を呼んだ。登代を抱えて連れてきた男はみすぼらしい身装りの職人とも労働者ともつかない男で、鳥打をかぶり、うすい色眼鏡をかけていた。身体は筋肉質で、むっつりした顔はくらくて、とりつく島もない感じだった。若い妓は「登代さん、登代さん」と乱暴に肩をゆすったが、登代がぼんやり起直ると、若い女はもう男の腕の方へ手をかけて、帰さない算段をしている。奥から出てきた常子は男に向って、お礼に一杯飲んでゆけとすすめた。

「要らない」

男はにべもなく言ったが、登代の放心した顔をみると、医者が病人を験すようにじろじろと眺めた。登代は目を宙にして、両手をだらりと膝に落したまま、なにかぶつぶつ独語している。

「え、子供がどうしたって？　ああ河に落ちた子のことか」

登代は顔をあげて初めて男を仰いだが、ほとんど本能的な商売女の仕種で、襟をつくろいながら流眄（ながしめ）した。蒼い顔の老けた女の媚びた表情は男をぞっとさせたらしい。彼は後ろに身を引いた。往来をゆく男たちが今夜の椿事（ちんじ）の噂を声高にしながら通った。登代はふらっと立っていって、呼びとめた。

「河に落ちた子は、死んだんですねえ」

「あたりまえさ、二時間近くも浸（つか）ってたんだから」

「あの子は一度も浮ばなかったんですよ。落ちたきり、神隠しにあったように、どこからも浮いてこないの。可哀そうに、あっとも言わなかった」

「ああいうのはショック死で、河に落ちた瞬間心臓麻痺を起すらしいや。あの子も水は全然飲んでいなかったというから、案外楽に死んだんだろ」

「親が可哀そうだったな。女親は病気で寝ていたらしいが、ボート屋の窓から子供の名を呼びつづけるし、男親は気が狂ったみたいに河底を浚（さら）っているし」

「どうしてまた、そんな小さな子を危い場所へやったのかしら」

常子も口を挟んだ。

「だってあの子はうれしかったんですよ。あたし見てたもの」

登代はふいにぽろぽろ涙をこぼした。その涙を拭きもせず、肩をすぼめて嗚咽（おえつ）した。店の者は馴れているのか素気なくて、相手にもならない。往来の人が行きすぎてしまうと、店に立っていた鳥打の男は煙草に火をつけて吸いながら、常子に玉（ぎょく）の交渉をはじめた。彼が登代の客になると解ると、誰よりも登代自身がおどろいたらしい。彼女は濡れた顔のまままうさんくさそうに男をみた。彼はかまわずにみすぼらしい靴を脱いだ。登代は急にそわそわして身体をすりよせていった。二階はアパートの造作に似て、両側に同じような部屋が並んでいる。彼女の部屋は店の裏側で、調度一つない殺風景な小部屋だった。壁にはやたらと古ぼけた映画スターの写真が貼りついている。窓を開けると材木の浮いた河が月明りにみえ、心なしか潮の香がした。彼は窓からの夜景色を一とき眺めた。ふりかえると登代が足許に座って、彼をたしかめていた。彼女はしゃがれ声で囁いた。

「お客さんは物好きだね。どうしてあたしにつけてくれたの」

登代は店あけから客のついたためしはない。夜更けの暗闇でうまく摑まえるか、客引にあてがわれた客しかなかった。

「子供が河へ落ちたからさ」

彼が寝ころんで、その子供を知っていたのかと訊ねた。すると登代はなんだか知っているような気がしてきた。

「可愛い坊やでね。足が悪いのに、生きているのがうれしくてたまらないような恰好で、ぴょんぴょん石段を駆け降りるのを見たんです。男の子っていいわね、あんな子をみると抱きしめたくなる。ぷりぷりした頰ぺたが冷たくて、しょっぱいもんですよ。その子は落ちたとき、こう手をもがくように水面に出していたんです。小さい手が身体より三秒位あとに残っていた……」

その手が妙に生々しく目に残る。

「可哀そうに泥まみれになって死骸が上ったんですね。ついさっきまで跳ねて石段を降りた子供がさあ」

登代は怯えた表情になった。

「お客さん、私は罪になりゃしませんかねえ」

「罪に、なんの罪だね」

「見てたからですよ。見ていて助けられなかったからですよ」

男は登代の顔をまじまじと見て、案外やさしく慰めた。

「罪になんかならないよ。よっぽど君は気が小さいな」

「もしかしたら、私はあの子を押さなかったかしら。押して落せば罪になるでしょう」

登代は自分の行為に自信がもてなくなっていた。彼女は自分の神経が時々ぼやけて夢遊病者になるのを知っている。子供が落ちて死ねば悲しいが、子供を突き落さなかったとは言いきれない。もし落していたらどうしよう。彼女は不安な眼差で男を仰いだ。いかにも血のめぐりの悪そうな一瞬の表情があどけなくみえた。

「君にも男の子があったのか」

登代は別に隠し立てもしなかった。

「いたけど、でも死んじゃった。一人っ子で満夫っていいました。どこへゆくにも私から離れない子でしたがねえ、戦争が悪かったんでしょう。もう目茶苦茶でござりますわ」

終りはラジオで聞き覚えの調子で言った。派手な着物のせいか化物じみた老けかただが、老けてみえるほど実際の年齢は老けていないのかもしれない。それにしても彼より五つか六つは年上だろう。彼女は座った場所から物ぐさな四這いで、押入をあけて紙袋をとりだした。四這いの姿態には女らしいなまめいた線が出た。紙袋の口をこちらにつきつけて、食べろとすすめながら登代は男の名を聞いた。

「野木、乃木大将の乃木とはちがう」

「名前は」

「謙吉。次は商売か」

登代は臆面もなく客の顔をみつめて、子供のような声を発した。

「お客さん、目が悪いね、義眼じゃない」

野木は不意を衝かれて怯んだ。彼の色眼鏡の奥の片方の眼球は動かなかったし、その目尻にやけどの引きつれがあった。

「よく出来てるわ。この位近くに来なければ解らない。でも片方の目で見られていると思うと気が楽だわ」

「片っ方でも皺はみえるよ」

「皺なんてない、面の皮がよっているだけよ、あんた」

登代は喉の奥でけたたましく笑った。今しがた怯えて蒼くなっていた女とは思えない。野木はまだ自分の義眼をこんなにあけすけに聞かれたことはなかった。大抵の女は見て見ないふりをしているものだ。しかし片方の目で見られていると思うと気楽だと言った女の率直さが、彼の気を楽にした。

「子供は病気で死んだのか」

「いいえ、空襲の晩なのよ」

登代はこの客のそばにいるとなんの遠慮も要らない気がして、すらすらと喋った。彼女は空襲のあった昭和二十年の五月の晩、千葉に住んでいた。大きな編隊の爆撃は夜半からはじまって熾烈を極め、全市は火の海になった。空は真紅の火柱が届くほどだった。高射砲が轟き、焼夷弾が炸裂し、この世ながらの地獄だった。避難者は火炎の中を逃げ迷ったが、登代は逃げ場を失って七歳の子供と海に入った。遠浅の海はひたひた潮がきていて、火を逃れた人があとからあとから入ってくる。B29の轟音は耳を聾するほど低空した。彼女は子供を背負ってじゃぶじゃぶと水を掻きのけながら懸命に逃げた。海岸からようやく這上って松林へ隠れこむと、子供を抱いて倒れた。次の日はまた子供を背負って線路伝いに出て、焼け野原になった街から電車の出るところまで蹌踉と歩いた。

「いつから子供が熱を出したのか、解らなかった。気がつくと子供がへんなんです。それでも夢中だったから、東京まで連れてきたんですがね、いけませんでした。あの生き地獄は子供にだって強すぎましたよ。怯えて、息の根が止ったんでしょう。あれから当分の間あたしも馬鹿みたいになったんですよ。なんでもないことに身体がおこりのように慄えて、頭が痛くなるんです」

登代は自分の顳顬を拳固で叩いた。その時から十年経っても深い個所にショックが残って、遂にはこんなように生きる道を辿るはめになったのだと、彼女は語っているつもりかもしれなかった。彼女の良人は戦死したというから、どの道女の堕ちてゆく経路はきまっていると野木は思った。この女も自分と同じように独りらしいと彼はみた。良人も子供も失って、これという意志もなしにずるずるこんな生活に堕ちてしまったのではないか。そうだとしても彼女が一人きりだということは、あながち不幸とはいえないと野木は思う。一人で生きるということは自分で自分に結ばれることだ。そこには自分だけが在る。自分だけが在るということはたいへん自由なことではなかろうか。自分の外のものから支配されないためには、自分を外へ向けてはならないのだ。それさえ守ればよい。誰もが自分の生活の自由を侵蝕してこないために、野木は世間ともかかわりたくないと思っている。独りだということは魂の軽くなるような解放感をもっている。働きたくなければ彼は寝ている。明日の食事にこと欠くことすら、自分の自由であろう。野木はいつも結ばれた女とそのめぐりあいをたのしんであそぶのだが、二度と同じ女のところへはゆかなかった。女たちは三度目には身の上話をはじめて、自分と男との間に楔（くさび）を打とうとする。女は相手にまかすことで仮託の中に拠点を摑もうとするらしい。そこからまた無限のおぞましい人間関係の深淵（しんえん）が始まるのに。

　野木は少しも男にポーズをつけないであけっぱなしに話している登代の愚直さに、気が休まった。どんな女も運命をもっている。生きてきた歴史が貧しければ貧しいほど、彼女は人間らしいのかもしれない。老けて醜くなった顔もしばらく見ているとだんだん気にならなくなるし、この女のまっとうでもない頭脳も、傷ついた過去の負うべき責任で彼女の知ったことではないのかもしれない。来る日も来る日も淫靡（いんび）な道具として男の欲望にこたえることで、いつか自分でも自身を道具のように思いこみ、なんとも思わなくなっているのであろう。捨鉢かもしれないが、もうこの年齢になってみれば浮ぶ瀬を望んだところでそれほど今と代り映えもしないにちがいない。一体人間と人間が、親子も、師弟も、友人も、もう少し淡白な関係で生きられたら、肉親も他人も等しなみなつながりになるのではないかと野木は考えるのだ。そうなったなら人間はお互いにもっと自由で、そして誰にでも愛情を向け合えるのではなかろうか。そうなると楽だ。この女に客がつかなければ自分がついてやる、彼女が不安そうにしていれば立ち止って慰めてやる。次の日にはまた別の男がそうしてやればよい。彼がふとみると、女もまた淡々とした習慣的な動作で、男を迎えるための支度をしていた。

特飲街の橋の際に、小さな飲み屋が並んでいる。真昼どきはひっそりかんとして、店を開けているうちもない。

登代は呼出しがあって、まだ寝起きだったが、すぐやってきた。若い男が彼女に会いにきて、おでんやに待っているということだった。この間の男しか彼女は思い当らなかった。妙な男で、いつまでも彼女に喋らせて、うんでもすんでもなく寝転んでいたが、こうしたところへくる男のがつがつした卑しさがなくて、登代はいつになく気楽なたのしさを味わった。こんな自然な気易さで客に接したことは絶えてないのだ。いつも若い女にみせかけて気張っていなければならないし、それでも大方は見破られてしまって朋輩からも軽んじられ、客引がまわしてくれる客だけをあてがわれている有様だった。夜半の十二時をまわって特飲街の灯が一斉に消えてから、売れ残った女たちが店先に蠢めいて、通る客を見境もなく引止める、その闇の時だけ登代はがむしゃらになって客に喰いついた。生きるか死ぬかの生存の場では、どこからそんな声が出るかと思われる気恥かしい甘ったるさもものかはである。しろといえば逆立ちもやりかねない。たまに若い男がベテランを名差して上ることもあったが、そういう者に限って二度とは来ない。登代は客にあぶれるとぶつぶつと呪詛（じゅそ）の独語で鬼の面になった。

この調子だとまた住みかえなければならないだろう。登代はどこでもいい、ただ少しばかりのびのびとして頭を休める場所がほしかった。この間の男ならば自分をそっと置いてくれるほどの度量があるように思う。彼女は男にこの次はおそい時間にきて泊りにしてくれと言った。その方が客にとって安上りだし、こちらも助かる。しかし来るかどうかはわからない。彼女は使いにきた子供と並んで橋を渡り、勢込んでおでんやの店へ顔から入っていった。狭い店に取りつけた台に向って掛けているのは十六、七の少年だけだった。登代は当てが外れた面持でその場に突立ったが、突然ああと声になった。一人息子の満夫だった。しばらく見ないまに見違えるほど背丈が伸びて、髪の毛を伸しているせいか外見はいっぱしの若者にみえた。詰襟の粗末な服を着た彼は振返って、母親の顔を一瞥(いちべつ)した。まだ稚(おさ)なさの残った顔は案外落着いた表情だった。

「満夫じゃないか、大きくなったねえ」

登代はしゃがれた声でよっていって、いきなり肩を抱えた。満夫はおどろいて乱暴に肩を外した。羞恥(しゅうち)とも当惑とも嫌悪ともつかない混乱で、彼の土くさい顔は赤くなった。その不機嫌にむっとした顔は、登代に彼の父親を思い出させた。

「名前をいわないから誰かと思った。いつ出てきたの。手紙見た? しらせてよこせば上野まで行ったのに」

「あの手紙、切手がなかった。不足分をとられた」

満夫はなじる口調で、低く言った。登代はそんなことは覚えていない。彼女は椅子にかけると、奥に向ってビールを頼んだ。それから背丈は何寸あるかとか、工場はおもしろいかとか、脈絡もなくたずねはじめた。満夫はうとましい思いを顔に現わして、ろくな返事もしない。このそっけなさも、子供の父にそっくりのものだが、登代は久しぶりに会ったよろこびで気にもかからなかった。彼女が満夫に会うのは五年ぶり位だった。親子が一緒に暮したのは空襲の時までである。それまでは登代がこの子を育てたのだ。

登代は腺病質で、本当なら子供の生める身体ではなかった。女学生の時、かかりつけの医者が二十歳までもつまいと言ったのを、ふと聞いてしまった。それからは毎朝飲むブルトーゼも彼女は飲まなくなった。学業も怠ってしまい、少し運動の時間に走って心臓が動悸を打つと、もう死ぬような気がして真蒼になった。よく貧血を起した。目がさめてからもしばらくはぼんやり虚空をみている。そのうちあたりがはっきりしてきて、自分が学校の休養室のベッドに寝かされているのに気付くと、ああまだ生きていたのだと思う。まだ二十歳には間がある。手を出して数えてみる、あと何年何か月だわ、そう思うと、切ない苦しさで喉の奥が渇いてきた。しかし登代は内気で誰にもそのことを打明けなかった。

どうやら女学校を出ると、彼女は家の事情である土木会社に勤めた。いつも怯えたように小さくなっていて、呼吸をするのも遠慮勝の目立たない娘だった。神経質で、友達が彼女を威して「わっ」と背中を叩くと、彼女はショックのあまり、ひきつけたように目を白黒させる。大袈裟なわけではなかった。そんな彼女が案外死なずに二十歳を越して一、二年すると、ようやく彼女に生命の燭光がみえてきた。死なないかもしれないと思う、いや生きたい、ぜひ生きなければと思う。二十年の寿命だとあきらめていた反動は、はげしい生命力を駆り立てた。彼女は見違えるほど美しい娘になった。どことなく異常な情熱があって、過剰な神経の作用が働いた。

彼女は同じ土木会社の若い社員塩見と愛し合うようになった。塩見はどこか調子者の軽さがあったが、会っているとたのしかった。登代には初めての恋人であった。そのうち彼は会社の新しい事業が満洲（現、中国東北部）に伸びて、そちらへ転勤することになった。彼は渡満してしまった。登代は彼のことを両親に打明けたが、ゆるしてくれなかったのであきらめようと思った。しかしあきらめようとすればするほどやみ難い思いにせかれてゆく。そうなると分別のない彼女は一途になった。彼女は家出をして、突然満洲へ旅立った。長い長い汽車旅の間、ただ塩見のことしか思わなかった。朝鮮を縦断し、満洲に入って新京（現、長春）へ着いたのは黄昏だった。うるさいほど寄ってくる人力車に乗って、郊外の塩見のいる寮へたずねていった。塩見は彼女をみると驚いてしまい、物も言えなくなっている。彼は登代をひとまず知人の家庭へつれていった。結局登代はその知人の世話で、ある国策会社に勤めることになった。女子寮があって内地からくる娘たちはどれだけの数でも消化された。仕事は女工も含めてありあまるほどだったし、新開地らしい自由な天地であった。ここには家族もなければ、うるさい世間の目もなかった。男女が公園で三度出会えば、笑顔が交され、簡単に知己になれた。登代は塩見とは間もなく別れてしまい、開拓地に関する仕事のことで働いている泉川という男と一緒に暮すようになった。泉川は群馬県の農家の次男で、早くから広い天地をゆめみて訓練所から満洲まできたのだった。彼は身体のがっしりした精力的な男で、無愛想だが、登代にはそれが頼もしくみえた。しかし一緒になって子供が生れてみると、家庭にいるような男ではなかった。絶え間なしに開拓地を飛び歩いていたし、将来は開拓地へ入植して指導者になると聞くと、登代は心細くなった。彼女は土に手をつけるのは自分の庭に野菜を作るのさえ気が進まない方だった。都会育ちの彼女はこの外地でダンスをしたり、華やかに暮すことに興味があった。夫婦は衝突すると泉川が必ず暴力をふるい、登代はヒステリックになって夫の手に噛みついたりした。「ばか、ばか」と泉川は罵った。登代は夫の留守のさびしさに堪えかねて、ある若い音楽家と恋愛した。この青年は彼女の傷み易い心を楽器のようだと称えたが、一度泉川の太陽に灼けついた顔をみると慄え上って近よらなくなった。

子供が四歳になった時、泉川は牡丹江へ転任になった。彼はそこを足場にして新しい入植者を訓練する仕事にかかるつもりだった。彼は一年の大半は行き先も告げずにリュックを担いで出ていってしまう。登代は牡丹江のような奥地まではゆく気持はなかったし、夫婦は幾度も大喧嘩をしたあとで、結局登代は子供をつれて内地に引揚げてきた。子供のために送金だけはするという約束だったが、泉川は一度もそれを実行しなかった。登代は子供の満夫を抱えて働かなければならなかった。内地も少しずつ物資が欠乏してきたので、泉川の群馬の実家へ手紙を出したが、米を分けてやろうとも言ってこなかった。登代は町会事務所の事務員をしたり、神田の旅館の女中をしたり、両国の料理屋へ働きにいったりした。空襲があるようになってからは、千葉の母の妹の疎開した家に留守番で住みこんだのだった。ここの主人は石鹸工場に出ていた人なので、登代はその縁故で石鹸のルートをつけてもらって、細々と闇商売で暮しを立てていた。登代は子供の満夫を夢中で可愛がりながら、時々ヒステリックになって子供を些細(ささい)なことで折檻(せっかん)したりする。感情がむらで、振幅がはげしくて、常軌を逸していた。

空襲を辛(かろ)うじて逃れた彼女は、まっしぐらに群馬にある泉川の実家へ行った。初対面同様の人たちに彼女は子供を預けて、すぐ迎えにくると言って戻ってきた。彼女が物に対する怯え方がひどくなったのはその時分からで、叔母(おば)の世話で半年ほど精神病院に入れられた。しかし登代はいつでも自分は少しもおかしいところはないのだと、回診の医師に訴えつづけた。

「そうそう、あんたはおかしくないよ。ただもう神経が弱っているだけだから、しばらくここで休養してゆきなさい」

医師はなだめてくれる。登代は自分の神経の脆(もろ)さだけは知っていたので、仕方がないと思うのだった。

登代は七歳の子供が十七歳になった今になっても、この子供と猛火をくぐって逃げた空襲の晩のことは忘れられない。その子供の幼さが記憶の最後を飾るせいか、この成長した我が子とは容易に一つにはならないのだ。登代はビールを満夫のコップにも注いでやり、自分も美味そうに飲んだ。満夫の浅黒い、顎の張った顔はしんねりむっつりしていて、泉川を思い出させる。自分本意な、強情な顔だった。泉川の消息は終戦後も皆無で、おそらく満洲のどこかに骨を埋めたのだろう。彼にとっては妻よりも子よりも大切だった満洲の土の上で、それらしい死に方をしたと思うより仕方がない。

「いま勤めている工場ではいくらくれるのさ」

登代が馴々しく顔をよせると、満夫は身をずらせた。彼は中学を出るとすぐ土地の製紙会社の工員になって、その寮に住込み、夜は夜学へ通っていた。登代は最近になって頻々と満夫に手紙を書いた。彼女は毎年春から梅雨にかけての季節は身体の具合が悪い。頭が重ったるくて、自分のしていることと神経とが別物になって動いているような、にぶい距離感があった。このいやな前ぶれが訪れてくると、彼女はエア・ポケットに入ったような恐怖で生きていることが不安でならない。彼女はふっと息子と二人でまた昔のように暮すことを考えた。あのぷりぷりした頬の感触や、ゴムまりのように弾む肉体の手応えのある体温がしみじみなつかしいのだ。彼女は荒んだ生活に疲れ果てたし、子供と二人でいて子供に養ってもらったら、身心とも休まるだろうと思う。この考えにつきあたると、彼女は来る日も来る日も息子に手紙を書いて会いたいと言った。助けてほしいと言った。お母さんの懐ろにおいでと書いた。その空想の都度彼女の手紙の文面は変化してゆく。

彼女の願いの叶った現実の息子を一目みると満足して、ありがたいわと思った。息子は頼もしい若者になっている。

「お母さん、群馬へ行くよ。一緒になるからね。部屋を探しておくれ」

彼女は今の暮しの愚痴を言いはじめた。そのうち満夫の父親の愚痴や、空襲や、病気の話になって、それはいつ果てるともしれない。脈絡のない愚痴なのだ。満夫はうんともすんとも言わなかったが、彼女の口が自然に封じると、すっと立ち上った。登代は驚いて一緒に立ち上った。彼女が金を払う気配もないので、満夫はあわてて自分のポケットから金を取り出した。

運河の水は澱んでいる。登代は満夫と並んで歩いた。さびれた裏通りはひっそりして、釣舟宿の前には釣網が干してある。少しゆくとまた木橋に出た。満夫は登代と少し離れて歩いた。

「十年も離れているとへんだと思う。あんたが僕のお母さんという気がしない」

満夫はそう言って、登代を落着いた冷淡な目で見た。

「お祖父（じい）さんなんか、あんな者は母と思うなって言ったけど、僕あの家から出たくて幾度も手紙をあげたでしょう。返事はほとんどこなかった。そのうちあんたのしていることが薄々解ったから、僕もう手紙を書くのはやめた。お祖父さんのうちから抜け出るのだけが望みだったから、工場へ入った時はうれしかったな。今は夜学へ行ってるから、小遣は五百円位しかないけど、それで大福を買っても誰もなにも言わないし、殴られもしない。一人って愉快だなあと思う。こんなにのんびりできるなら嫁さんも要らないな。嫁さんはすぐ意地悪なおかみさんになる。女ってなぜああ意地が悪いんだか、そのくせ意地悪をして自分の方が泣くから、矛盾している。僕、あんたと一緒にはならない。これっきりだと思って挨拶にきた。一緒に暮すなんて考えないでください」

十七歳の少年は群馬から持ちつづけてきた決断を、幾分切口上で母に伝えた。登代は断崖から突きおとされる瞬間を味わうような眩暈を感じた。身体が前後に揺れてくる。心臓が苦しくなって、呼吸が喘いだ。耳の端で地虫が鳴くような頭の痛みを感じた。彼女は小さな木橋に摑まって、見栄も外聞もなかった。

「お前さんがなんと言っても親子のつながりは消えやしない。この世で母親は私一人なんだ。親が疲れて病気になってもかまわないんだね。子供は親を養う義務があるんだ」

「義務、おかしなことを言うなあ。未成年を養うのは親の義務なのに。僕の場合、あんたが病気をしてもどうしようもないじゃないか。あんたはお母さんかも知れないけど、僕には遠い人なんだもの」

満夫はこの実感をどうしようもない。恐らく父親が現われても決して馴染まないだろう。

父親が富裕ならば依存するかもしれないが、純粋な親子の関係は満夫には考えられなかった。彼は誰も信じない。彼にとっては肉親の祖父も伯父もいとこたちも、他人よりいやな存在だったからかもしれない。彼は人嫌いで、工場でも人と付合わなかった。それでいて偏屈というのではなく、独りで気儘にラジオを聴いてたのしんでいるのだ。誰かが自分の肩に手をおくと、急に感興が冷えてしまう。肩にかかる手は重たくてわずらわしかった。もしその手がいつでも執拗にかかっていたら、満夫は案外造作なく刃物ででも払うかもしれない。彼は母というもののイメージを失って以来、登代にはなんの愛憎も抱かなかった。彼の無関心はへんに悟ったもののように、淡々としていた。彼は歩き出して表通りを走る電車の音を聞いた。

「浅草へはどう行くのかな。折角出てきたんだから、浅草見物するかなあ」

登代はその冷淡な息子を橋桁から突き落そうとして、かっと目を剝いた。満夫は鬼女の面を被った登代に当惑して、片肘をあげて母の暴力に備えながら後ずさりした。彼は痩せた登代よりも腕力を持っている。しかし母の異常な迫り方におびえた満夫は、逃げ腰にならずにいられなかった。

午後のそろそろ支度をはじめる時間に、登代は階下のたまり部屋へ入ってきた。

「えんちゃん、風呂銭貸してちょうだい」

「また……登代さんは返してくれないんだから」

「なに言ってんの、十五円を二十円にして返させてさ、いい商売してるくせに」

「それは先月やめた春江さんじゃないの」

えん子という朋輩は仕方なしに財布から小銭を出して登代に渡した。それから隣の女と顔を見合せて、頭に人差指で渦をかいてみせた。登代はあともみずに来たばかりの新米の女と連れ立って銭湯へいった。銭湯もこの運河の囲みの中の外れにあった。午後の陽が傾いていたが、小さな浴場の天窓からの明りがおだやかだった。鏡の前に並んでみると、若い愛子という女はよく肉づいていて、まだ乳房も娘らしい円みがあった。その弾力ある小麦色の肌ざわりは、はちきれそうな生命感にあふれていた。顔もお月さんのようにまるくて目が細い、唇だけがなまなましい赤さに塗りこめられて、かえってちぐはぐな感じだった。湯を浴びると、彼女の脂肪の潤沢な皮膚からは湯がはじきとばされてゆく。登代はさすがに鏡の中の自分の肉体をはばかった。皮膚が干涸びて、乳房は貧しくたるんでいた。長年の肉体の酷使で艶も張りも失われている。細い腕には静脈が浮いていた。登代はその腕に石鹸をぬりながら、

「あんた、幾歳」ときいてみた。

「十七です」

「十七だって、じゃあ寅年だね」

「さあ、なにどしだか知らないわ」

登代は終戦のとき満夫と同じ七歳だったに違いない愛子を見直した。もう大人になって自分のからだを使う年齢になっているのだ。自分の年の半分よりもっと若い女が、同じ女体を売ることができていると思うと、登代はぞっとした。赤いセーターの似合うこんな若いむすめはさぞたのしいことが約束されていただろうに、なぜ選りに選ってこんな町へ来なければならなかったのだろう。しかしむすめは殊更ここへきた境遇を嘆いているとも、憚かっているともみえなかった。彼女は自分の桃色のタオルをうれしそうにひろげながら、

「きれいなタオルでしょう。あたし自分のタオルを持ったのははじめて」

そのタオルをあそびにして、湯にひたしたり出したりしている。昨日パーマネントをかけたという髪は電髪がかかりすぎて赤くちりちりだった。彼女は福島の農村から出てきたばかりだと言ったが、これからする商売も充分心得ているらしく、おそれている気配はない。

「流しましょうか」

愛子は気さくに登代の背中をごしごしと洗った。その力ずくが背中にひりひりとこたえた。登代は眉をしかめて、おお痛いと言った。

小さな子供が湯舟へ足をかけて跨ごうとしていた。遊動円木を跨ぐように全身をかけて伏せながら、湯の中へ入ろうとしている。湯の中へ入ると同時に浴槽の底へおちそうな幼

さだった。

「あ、危い！」

登代は見るなり大きな声で叫んだ。子供の母親がとんでいった。子供はわっと泣きだし、銭湯の中の浴客はおどろいたように顔をあげて、登代と子供を見比べている。

「危くて、みていられやしない。よく子供をあんなに抛(ほう)っておくものだね、この間子供が川に落ちたばかりなのにさ」

登代はあてつけがましく言った。自分の心臓の動悸が苦しいほどだった。世の中の子供を持った親という親が不注意にみえてやりきれないのだ。

湯から上ると、もうあたりは暮れかけていた。登代は細帯のまんまで外へ出た。戦災前まではこの運河の中の街はもと格式のある遊廓だったというのに、今では大通りの半分だけが特飲街だった。場所柄が都心をはずれてしまっているせいかさびれて、下町の粋(いき)な面影をとどめようもない。風呂屋から特飲街へかえる道の途中に、堤防の一部が壊されて外側が埋め立てられ、木材所ができた。登代は愛子を誘ってぶらりと埋立てられた傾斜の道を上って堤防の外へ出てみた。埋立地にはレールが引かれてトロッコが通る仕組らしい。木材所は洲崎の運河に面した外れに建った。トロッコのレールを跨いで下りると埋立地の際には水がひたひたときていて、材木も流れている。この眺めには葦(あし)の生えた干潟をめぐる河の流れと空があった。その先は海だろう。登代はしゃがんで煙草を吹かしながら、夕風になぶられていた。もうここにも長くはいられないと登代は思った。客は少しもつかないし、借金だけが嵩（かさ）んできていた。客も朋輩も自分をバカにするのだ。ここは住みよい場所ではない。もうどんな男でもよいから、この地獄から自分を連れ出してくれる者はないのだろうか。さびしいから帰ろうと愛子がうながした。登代は煙草を捨てて立ち上り、だらだらと傾斜の道を下りて、その横手からはじまる歓楽の町へ戻っていった。

夜の着物を借りに登代は女主人の部屋へ出向いた。来る日も来る日も借着で、結局は借金してそれを買うことになるのだけれど、彼女の働きではいつまでしても着物一枚自分のものにはならないのだ。よく肥って艶のよい常子は登代の化粧をみると、ふっと眉を寄せた。

「あんた病気じゃないの。疲れるようなら縫物でもしていたらどうお」

登代はそっぽを向いているきりだった。胸を悪くした女が病院に通いながら縫子になって住みこんでいたが、登代はあんなにして働くのはまっぴらだった。針をもって一本の線を縫うことさえ億劫なのだ。彼女は着物を抱えてきて、投げやりな気持だった。どうせ今夜も看板まで客はないだろうと思うと支度をする気にもなれない。若い妓たちはもう店へ出て立ちはじめているのか、客を呼ぶ声がする。ふいに登代は自分の名をけたたましく呼ばれてぎくりとした。帯を結（ゆわ）えながら出てゆくと、いつかの義眼の男がまっすぐに上ってきたのだった。彼女はその場に釘づけになって、小きざみに身を慄わせた。その男が登代には常人とはみえなかった。橋の上で倒れかかった彼女を支えて、知らないまに送り届けてくれた男の現われかたからして登代は夢をみているようだ。

野木は二階の部屋に上っても、別に登代の顔をみるでも、声をかけるでもなかった。よごれた鳥打を投げ出し、焼酎(しょうちゅう)の入った顔を窓によりかけながら彼は夜風に吹かれた。この場所がなんとなく気易いのは何故かなと思った。野木はその時々によって違う仕事にありついたり、あぶれたりして、長いこと放浪したせいか、東京の町にはかなり精しくなっていたが、やはり生れた町に近いこんな掘割のある町がなつかしいのかもしれない。家があるわけではなし、肉親があるわけでもないせいか、彼はその日の懐ろでふっと黄昏の街角に足を止め、ちょうど来合せたバスに乗って、これというあてもなく終点までゆくようなこともある。この四、五年来の東京のバス行路の発達で、回れる限りの遠路を迂回(うかい)しながら、どんな街へも案内してくれる。

右目のない彼は眩しい朝の陽光も、夜のネオンもきらいで、日没前後の太陽の衰えてゆく時刻がいちばん安らぎになった。彼の半分の目にかかると、距離感がはっきりしなくて、遠近がつかめなかった。彼は歩いても歩いてもその橋に近づけないもどかしさで、かっとなった経験がある。物にもよくけつまずいた。凹凸がはっきり見定められないために、大地が窪(くぼ)んでいても、小高くなっていても、用意がなくて前にのめった。この不安定な日常には容易に馴れがなくて、かえって視力の衰えさえ現われはじめた。彼は薄い色眼鏡をしていたが、過度な光線を浴びると健康な左の目からも涙が出てきた。残された大切な左目のために彼は強い光を避けていつもうつむいていた。

ここしばらく築地の青果市場へ軽子の臨時の仕事で出ている野木は、朝が早い代り夕方も早く仕事がすんでしまう。銀座からきたバスがちらほら灯をつけはじめた街を走ってゆくと、彼はわれともなくその方へよっていった。築地から勝鬨橋へとバスは真直ぐに走る。隅田川は暮色につつまれて、広い川はしずまっている。月島から埋立地をぬってゆくと、河に沿って工業地帯がひらけ、船が入っていたり倉庫が並んだり、鉄工場のつづく地域だった。バスががらんとした大道路の橋を渡って場末のさびれた風景の中を孤独な感じで埃まみれに走ってゆくのだ。あたりが夕暮れてきた川に小さな舟が流れてきた。艫に石炭を山積した舟には赤ん坊を背負った若い妻が舳先に掛けている。若い妻は白い割烹着をかけて胸に負い紐の黒い帯を交叉させていた。舟を漕ぐのは良人だろう、彼は橋上を走ってゆくバスを見送っている。

ゆるやかに滑ってゆく舟の光景は、すぐ野木の視野からみえなくなった。入江から入江をまわって積荷と運搬で暮している夫婦者のねぐらは、案外石炭の下の舟底かもしれなかった。野木は一瞬に消えた情景ののどかさを、見てはならないものだと思った。夫婦と家庭との原型が小さな舟に存在していた。そのことが珍しく彼に強い印象を与えた。彼はバスに揺られながら、ふりかえって砂埃の道を眺めた。バスは刻々に日没のあとの暮れた空の下を、人肌を慕うもののように埃まみれに走ってゆく。あたりがいつとなく夜になって、灯が明るく瞬く町に出ると、大きく「木場」と書いた標識が見えて、深川だった。

彼は以前ここからあまり遠くない北砂町（きたすなまち）のごたごたした町中に住んで、時計商を営んでいた。彼が出征したあともここに残った老母と妹は、空襲の晩に死んだのだった。妻だけが妊娠中で実家に帰っていた。老母も妹も防空濠の中での窒息死で、出口の方へ乗り出してもがいた恰好で呼吸が絶えていたという。妻の喜代子（きよこ）の生んだ子供はすぐ死んでしまって、野木が帰ってきた時彼女は勤めに出ていた。野木はビルマ（ミャンマー）で片目を失い自失の態で、敗惨者のように立ち上れもしなかった。夫婦の間はどういうものかいつまでもしっくりゆかなくて、喜代子は彼を疎（うと）みはじめ、そうなると彼はますます仕事を求める気力もなく酒ばかり飲んだ。喜代子から別れ話が出て、二人が別れるまでには理由もない憎しみ合いで二人は荒みきってしまい、喜代子は勤めもやめてしまった。どちらに恋人があるというのではなし、嫌いというのでもないのに、夫婦の間には和解のしようのない溝が出来てしまったのだ。喜代子は二言目には、

「あなたは元はこんなではなかった」

と責めたが、野木にとっても元はこんな目はしていなかったのである。

彼は河のある町をしばらく歩いて、いつか埋立てた運河の中の歓楽の町へ向っていた。そこへゆけば自分を待っているものがあって、それが自分をたぐりよせるという意識はな

かったが、そこには気にかかるものがあって、自分がみてやらなければなるまいという思いは、どこかにあった。それでいて負担とまでは思わない。通い馴れた道を知らず知らず歩いているような自然さでもあった。片目で見られていると思うと気楽だと言った女の顔も、人間の顔には違いない。大抵の女は彼のきらきら光った硝子の球を気味悪そうにして、わざと見まいとしたり、見ないふりをするのをエチケットと思っているらしかった。妻の喜代子はいつもこの不自然な目をおそれるので、彼はしばらくの間眼帯をして暮したこともあった。彼の平凡な顔はそのためにひどく目立った。目立つということが彼を傷つけた。決して賑やかな通りを歩かない。人に呼ばれても片方の目を労(いたわ)る角度で相手をみるくせがついた。

　野木はふところの都合もあって、女のいる町へくることは少ない。宵に来ると高いから、夜おそく来るようにとわざわざ送り出すときに登代が教えたが、彼は二度と会うこともあるまいと思っていた。彼は橋の近くの飲み屋へ入って焼酎を飲んだ。この腰掛店の裏は運河で一跨ぎの土しかない。彼は飲み屋の女にこの間子供が河へ落ちたろう、と話しかけた。

「旦那さんごぞんじですか。ほんとにこの近所の子供たちは遊び場もなくて危いんですよ。よくコンクリートの堤防の上を歩いたりしますし、水遊びも好きですしね。ろくな真似はしませんよ」

　野木は自分の子供が生きていたら、もう十歳にもなっているのだと思った。子供のいないことに、ほっと息をつく気持だった。もし子供が生きていたら自分たち夫婦の不幸はもっと根深いものになったろうと思う。子供が死んだということで自分を救っている彼は、かえって子が河に落ちた打撃も強かったのかもしれない。この心情が登代にも共通かどうかは解らない。

彼は店を出て軒並に女たちが出てきて呼びこむ声を聞き流しながら、ぶらぶらと冷やかして特飲街の外れまで歩いた。行き止りは堤防だった。返して横町に入ってもまだ上る気にはなっていなかった。

若い女が野木の腕を摑むなり、高い声で登代の名を呼んだ。まだ店あけで客は一人も上っていなかった。野木をみると、登代はああと口を開けて、茫然としたまま媚を湛えることも忘れているのが、痛いように彼にわかった。厚い白壁の中の亀裂のような小皺をみてもはじまらないので、彼はにやにやしてよこを向いた。こんなみじめな女の面が少しもいやでないのは、おかしいことかもしれない。彼女が自分の硝子の目に奇異や嫌悪を感じない、その無関心さとのゆるし合いだろうか。彼はそんなのは真平だと、悪趣味な客の厚かましい態度で上った。

この前の部屋に通って、寛ぐと、登代はそばに座って煙草を無心した。彼女はうまそうに一気にむさぼり吸った。それから自分の膝で相手の膝を押すようにして、長いこと待っていたのだと告げた。

「苦しいことばっかりあったんですよ。旦那さんは子供さんがあるんですか」

「ない」

「奥さんだけ」

「それもない」

「いいわねえ、あたしは子供を生んで損しました。今の子供は血も涙もないんだから。母親をみるのがいやで、親なんかどうなってもかまわない、一人で暮すのが大好きだというじゃありませんか」

「誰の子だね」

「あたしの子供です」

「君は幾人も子供がいるのかい」

「いいえ、一人っ子なんです」

「ほう、君の子供は空襲のあとで死んだのじゃなかったか」

「死んだって、誰がそんなこと言いました。満夫は十七歳なんです。群馬県の田舎で製紙工場に働いてるんです」

野木は不思議そうに登代をみて、薄くわらった。すると登代も感染したように薄笑いを浮べた。それははにかんでいる少女のような表情で少しも狡(ずる)くはなかった。

「君は子供の話を、来る客、来る客にするのかね」

「まさか、誰がするもんですか、年がしれちゃう。ああだけどどうしてお客さんにしたのかしら」

登代はまじまじと野木をみたが、深く考えようとすると頭が混乱して痛むので、なぜという疑問は一つも考えないことにしていた。彼女は深い溜息をした。

「あたしはもう疲れましたよ、堅気(かたぎ)になりたくてね。お宅に置いてくれないかしら。奥さんがくるまででもいいですよ。なにお手伝いだと思えばいいでしょう」

「家なんかあるものか」

「だって、寝るところはあるでしょう」

「ない。本賃宿を渡り歩きしたり、仕事の都合で寮へ入れてもらったりしている、宿なしなんだ」

「寮じゃあ駄目かねえ」

登代はぼんやりと呟いた。

「仕事ってなんなの」

「築地の市場で荷車を引いている。野菜を運ぶ人夫さ」

「そりゃいいわねえ、その野菜を売って歩くの？」

野木はふっと起き直って、怪しむように訊ねた。

「君、三つと六つと足すと幾つだい」

「なんですって、三つと六つは、九つじゃないの」

「じゃあ三つと九つは」

「十ですよ、ばかにしてるわ」

登代は吐き出すように答えた。試されていることに腹が立つのだ。彼女は目に涙をうかべて、みんなが自分を馬鹿にすると口惜しがった。その憤りは果しない愚痴になった。野木は壊れ笛のような女のわけのわからぬ呟きを聞いていると、気が滅入った。そのうち狂い出して、精神病院へ送られてゆくさまを想像すると、背筋がさむくなった。彼はその暗い想像の重圧から逃れるために、わざと女の膝を引寄せて頭をのせた。目をつぶると女の柔軟な膝の感触だけがじかに伝って、一瞬の快楽に溶けられそうだった。自分の髪が女の手でなぶられるのも快かった。目をつぶると一切が見えなくなるというのは悪くないのだ。ただ彼の片方の目は眠っても瞼がふさがらずに、硝子の球はむきだしのまま光っているはずだった。彼は女がその目を覗いているのを感じた。

「気味が悪いだろう、この目」

「開いたままなのね。この目をやられたとき痛かった？」

「目の中へ火の玉が飛びこんできたようだったな。……ビルマで、手榴弾でやられたんだがね」

「両方でなくてよかったわね」

「うまく片方だけ助かった。だが片方でよかったと思ったことはないな。なぜ両方助からなかったかと思った。片目がないということはつらいことさ」

「これがあんたの泣きどころね」

登代はそう言って、掌で瞼をやさしく撫でた。野木はその泣きどころを隠さずにさらしているのが好い気持だった。男の子が乱暴をして怪我した個処を、母親にみせている時の甘えた気持と似ていた。彼はやさしい気分にひたりながら、もう二度とここへは来ないだろうと思った。すると自分の顔の上へかぶさってくる女の呼吸が、自分のもののような親しさで感じられるのだった。

三、四日雨が降りつづいて、ようやく晴れた日の夕刻、登代は出の支度をしてその日の縁起に洲崎神社へ詣ったかえり、ふらりと木材所の埋立地へ上っていった。もう日が暮れているのに、数人の子供がそこに遊んでいた。彼らは木切れをもって水際まで下りてゆき、水になにか浮べたりしてはまた駆け上ってくる。登代は派手な着物のままかがんで子供たちのせわしい動作をみながらはらはらした。

「危いったら、河に落ちるよ」

そう注意すると、子供たちは一層おもしろがって、上体を傾けたり、足をわざと水の中へ突込んだりしながら戯れた。子供の一人が、

「おばさんあげる」

と差し出すのを受けとると、それは木屑で作った舟のつもりらしかった。登代は礼をいって貰った。こんなことが昔の自分にもあったと思った。すると苦しい悔恨が胸を嚙み、あてどない孤独が迫った。彼女は胸で嗚咽した。

木材所は夜なべなのか灯がともり、木材を切断する機械の音が軋るように響いてきた。登代は耳をふさいだ。河は引潮の時は膝までの浅瀬だが、上潮がくるとぐんぐんと水嵩を増してくる。空は夕陽の名残りが濃い暮色につつまれて、もう最後の残映もかき消していた。登代はその夕映から空襲の晩の空を思い浮べた。木材所の機械が唸りをあげて響いてくる。彼女は幼い満夫の手を引き、水際までくると夢中で背負ってモンペの紐でくくりつけたのを覚えている。海は浅瀬で、冷たさも熱さもない夢中だった。登代はあたりを見回した。子供のかげはなかった。彼女は立ち上って子供の名を呼んでみた。

「満夫、満夫、どこへ行ったの」

すると耳を聾するような爆音が次第に渦巻いて近くにきた。登代はこの耳鳴りをいつも不幸の前ぶれだと感じていた。このあとでは必ず頭がへんになって、なんにも解らなくなってしまう。彼女は懸命に最後の拠りどころを求めて子供の名を呼びつづけた。早く逃げなければいけない。築地市場はどこにあるのだろうか。暗い水の面に、ちらっと子供の小さな手がみえた。

「あの手をつかまえなければ……」
彼女は目を据えて前のめりに両手を差しのべ、子供の名を呼びながら、水の中へ入っていった。

『文藝』（昭和30年7月号、河出書房）初出

作品解説

渡辺 豪

各作品を解説する前に冒頭の問いに答えたい。

赤線とは何か――

赤線とは、公娼制度が廃止された昭和21年から『売春防止法』（以下、売防法）が施行される昭和33年までの12年間、売春を取り締まる法令の適用外に置くことで温存されていた娼街である。

昭和21年1月、GHQは戦前から続く公娼（いわゆる遊廓）制度の廃止を命じた。ただし公娼制度が海外の目線から問題視されたのは戦後に始まったことではない。明治の開国以来、不平等条約の撤廃が悲願の日本にとって、国際標準の人権意識が外から求められ続けていた。婦女売買問題を担っていた国際連盟から脱退するなど、大きく後退していた公娼制度問題が、やがて敗戦を迎えて、日本の民主化を指導するGHQ統治下で結実したに過ぎない。

GHQが公娼制度を問題視したのは、娼妓（遊女）をはじめとした女性たちの奴隷状態であり、売春行為は恋愛的なもの、自由意志的なものと見做した。これを受けて日本政府は、今後は公娼を私娼、すなわち自由意志の売春を建前として転換させ、戦前から続いた私娼街と等しく扱い、黙認する方針をとった。

自由意志に基づく売春との建て付けも、戦後に始まったことではない。すなわち明治5年、芸娼妓解放令と称される一連の布告布達、同年以降に各府県が定めた『貸座敷渡世規則』『娼妓規則』は、人身売買（奴隷扱い）を禁じる一方、免許を与えた娼妓（娼婦）が自由意志に基づいて売春を行う、との建前を定めている。70余年前に明治政府が考案した建て付けを使い回して、赤線は生まれた。

赤線は合法か、違法か――

これもよく挙がる疑問である。GHQによって公娼制度が解体された後、昭和22年、勅令9号『婦女に売淫をさせた者等の処罰に関する勅令』が定められた。後年代わって売防法が公布される昭和31年までの間、同勅令は売春取り締まりの主要な法的根拠だった。しかし同勅令は管理売春（他者を使役して売春させること）を禁じたものであり、単純売春（自由意志で売春を行うこと）は対象としていない。

GHQによる公娼廃止令に先立ち、内務省から各警察署長に向けた通達では、次のような具体的方途も指示している。

「娼婦と業者による分け前は、娼婦が半分以上とすること」

50％以上の利益分配は搾取にあたらない、すなわち管理売春と見做されない娼家の運営方法を業者に指導した。こうして政府や取締当局が赤線を単純売春と見做したことから、奴隷制度を解体する公娼制度廃止や、管理売春を禁じる勅令9号もすり抜けて存続した。

先の問いに答えるならば、赤線を容認する法令もなく、逆に取り締まり対象とする法令そのものが存在しなかったことから、合法でもなく違法でもない。赤線とは勅令9号の適用外を黙認されていた娼街である。

こうした売春取り締まりの空白に対応するため、第2回国会（昭和22年～）では、風俗営業に対応する3本柱として『売春等処罰法案』『風俗営業取締法案』『性病予防法案』が提出され、『売春等処罰法案』以外の2案は成立した。柱の1本が欠けたことで、赤線の黙認方針が強化されてゆく。すなわち以下の通りである。

『風俗営業取締法』は、赤線を風俗業種のひとつと位置づけはしたが、取り締まり対象は「赤線以外での売春」であると、法案の審議で国家地方警察は答弁した。『性病予防法』は売淫常習者へ健康診断の強制などを定めた。しかし、赤線の娼婦へ健康診断を規定してしまうと、かえって政府が積極的に赤線を公認したとされかねない矛盾を孕んでいた。答弁に立った厚生省は、対象は赤線の娼婦ではなく、街娼であるとする苦しい判断を示した。

『売春等処罰法案』が廃案となった措置として、各府県市町村では売春を取り締まる条例を次々と定めたが、取り締まりの対象は街娼、青線と呼ばれる赤線まがいの娼街、基地周辺の売春などであった。こうした条例はアメリカ軍基地を抱える自治体で多く定められている。

赤線にも対応し得る『売春等処罰法案』のみを欠いたことで、赤線が庇護される一方、「赤線以外の売春」すなわち街娼、青線、基地周辺の売春は厳しく取り締まりを受けるという、売春の格差も生んだ。

以上が赤線を取り巻く法環境である。なぜこうも赤線の温存に拘泥するのか、読者は疑問に思ったかもしれない。確かに赤線の売春は「悪」ではあった。ただし戦後の混乱期にあっては「社会上やむを得ない悪」であり、吉原遊廓の開闢以来、数百年と続いた必要悪を一気になくせば、かえって混乱が生じかねないことを、政治家や官僚、警察のみならず地元住民らも恐れた。そうした意識を背景にして赤線は黙認された。やがて社会が安定して『売春等処罰法』(のちの売防法)が定められるその日まで、売春問題は漸進的に改善していくもの、すなわち一定の保護・黙認をすべきものと捉えられていたのである。

同時にここには、ありふれた政策の一類型をみることができる。ある社会問題を解決しようとするとき、根本解決よりは少数の犠牲のもと多数を生かす論理である。この棄民とも呼べる意識についても、おいおい、解説で取り上げたい。

まとめよう。第2回国会で初めて『売春等処罰法案』が提出されたとき、法務庁は意図をこう説明する。赤線は「近く民主主義先進国と肩を並べて、国際場裡に地位を復活しようとする矢先におきまして、大いなる障害となる」

昭和27年、『サンフランシスコ講和条約』が発効され、占領体制が終わる。国際社会での地位復活を急ぐため国連加盟を目指す日本だったが、国連は本人の同意があっても買売春を目的とした勧誘や搾取、管理売春を禁じるなど、一歩踏み込んだ条約を、先立つこと昭和24年に採択していた。国際社会への復帰には、赤線は黙認できない存在となっていた。

昭和28年、内閣への法案提出に向けて協議会が設置され、これまでの議員立法から、内閣立法へと性格を変えていく。

昭和31年5月、第24回国会にて売防法成立。同年12月、日本は国連に加盟した。当初、期待されていた娼婦らの更生施設予算20億円は、3億2千万円に減じていた。

不平等条約を撤廃して一等国入りを目指す明治政府、国連加盟を目指して民主化を標榜する戦後の日本政府。いずれの国土の底にも、自由意志に基づく売春とのフィクションのみ与えられ、更生の手段なく放逐された女たちがいた。厚生省の調べによると、売防法公布後の昭和31

年、赤線の娼婦5万人、その他様々な形態の娼婦を合わせると、約15万人の娼婦がいたとされる。

さて、歴史の勉強はここまでにしよう。「はじめに」でも触れたが、赤線の語源は、地図に赤い線で囲ったから、とする説がある。傍証や物証の決め手に欠ける俗耳的な説だが、そもそも自分が生みの親だと主張した人物がいる。中村三郎なる人物である。Wikipediaにも立項されておらず、完全に忘れ去られた人物だが、中村が存在しなければ、本書に収録したような赤線作品は、あるいは別な道を辿っていたはずである。

自ら「売春研究家」を名乗り、各地の娼街を調べて、生前に戒名「売春院生涯研究居士」と刻んだ墓碑を建てるほど、生涯を売春に捧げた。売防法によって赤線が潰えるその刹那、昭和33年2月18日に中村は病死した。赤線と生死をともにした人物である。著書『売春取締考』では、アメリカの容認娼婦地区レッド・ラインを訳して自分が昭和22年の新聞に書いたのが赤線の嚆矢であると主張している。編者が知る限り、命名者を自認する唯一の人物である。が、真偽は今も詳らかではない。

中村は売春に関連した著作をいくつか残したが、最大の貢献はこれらではない。吉行淳之介に職業作家として独立する切っ掛けを与えたのは、ほかならぬ中村であり、これが最大の貢献と呼べるものだろう。

中村を振り出しに、本書の解説を進めていこう。なお、Wikipediaを始めとしたネット上で容易に入手できる著者略歴や書誌などは割愛した。

【参考文献】「赤線と運命をともにした売春居士」『内外タイムス』(昭和33年2月23日付、内外タイムス社)／関根弘『明るい谷間』(昭和48年、土曜美術社)／藤野豊『性の国家管理』(平成13年、不二出版)／藤目ゆき『性の歴史学』(平成9年、不二出版)

吉行淳之介　驟雨

本作は東京都・新宿にあった赤線「新宿二丁目」が舞台。起源は、江戸時代の内藤新宿に点在した飯盛旅籠と飯盛女まで遡る。明治6年に東京府が定めた『貸座敷渡世規則』によって、飯盛旅籠から貸座敷すなわち「新宿遊廓」に格上げされた。明治後期から取り沙汰された風紀問題によって、大正11(1922)年、現在の新宿2丁目と3丁目の一部に娼家は移転して一群となり、街道筋から隔離された。翌12(1923)年の関東大震災によって、吉原遊廓を含む東京東部は甚大な被害を蒙った一方で、東京西部に位置する新宿は震災を免れ、代わって多くの遊客を集めて、かえって繁盛した。その後太平洋戦争の空襲で焼失。敗戦直後は3軒の娼家を12名の業者が共同経営し、娼婦50名を置いて営業を続けた。吉行が新宿二丁目を訪れた昭和27年前後当時、娼家74軒・娼婦477人を数えるまでに復興している。

作品に目を転じる。吉行の弁によれば、娼婦を題材にした小説は、作品全体の1割にも満たないというが、本作を発表した昭和29年の芥川賞・上半期を受けたこともあって、初期の代表作と理解されている。

昭和30年に31歳で職業作家として身を固める以前、吉行は6年間ほど娯楽雑誌『モダン日本』の編集者として勤めていたが、その編集部へ訪れたのが先の中村である。赤線に詳しい中村が執筆した記事は、赤線娼婦ベスト5を決めるといったもので、新宿二丁目からもミス赤線が選ばれていた。これが『驟雨』女主人公のモデルとなった「道子」であり、彼女と吉行を引き合わせたのが中村である。吉行は夢中になる。

「『原色の街』は、私はほとんど空想で書いた。（中略）その作品のなかで私がつくった女主人公のような娼婦は、とうてい現実に存在していないだろうと考えていた」が、彼女は空想の女主人公そのものだった。

吉行は2年間ほど馴染みを重ね、彼女を主人公・道子として『驟雨』を書き上げた。本作が芥川賞を受けたことで、吉行は職業作家の道を進み始める。

「私の娼婦への耽溺は、そのときからはじまり、その体験を芯にして（『驟雨』を〈編者註〉）書いた」

吉行が初めて赤線を舞台としたのは『原色の街』（昭和26年）が先立っているが、赤線と深く交渉を持つことで生まれた作品は『驟雨』である。

にわか雨・夕立という意味のタイトル『驟雨』について、吉行は永井荷風『濹東綺譚』との関わりを否定している。言うまでもなく、玉の井の娼婦・お雪と出会う印象的なシーンである。

『濹東綺譚』「『檀那、そこまで入れていってよ。』といいさま、傘の下に真白な首を突込んだ女がある。」

吉行は、「道子」のモデルとなった女性との思い出と重ねて、驟雨（夕立）について、こう説明する。「彼女の部屋に泊まり、翌朝、雨になっていることがある。こういうときは、さして痛痒を感じない。彼女が傘をさしかけて、駅まで送ってきてくれるのだから。（中略）その逆に、泊まった夜が大雨で翌朝がらりと晴れわたった天候になると、いささか困る。乾いた町、長靴をはいて雨傘を片手にでかけてゆくことになる」

『驟雨』の主人公・山村英夫は「愛することは、この世の中に自分の分身を一つ持つことだ」「わずらわしさが倍になる」と考えるが驟雨に出会ってしまった。

【参考文献】 吉行淳之介「娼婦と私」『無作法紳士』（昭和37年、集英社）／吉行「アイラブユーの相良武雄」『週刊現代』（昭和42年、講談社）／吉行「自作についての感想いろいろ」『解釈と鑑賞』（昭和50年10月号、至文堂）／吉行「私の小説の舞台再訪」『朝日新聞第二部』（昭和43年5月31日）

川崎長太郎　抹香町

本作は、神奈川県小田原市にあった赤線「抹香町」を舞台にしている。今も当時の娼家が現存し、雰囲気を比較的よく残している。川崎長太郎の弁によれば、「昔、刑人の首を刎ねた刑場で、刑人の供養で線香をあげるという意味で抹香町」「大正の末頃から、私娼がぼつぼつ素人家に現われる。（中略）風紀上おもしろくない。私娼は昔の刑場の跡へ」集められたという。この由来は、事実といささか異なるようである。

かつての東海道、国道1号線を逸れて小田原の公娼街（遊廓）へ通じる通りが本来の抹香町で、周囲に寺と墓地が多く線香の煙が絶えなかったことから、いつしかこの名が付いた。私娼が現れ始めたのは明治40年代のことで、大正14年に移転。「新開地」と呼ばれるようになった。

つまり川崎が訪れていたのは、オリジナルの抹香町ではなく、抹香町の娼家が移転した先の新開地であり、旧称が使われた娼街ということになる。いずれにしても、戦前の私娼街を由来に持つ赤線である。

齢50を数える川上竹六の眼を通して淡々と綴られる本作（とその連作）は、印象的な評語「超低空を飛ぶひとのダンディズム」（澁澤龍彦）、「俗界のメルヘン」（川村二郎）を生んだ。

大正14（1925）年、24歳のとき文芸誌『新小説』でデビューしたものの、川崎は長く不遇の時代を送っている。川崎が赤線作品『抹香町』によって、文壇に留まらず世間の声価を得ることになったのは、星霜を経ること25年目、49歳のときである。昭和25年に発表した本作は「川崎長太郎ブーム」を招来するまでに至った。

カメラルポ「灯なき小舎の作家 川崎長太郎アルバム」では、川崎が師事した宇野浩二が文章を寄せ、抹香町で川崎と娼婦が談笑する姿も掲載されている。文芸誌に留まらず、週刊誌『週刊サンケイ』では、同じくカメラルポ「川崎長太郎ブーム」を特集。川崎が馴染んだ老妓・雪子へのインタビューと雪子本人の写真も掲載。加えて川崎の暮らしぶりについても伝える。「一間半に四間程のトタン小屋にビール箱を改造した机と座布団が唯一の家具。使い慣れた百匁ロウソクが夜の灯となる」

男の不覚も露わに描く作風は、川崎本人への興味も喚起したのか、特集の多くはカメラルポという視覚的興味も伴っており、物置小屋に住む川崎の姿を伝えている。川崎の姿は、川村がいう「お伽噺」そのものだった。

作家・上林暁は川崎文学をこう紹介している。「永井荷風における魔窟（編者註：私娼街）は、多分に趣味を含み、また反俗精神に徹せんとするモーラルのより所となっているが、川崎氏における魔窟は、文学に打ち込めば打ち込むほど孤独に堕ちてゆく人間が、唯一の人間的交渉を持ち得る場所」

本作中、男性読者なら目を覆いたくなるような失態を演じる姿は、散文調のユーモラスさと相まって、むしろ人間的魅力にさえ映る。

【参考文献】宇野浩二「灯なき小舎の作家 川崎長太郎アルバム」『別冊文藝春秋』（昭和29年2月、文藝春秋）／上林暁・川崎長太郎「川崎長太郎文学『抹香町』を中心とする」『文學界』（昭和29年5月号、文藝春秋新社）／「川崎長太郎ブーム」『週刊サンケイ』（昭和29年6月13日号、産業経済新聞社）／大南勝彦「小田原リポート」『私小説家 川崎長太郎』（平成3年、川崎長太郎文学碑を建てる会事務局）

川崎長太郎×吉行淳之介
灯火は消えても

本作は、売防法施行から3年目に掲載された。タイトルの「灯火」とは赤線のこと。

赤線を舞台にした作品『抹香町』『驟雨』によって、文壇や世間から声価を得ることになった二人が、赤線とその廃絶をどのように捉えていたのか。二人にとっても、初めての誌上対談。わけても興味深いのは、川崎と吉行の「荷風論」である。川崎は生意気と断りながらも『羽をむしられた女』の所に行くのに、先生（編者註：荷風のこと）も『羽根をむしられた男』のような変装していく」「腑に落ちない」「きれいごと」と、荷風の韜晦に仮借ない。ちなみに「羽根をむしられた」とは、吉行の作品『娼婦の部屋』で用いられた表現である。吉行は応える。「荷風さんのは風物詩と考えています。女でも風物と同じ」

吉行は『驟雨』のタイトルと『濹東綺譚』の関わりを次のように否定している。

「戦後の娼婦の町を作品化するにあたっては、荷風は敵であった」

が、一定の距離を置きながら、一方で荷風の影を落とすことも認めている。その一文が『驟雨』「人々に幻影を育ませる暗さと風物詩」であり「以前のこの地帯の様相」に幻影を見て風物詩としていたのは、荷風にほかならない。『抹香町』解説で引いた上林の評文も、趣味的と指摘している。このことは、小沢昭一『「濹東綺譚」と私』の解説で続けてみよう。

濱本浩「赤線地帯」のセットで

溝口健二の遺作となった映画『赤線地帯』(昭和31年、大映)。鬼と畏れられた溝口のもとをクランクイン後に作家・濱本浩が訪ねている。京マチ子、若尾文子、三益愛子、川上康子ら主助演女優の舞台裏、役作り、赤線への態度を垣間見ることができ、興味深い。

当映画は、4度目の『売春等処罰法案』提出を受けて紛糾する第22回国会(昭和30年)の模様がラジオから流れる中、娼婦たちの物語が展開する。江戸以来の吉原遊廓が戦後はカフェー街へと様変わりした赤線「吉原」を舞台にしている。『売春等処罰法案』の進退が世間の関心を集める中で当映画は企画されている。同時期、映画界では赤線映画ブームがあり、多くの売春・赤線映画がつくられている。『売春』『屋根裏の女たち』『洲崎パラダイス赤信号』『憎いもの』『女だけの街』『無法一代』『ひかげの娘』『幕末太陽伝』『淑女夜河を渡る』『女体は哀しく』『女の防波堤』『赤線の灯は消えず』といった映画がある。

当初は新宿の青線・花園街(現ゴールデン街)が舞台候補に挙がっていたが、芝木好子も同行したロケハンで、溝口は「ダメですね」と一蹴、関心を示さなかった。溝口は既に『夜の女たち』(昭和23年、松竹)で街娼を扱っており、一脈通ずる花園町に新鮮さを失っていた。同映画企画・市川久夫が見せた手記集『よしわら』が溝口の志向と合致し、一転、吉原を舞台にして急ピッチで制作は進められていく。

『よしわら』は、実際に赤線吉原で働く娼婦の手記を収めた作品で、同映画の主要な原案として用いられている。同映画のクレジットには、芝木好子『洲崎の女』が原作の一部として記されているが、『よしわら』については記載がない。

溝口とのコンビで多くの作品を残してきた美術監督・水谷浩が今作も担当。吉原の高級娼家・ロビンを実際に内部見学して、劇中にも反映させている。なおロビンの内外観は北尾春道編『建築写真文庫』(第1期第14)キャバレー」で見ることができる(平成21年に復刻された都築響一編『再編・建築写真文庫』には未収録なので注意)。

公開当時の映画評は必ずしも高くなかった。映画評論家・滝沢一は公開当時の『キネマ旬報』で「成澤昌茂の脚本構成の底が浅く、作り話に終始している」「話の底がすべて割れている」と断じた。再構成や演出を加えているとはいえ、手記が主な原案となっていることは先に述べた。売春問題を扱う論者はしばしば娼婦を特殊女性と表現したが、赤線の底には、ありふれた悲哀が転がっていた。売春に至るありふれた理由は、同情や関心ではなく蔑視と無関心へと繋がった。同映画評からも、評価に値しない売春といった目線が漏れ伝わる。

肝心の吉原娼婦たちは当映画をどう評価したのか。娼婦たちが組織した組合機関誌に感想が残されている。「5年ほど前の赤線地帯に間違いない。登場する五人の女性像はそれぞれこの町にいる女人を代表」していると、やや時代遅れながら実態に即していることを認めつつも「この映画にはどこにも救いがない。この街で働いている女たちはどうすればいいのか、それは映画は教えない。商業映画の所以（ゆえん）であろう」と手厳しい。

実際、当時の溝口は大映取締役に就任したばかりとあって「重役に選ばれた責任感」があったと市川は指摘している。赤線映画ブームを背景とした興行的な目論見も当然に含まれていたことを、誰よりも娼婦は見透かしていた。

脚本を担当した成澤は、撮影中の次の会話を、溝口の最後の言葉として挙げている。「これからは喜劇です。人間喜劇です。『赤線地帯』も喜劇です。馬鹿な奴らが一所懸命世の中を生きてるんだ。それが微笑ましいし、馬鹿馬鹿しいし、可哀そうだし、何といい奴じゃないかというのをすべてひっくるめて、突き放して描くんです」

【参考文献】 大河内昌子『よしわら』（昭和29年、日本出版協同）／新吉原女子保健組合『婦人新風』（昭和31年3月25日付）／『キネマ旬報』（昭和31年4月下旬号、キネマ旬報社）／西田宣善編『溝口健二集成』（平成3年、キネマ旬報社）／桑原稲敏『切られた猥褻 映倫カット史』（平成5年、読売新聞社）／市川久夫「我等の生涯の最良の映画35」『キネマ旬報』（昭和60年10月号、キネマ旬報社）

高倉健　赤いガラス玉

銀幕を代表する名優・高倉健が平成26年に逝去したことは記憶に新しい。高倉もまた赤線作品を残している。小岩にあった赤線「東京パレス」での思い出を綴った本作は、高倉が出演したラジオ番組『旅の途中で…』（平成8～12年、ニッポン放送）内で放送された。

舞台となった東京パレスについて特異な成立経緯を説明したい。当赤線は、元警視総監・坂信弥の原案による。敗戦直後、東京方面に進駐する将兵向けの慰安（売春）施設の設置に向けて、指揮を執った警視総監として坂は知られている。ドウス昌代『敗者の贈物』をはじめとした従来の本に詳しいので、良家の子女を守る名目で慰安施設を企図した特殊慰安施設協会（ＲＡＡ）については、ここでは触れない。

東京パレスは、東京大空襲によって焼け出された亀戸の私娼街業者が、精工舎工員寮を買い取って、昭和21年11月に進駐軍向け慰安所として営業再開。当赤線が特異な点は、工員宿舎を転用したことのみならず、ダンスホール売春という運営方式。米兵はダンサー名義の娼婦とダンスし、自由恋愛が芽生えた後、娼婦の自室で買売春に至る建前である。この運営方式は、戦時中、坂が鹿児島県鹿屋市に設けたダンスホール形式の娼家が原案となっている。

戦中、鹿児島県警トップにあった当時の坂は、多くの特攻部隊が飛び立った鹿屋航空隊基地の少年兵のために娼家を用意した経験を持つ。坂は概略で次のように振り返る。「いつ死ぬかわからない境遇だから、死ぬ前に『男』になりたいという気持ちも強かったのだろう。ところが適当な遊び場所がない。当時、内務省は遊廓の新設を許し難かったのでダンスホールをつくった。ダンサーは客である少年航空兵と意気投合の結果、別室にご案内する、つまり恋愛関係の成立という形式をとった」

戦前から人身売買を禁止する国際的潮流にあって、近代以降の日本は自由意志を抜け道にして売春産業を温存したことは冒頭述べた通りである。手柄話として披瀝する坂の回顧談にも、そうした筋立てが見て取れる。

戦後、公職追放により警視総監を退いていた坂が「模範的なものをつくれ」と赤線業者にアドバイスをして、つくられたのが東京パレス（開業当時の名称はインターナショナル・パレス）である（東京パレスはRAAではない）。

売春婦を媒介として梅毒の蔓延に業を煮やしたGHQ／AFPAC（米太平洋陸軍総司令部）が隷下の部隊に対して、売春宿への立入禁止を命じた昭和21年3月以降、東京パレスに改称し、日本人相手の娼家としてしたたかに営業を続けた。当赤線の敷地内には娼婦が余暇に興じるテニスコートなどもあり、戦前の籠の鳥といった暗いムードの払拭に努めた。

大学生の高倉が当赤線を訪れた前後の昭和27年、娼婦118人を数える。

【参考文献】坂信弥『私の履歴書 第18集』（昭和38年、日本経済新聞社）／ドウス昌代『敗者の贈物』（昭和54年、講談社）／藤目ゆき「坂信弥 鹿屋に占領軍「慰安」施設の原型をつくった内務官僚」『アジア現代女性史』（平成30年、アジア現代女性史研究会）

野坂昭如　娼婦焼身

戦後に郷里、新潟県同市に身を寄せていた野坂は、当地の赤線で初めて買春した経験を持つ。旧制新潟高校1年生すなわち18歳、昭和23年の大晦日、除夜の鐘が鳴った後に訪れた新潟県同市の赤線「十四番丁」だった。

本作に目を転じる。敗戦末期の東京・吉原遊廓を描いていることから、厳密にいえば、赤線に再編される以前の公娼（遊廓）時代が舞台である。本作を選んだ理由は、話芸のごとき野坂の散文が持つユーモラスかつ壮絶、加えて哀調を湛えた文体のみならず、赤線誕生前夜ともいうべき転機が舞台となっているからである。

作中同様、実際に吉原は東京大空襲によって潰滅し、さらに警視庁から4月に再開を命じられて、玉音放送のわずか2ヵ月前、6月15日に営業を再開している。その他、親切ごかしに借金を増やす娼家の手管なども、多くの口述記録に残されていることであり、話芸文体によって読者は物語へ引き込まれるが、本作の背景描写は史実に近い。

戦中再開した吉原は、焼け残ったコンクリート製の娼家3棟に、むしろを垂らして仕切りとしただけの極めて粗末なものだった。吉原の業者組合幹部は振り返る。「あの当時、徴用工とか、妻子を田舎に疎開させた亭主とか、東京には、性のはけ口に困っていた男が多数いた。当局はそれらの性が、犯罪面などで爆発するのを防ぐため、吉原に営業再開を求めてきたんです。営業をはじめてみると、客がくるわ、くるわ、門前市をなす盛況でした」（この娼家のひとつである「八号館」は、本書「報道写真にみる赤線」に収録）

赤線はしばしば戦後の象徴として紹介されるが、戦後の象徴性を有していても、戦後新たに発生した娼街ではない。本作が描く吉原が、戦況熾烈な中にあっても復興したように、戦後17箇所を数えた都内の赤線は、すべてが戦前の営業権を再獲得した娼街である。

　本作が描いた東京大空襲や戦争協力（後述『曙町』解説）を主な理由として、戦前は9つだった娼街が新天地を求めて分裂し、17箇所へ増殖している。本作が描いた太平洋戦争の戦災こそが、戦後に迎える都内赤線の隆盛を招来したのである。


【参考文献】神崎清「ヨシワラ盛衰記　公娼から私娼へ」『婦人の世紀』（昭和24年1月号）／小林大治郎・村瀬明『みんなは知らない国家売春命令』（昭和36年、雄山閣）／野坂昭如「赤線　疥癬　お賽銭」『オール讀物』（昭和45年7月号、文藝春秋）

田中英光　曙町

まだ日本が占領体制にあった昭和24年に36歳で夭逝した田中英光は、創作生活わずか14年の間に、オーセンティックな文芸誌から猥雑なカストリ雑誌など多岐にわたる媒体へ200もの作品を遺している。本作は、神奈川県横浜市にあった私娼街「曙町」の大戦末期を舞台にしている。野坂『娼婦焼身』同様、戦後に赤線へと再編される以前のことで、純粋な意味で赤線作品ではない。ただし、これも野坂『娼婦焼身』同様に、赤線前史を舞台にとった類のない作品であることから、本書に収録した。

　従来の本（ないし、その解説）では、戦中のことは例えば「戦況熾烈を背景に遊廓は営業を停止。敗戦後は赤線として再出発した」など、わずか数行に収まってしまいがちだが、戦中の娼街が辿った変容は、戦後に赤線となった娼街の原型を萌芽した過渡期として見逃せない。ここでは本作と重ねて、戦中の娼街について解説したい。日中戦争が勃発した昭和12年の翌年、長期化する総力戦に臨み、第1次近衛内閣により『国家総動員法』が定められた。人的・物質的資源は軍需が優先とされ、国民生活の隅々まで国家統制が及ぶこととなったが、後述するように買売春はその統制外にあった。

　昭和19年、妻子を疎開させた田中（当時31歳）は、横浜護謨（現 横浜ゴム）に勤める傍ら、曙町の娼家に出入りし、この経験をもとに本作『曙町』（昭和22年発表）が描かれている。

　同年2月、東條内閣は『決戦非常措置要綱』を定めた。さらなる国家統制、国民動員に加えて、高級享楽の停止がなされた。これにより高級料理店・高級待合・芸妓・置屋・カフェー・バーの休業と、劇場や映画館の整理が実行されたが、具体的な要綱では「下級待合については名称を廃し、その実質を慰安所的のものたらしめ、これが営業を継続せしむ」と付言した。貸座敷（遊廓）は対象外であり、下級待合すなわち不見転（みずてん）芸者などと称される芸者による売春行為は容認した。

　戦中の動向を都内の洲崎遊廓に一例を取る。昭和18年、海軍省の申し入れで石川島造船所の工員宿舎として娼家を引き渡して廃業した代わりに、羽田の軍需工場や、立川市の軍需工場（立川飛行機、昭和飛行機、航空工廠、立川工作所など）に勤める産業戦士向けの性的慰安所として、翌19年にそれぞれの地へ移転して営業再開。熾烈な戦況を背景に、転化した慰安所として売春営業は継続している。

　貸座敷や下級芸妓町、私娼街は低級享楽として一定の保護が加えられ、行き過ぎた統制措置による戦意の低下、大衆の左傾化を防ぐ目的があった。

　低級享楽すなわち娼街を保護する措置

について、内務省は1年後に総括し、概略を次のように記している。「貸座敷、銘酒店及転業料理屋（編者註：私娼）は開店数刻して満員の状態」。一方で軍需景気に浴した新興成金をはじめとした特権階級が娼婦を独占していること、好況によって前借金を返済して廃業する娼婦が続出したことも記している。

　再び本作に目を転じると、一般店舗や一般飲食店が休業する一方で「儲けられて来たのは、全く街が包みかくしてる春婦の街のお陰」であり、「今は全くこの春婦の街もインフレーションを起していて（中略）前借は返してしまい」「海軍の下士官や闇屋」が常得意となっているなど、まさしく内務省が報告するように、下級慰安は機能不全だった。こうして戦中における公娼と私娼は銃後を支える下級慰安として生き延びていった。

　田中のデカダンは、大戦末期の娼街が辿った変容の波に洗われている。

【参考文献】羽衣会『立川市羽衣町一丁目自治会 創立三十周年記念誌 羽衣橋』（昭和52年、羽衣会）／立川市文芸同好会『この悲しみをくり返さない3』（昭和57年、けやき出版）／三田鶴吉『立川飛行場物語』中下巻（昭和62年、けやき出版）／原和美「再生への祈り 立川赤線廃止の日をめぐって」『つむぐ8号 占領下の暮らし』（平成4年、立川・女の暮らし聞き書きの会）／藤野豊『性の国家管理』（平成13年、不二出版）／西村賢太編『田中英光傑作選』（平成27年、KADOKAWA）／道籏泰三編『空吹く風／暗黒天使と小悪魔／愛と憎しみの傷に 田中英光デカダン作品集』（平成29年、講談社）

舟橋聖一　赤線風流抄

本作では、昭和29年に舟橋が都内の赤線数箇所を訪ねている。ここでは鳩の街の成り立ちを紹介する。

　東京大空襲で墨東の私娼街・玉の井は潰滅。警察当局は復興を要望（命令）したが、当時は資材どころか建築関係者の人手すら足りず、結果、空襲を免れた家屋を探すことになった。焼け残っていた改正道路（水戸街道）沿いの寺島町1丁目（現・東向島1丁目の一部）の41戸が候補先に挙がった。当地は従来の玉の井よりも交通の便が良く、地権者が元俳優・沢村長十郎（沢村訥子とも）一人と交渉相手が限られていたことも業者にとって好都合だった。「当局からの要望」を後ろ盾に買収。昭和20年5月19日に5軒、娼婦12人で細々と再開した。敗戦後の9月以降は米兵も訪れるようになり、日本人料金の10～20倍の料金を取ったことから好景気に沸くことになる。進駐軍の慰安をさらなる後ろ盾に、昭和23年には娼家96軒、娼婦238人を数えるまでに急成長。モダンな赤線として、本家の玉の井に勝る復興を見せた。

　戦中の再開当初は、ルーツに倣って「玉の井」と名乗っていたが、戦後は進駐軍将兵の楽園かつ平和の象徴として、鳩の街（ピジョン・ストリート）と改称。ちなみに命名者は吉原病院（吉原遊廓付属病院。現 台東病院）長・雪吹周と、東京都衛生局の次官による合作だったと、東京都衛生局長・与謝野光（与謝野晶子の長男）が後年明かしている。

　吉行が『原色の街』執筆にあたり取材したのは当地である。

【参考文献】神崎清「米軍性的進駐史」『売春』（昭和28年、現代史出版会）／高木通一郎「鳩の街を語る」『向島界隈諸資料』（昭和42年、私製本）／与謝野光「鳩の街蟻の街」『小説

新潮』（昭30年10月号、新潮社）

井伏鱒二　消えたオチョロ船

本作では井伏鱒二が、売防法施行から2年後の昭和35年、赤線「木ノ江」（広島県豊田郡大崎上島町）を訪ねている。都市空間を舞台とした作品は多くあるが、本作は地方の、それもカフェーとは全く趣の異なる赤線であり、よく対比を成すものとして取り上げた。

大崎上島には令和の今も船づたいでしか辿り着けず、3階建ての娼家群が路地に覆い被さるようにして現存する。当娼街を訪れた誰もが、かつての瀬戸内海の殷賑に想いを馳せる、そうした場所である。

オチョロ（オチヨロ）船とは、本作中にもあるように、一種の船上売春で、湾内に碇泊中の下級船員を相手にした売春形態である。オチョロはその響きからお女郎の転訛としばしば説明されるが、地元の郷土史家はこれを否定している。「屋形のついた舟足の早い小舟を、『小さい』との意味で『チョロコイ』」あるいは「猪牙舟（ちょきぶね）の櫓を漕ぐことを猪櫓押（ちょろお）し」と呼んだことが語源と紹介しており、これに分があるように思える。なぜならば、各地の娼婦（遊女）はローカルな隠語を当てられることが多く、例えば「馬具」（出羽・相模地方。乗ることが転じて）、「だるま」（上州地方。よく転ぶ〈寝る〉ことから）など、直接的な呼び名は忌避されるからである。女郎（じょろう）とストレートな音づかいは、こうした慣習と馴染まない。

オチョロ舟の分布は木ノ江に限らず、入り組んだリアス式海岸に良港を抱えた志摩半島や、北前船を伝って伝播した民謡のルーツとされる天草地方・牛深、北は津軽藩の御用港でもあった青森県鰺ヶ沢にもみられる。近世以降盛んになった北前航路のどの要港にも、自然発生的に生まれた売春形態なのだろう。

志摩半島にみられた船上売春ははしりかねと俗称され、一夜の慰めのほか洗濯や繕い物などをしてくれることから「針師兼」が転じたものなど、そのほか諸説ある。いずれにしても下級船員相手の一夜妻であった。

江戸時代初期に開発された北前航路は、中世以前の海岸沿いに航海する「地乗り」航法に代わって、造船・航海技術の発達が可能にした沖合をスピーディに航海する「沖乗り」航法が繁栄をもたらした。同時に娼街も沖乗り航路の要港、すなわち、瀬戸内海の中心部に位置する島々に発展していくことになる。これによって栄えた港が御手洗（大崎下島）であり、風待ち潮待ちで待機する船員相手の娼街も発展した。さらに時代が下って明治以降、帆船から機帆船、汽船へと機動力が上がるにつれて、御手洗はその地位を失い、反面、本作に登場する木ノ江のように木造船工業が盛んな地域へ売春の舞台はシフトしていく。昭和28年当時の娼家軒数は、御手洗10軒、木ノ江24軒と格差が分かりやすい。

井伏が木ノ江を訪れるおよそ10年前、社会評論家・神崎清も当地を訪れており、売防法前の木ノ江の姿を伝えている。それによれば、語源の一説とされる船上売春や身の回りの世話といった風習は既に廃れ、娼婦が小舟で漕ぎつけて交渉が成立次第、船員と一緒に陸の娼家へ繰り込む形態になっていたという（一夜妻が廃れても、船上顔見世の機能は失われていなかった）。赤い行灯をつけた沖ウロと、オチョロ船で交わされる男女の姦しさに

「海の上のカストリ横町がにわかに出現した」と神崎は驚きを伝える。

　瀬戸内海に面した岡山県に生まれた写真家・緑川洋一は、売防法施行直前の昭和31～32年に当時を訪れ、娼婦たちを撮影している。写真集『日本の写真家22』で見ることができる。

【参考文献】神崎清「戦後日本売笑地図」『娘を売る町 神崎レポート』（昭和27年、新興出版社）／岩田準一『志摩のはしりがね』（昭和47年、中村幸昭）／『鰺ヶ沢町史』第2巻（昭和59年、鰺ヶ沢町）／「オチョロ舟のこと御手洗・木江の遊女その昔」『広島民俗』第42号（平成6年、広島民俗学会）／渡辺憲司「オキゲイシャとオカゲイシャ 御手洗」『江戸遊里盛衰記』（平成6年、講談社）／緑川洋一『日本の写真家22』（平成9年、岩波出版）／忍甲一『近代広島 尾道遊廓志稿』（平成12年、日本火災資料出版）

田村泰次郎　鳩の街草話

　田村泰次郎は、昭和22年に発表した作品『肉体の門』がよく知られる。昭和39年、昭和63年にそれぞれ鈴木清順、五社英雄が映画化、成人映画、TVドラマなど数回にわたって映像化されていることからも人気のほどが窺える。『肉体の門』の主人公たちがパンパン・ガールすなわち街娼であり、赤線ではないことから、本書では『鳩の街草話』を取り上げた。

　肉体文学の旗手とされる田村は、代表作『肉体の門』の前年21年に『肉体の悪魔』を発表している。この作品に対して「思想がない」と批評家が指摘したことから、田村は『肉体が人間である』（昭和22年）と題して誌上反論を行った。「私は民族を戦争の惨禍から救うことになんの力の足しにもならなかったような『思想』は、いまではちっとも信用していない。（中略）私は思想というものを、自分の肉体だと考えている」

　ここには、田村の肉体論以上に、戦中に信じ切っていた思想――精神を支えに生きることを強制した思想――への不信感が見て取れる。

　本作に目を転じる。「食わしてくれさえすれば文句は」ない登代だったが、鳩の街で働く「感傷を小倉は考えてくれない」。始めは怯えていた登代だが、これまで精神の自由を制限していたのは、ほかならない小倉の肉体であったことを悟り、「胸は満足でふくらむ」までに至る。対照的に小倉は怯えに絡めとられる。

　井口時男（文芸評論家）は本作をこう解説する。「敗戦は男の敗北であり、戦後の解放は女の解放だった」

　良家の子女を守るため、戦後に進駐軍向け慰安所が設けられたことは先に述べた。この場合も「守りたい良い女」とは、何であったか。怯えていたのは誰であったか。米兵相手に売春した街娼が、初めは同情されたが、やがて蔑視の対象と変化していったことは示唆的である。

【参考文献】田村泰次郎「肉体が人間である」『群像』（昭和22年5月号、講談社）／井口時男解説『戦後短篇小説再発見2 性の根源へ』（平成13年、講談社）

水上勉×田中小実昌
女郎たちの中にいい女をみた

　本作では、売防法から20年の節目となる昭和53年、水上勉と田中小実昌が、懐旧談に華を咲かせている。

　水上の作品は、京都の赤線「五番町」を舞台にした『五番町夕霧楼』（昭和38年）が名高いが、自身も、出家した身でありながら18歳（昭和12年）の折、五番町で初めて性交した経験を持つ。田中は戦後進駐軍の雑役夫などをしながら、推理小説の翻訳業などを手掛けていた。のちに上野公園を根城にした男娼に材を取った『上野娼妓隊』（昭和43年）で、大衆作家の道を歩んでいくことになる。田中は盛り場や裏町の紀行も得意としており、「旅をして、しらない町にいくと、元赤線をたずねることにしている。元赤線は、だいたいさびれて、スラム化し、安い酒が飲め、もしいれば、安い女が買え、つまりアットホームな気持になる」といった言葉も残している。

二人が述懐する遊廓から赤線、さらには売防法後の線後まで、各娼街の有り様が興味深い。

「昔のままポツンとある店だけ残っていてそこにがんばっている……」

本作は懐古調で会話が進行する。当時の買春観・女性観に鼻白むこともなくもないが、水上の言葉に表れるこうした情景に惹かれる想いは、本書を手に取った読者にも通底するのではないだろうか。

【参考文献】田中小実昌「八戸のおんな」『小説新潮』（昭和45年、新潮社）／水上勉「五番町遊廓付近」『私版京都図絵』（昭和55年、作品社）

ちあきなおみ　ねえあんた

ちあきなおみ以外歌えない最高傑作とファンの間では語り草となっている本作は、赤線を舞台にした歌謡曲である。昭和49年、デビュー15周年を記念した初のリサイタルで、お披露目された。クレジットにはないが、本作の生みの親はテレビ・プロデューサーの砂田実。砂田は『おとなの漫画』『日本レコード大賞』『歌謡曲ベストテン』などを手掛けた、テレビ黄金期に活躍した音楽プロデューサーである。砂田と、熱海の旧赤線での娼婦との出会いが、本作を生んだ。

一ヵ月後に控えた当リサイタルを担当していた砂田は、熱海へ旅行に出掛け、同行したハナ肇に誘われるまま、当地の旧赤線、通称「糸川べり」の娼家を訪れる。売防法から16年を経ても、当地は売春営業が続けられていた。

砂田の自著にはこう記されている。

「古びてどこか淋しげな『紅灯の巷』のようなところに出た。いかにも『浮世の波にもまれて、ここにきたのよ』といった感じの姐さんだった。不幸の連続のような人生を通過してきたにしては、彼女は明るく優しかった。それに考えられないくらいお人好しだった。そうだ、これでいこう」

熱海での出会いを、それぞれ松原史明（作詞）、森田公一（作曲）へ託し、本作が完成した。

先立って新聞紙上で「底辺に生きる女をテーマにした」本作がお披露目されると伝えられ、リサイタル公演後はレコード化された。現在もCD『ちあきなおみ リサイタル』で聴くことができる。

リサイタルでは、次のナレーションに続けて、ちあきが唄い上げる。「なぜか私は娼婦たちといわれる女たちを、蔑む気にはなれません。きっと諦めきった自分の運命の中に、なまじっかな打算や見栄をかなぐり捨てた、一筋の女の純情をみるからです」

翌50年にも、NHKの歌謡番組『ビッグショー』「ちあきなおみ 女の詩」と題したプログラムで本作は披露される。前年リサイタル以上の演技性、涙ながらの絶唱に、当時のプロデューサーは「副調整室の中も、おもわずシーンと水を打ったように静まりかえった」と述べている。

4歳の頃から、横浜、横須賀、九州といった各地の米軍基地でタップダンスの披露や、ジャズを唄う原体験を持つちあきは、幼くして街娼たちの生き様を垣間見ていたに違いなく、次のような言葉も残している。

「娼婦たちは、この世の幸せに背かれた日かげの場所で、清らかなものに憧れながら生きている」

【参考文献】ちあきなおみ『ビッグショー ちあきなおみ～女の詩～』（昭和50年3月2日放送、NHK）／「ちあきなおみがTVで泣きに泣いた㊙背景」『週刊明星』18巻12号（昭和50年、集英社）／ちあきなおみ『ちあきなおみ リサイタル』（平成21年、コロムビアミュージックエンタテインメント）／『朝日新聞・夕刊』（昭和49年10月18日付）／砂田実『気楽な稼業ときたもんだ』（平成22年、無双舎）

小島功　赤線最后の日3，31事件！
富永一朗　売手のない買手（買春夫）

本作は、売防法が施行される直前に組まれた特集「赤線地帯その後に来るもの」『別冊週刊サンケイ』に掲載された。

日本酒・黄桜の色っぽい女河童のキャラクターで知られる小島と、代表作『チンコロ姐ちゃん』を始めとして、ボインを描き、漫画番組『お笑いマンガ道場』でのユーモラスなキャラが記憶に残る富永による、異色の作品。ちなみに富永は、吉行淳之介が見出した漫画家である。教職を馘首（かくしゅ）になった富永が上京したのは昭和26年。職場の向かいにあった『モダン日本』に漫画原稿を持ち込むと、対応したのは同誌に勤めていた編集者時代の吉行だった。

「出てきたのは青白いひょろっとした男。恐る恐る差し出した原稿を見るや否や、その男は大笑い。（中略）その人こそ、故・吉行淳之介さんである。彼こそ漫画の真の理解者で、ボクにとっては救いの神。会うたびに『漫画は立派な芸術だから、頑張りなさい』と励ましてくれた人だ」

【参考文献】富永一朗『富永一朗の快老人生』（平成9年、婦人生活社）

悲シクハアリマセン　喜代美
えらい人　京一路子

吉原の娼家に勤めていた娼婦の手による作品で、作者名に添えられた「京一」は苗字ではなく、娼婦が勤めていた町名すなわち「京町一丁目」のことである。わけても興味深い『えらい人』は、新吉原女子保健組合が発行していた機関誌『婦人新風』が掲載していたものである。

まずは聞き慣れない新吉原女子保健組合について説明したい。

昭和21年、GHQの公娼廃止を受けて設立された新吉原女子睦会が前身となり、これを改組・改称して同年12月に新吉原女子保健組合が発足した。これまで性病検査を義務づけていた『花柳病予防法』は、検査費用を雇用主負担としていたが、公娼廃止や『勅令9号』といった一連の管理売春を禁じる指令・法令によって、娼家と娼婦との間の雇用関係が消滅しており、徴収や指導対象は娼婦一人一人となってしまった。しかしこれでは実務上不便であるため、前出の与謝野（前掲『赤線風流抄』解説）の指導の下で当組合が発足した。

組合の趣旨は、自設した診療所での性病検査の徹底、ペニシリンや脱脂綿など消耗品の販売、娼家との団体交渉などを掲げていた。セックスワーカーによる労働組合と呼べるものだったが、従来の本で扱われることも少なく、吉原近くに建立されている吉原弁財天境内に碑が現存するのみで、忘れ去られた存在である。

当誌は、組合員（娼婦）による作文・川柳・詩などの文芸作品も掲載していた。本作はそうした作品の一部。

吉原娼婦たちの意見を反映させた当誌では、売春を禁じる法律へのオピニオンも掲載し、娼婦たちの悲痛な声が誌面を埋めつくしている。当事者である赤線娼婦の多くは、売防法に反対していたのである。本作『えらい人』は、同法成立を急いだ婦人代議士の視察を受けた娼婦による作である。

女性にも参政権が認められた戦後、昭和21年の衆議院選挙によって、39名の女性代議士が誕生する。売春問題の捉え方、法整備のあり方に、女性の意識が注入されていくことになる。

昭和28年、超党派の女性議員による衆参婦人議員団が結成され、第19回国会（昭和28年）に、議員立法の『売春等処罰法案』が改めて提出された。同法案は、売春する娼婦を処罰対象とする厳罰主義がとられ、50人未満の議員立法とあって予算を伴う更生・保護の規定を盛り込んでいなかった。

立法の先頭に立った議員・神近市子は自著にこう書き残している。「四千万の主婦の生活を守るために五十万と推定される売春婦の処罰は止むをえない」

当誌を梃子にして売防法成立の過程、娼婦たちの去就をつぶさに調べた詩人・関根弘は、先の神近に対してこう言及した。「貧困の鎖からの解放の問題であるにもかかわらず、これでは『解放』を棚上げにした『棄民』である。同情ではなく、侮辱である」

戦後のデフレ政策によって中小企業が倒産し、失業者が溢れていた時局、雇用弱者の娼婦にとって、売防法は失業を意味し、さらには犯罪者化も意味した。

娼婦もこう反論した。「婦人代議士や視察団は『恥ずかしくないか』『正業に就く意志はあるか』『永くやってゆく考えか』といった質問を投げかけるが、私たちは自分たちが恥知らずであり、なまけものであり、馬鹿であるかのような気持ちで質問されているようでならない」

売春があって貧困があるのではなく、貧困があって売春があるのだから貧困を断ち切る方途が欲しい、という当たり前のことを政治家に要求していた。共闘してくれる姉妹を求めていたが、娼婦たちの声が同性の婦人議員に届くことはなかった。

更生保護に力点を置いた内閣立法による売防法が昭和31年、第24回国会にて成立。関根は重ねていう。「売春防止法は、四捨五入の論理」

４以下はどうなったか。娼婦たちは予見している。「搾取がないとは言い切れないとはいえ、まだしも表立っている赤線よりも、地下に潜っている暴力団やヒモが牛耳る売春はもっと怖ろしい」

更生保護対策が充分用意されなかった娼婦たちは、赤線より恐れた地下へ潜っていき、「売春のない国」との体裁を整えた日本は、売防法公布と同年12月、晴れて国連加盟、国際社会に復帰した。

田村『鳩の街草話』では、井口の解説を引いて「戦後の解放は女の解放だった」と紹介したが、女の解放を阻んだのは男だけではなかった。

【参考文献】森本正一編『赤線地区とは何か』（昭和27年、更生新聞社）／新吉原女子保健組合『婦人新風』（昭和31年1月20日付）／神近市子編『サヨナラ人身売買』（昭和31年、現代社）／関根弘『明るい谷間』（昭和48年、土曜美術社）

五木寛之　赤線の街のニンフたち

本作は東京都足立区にあった赤線「千住」を舞台にしている。現在は当時の面影を残す建物は失われてしまっている。当赤線は、吉行『驟雨』と同様、飯盛女にルーツを求めることができる。明治5年、東京府の『貸座敷渡世規則』によって、飯盛旅籠は貸座敷と看板を替えて営業を続けたが、やがて風紀が取り沙汰されるに及んで、移転問題が持ち上がった。現在の千住柳町を移転地と定めて、街道筋にあった娼家は順次移転し、大正11年には完了した。太平洋戦争では、建物疎開を行うなどして空襲による焼失は免れたが、かえって街並みが刷新されなかったこともあって、戦前築の娼家が戦後も櫛比する古色蒼然とした、場末の赤線そのものだった。

本文中「ついに一ドル相場実現……」とあることからみると、昭和24年、17歳頃と思われる。本作はそれから18年後35歳の五木が綴っている。さらに数年後、五木は『赤線を知らない子供たち』と題したエッセイで、線中派の自分たちと、線後派の若者との断絶について想いを巡らしている。

「赤線を知らない、そのことが彼らの一種のコンプレックスになっているということは、どういう時代だろうか」と自問し、海外の娼街へ見物に訪れる若者を指して「女を金で買うのは人間に対する侮辱かもしれないが、買う気もないのに見物にやってくるのはもっと非人間的である。赤線を知らない子供たちの、そんな所がつきあいづらいと思う」と述べている。

五木は断絶を唱えたが、売防法後は都市部のキャバレーや郊外の温泉街に売春は移動し、昭和40年代後半からは海外での買春ツアーが盛んになった。必ずしも若者は買春から縁遠くなったわけではなかった。ただし、五木の経験と異なるのは、貧しい者同士ではなく圧倒的な強者と弱者の関係に売春が介在していたことだろう。五木の赤線談は、そうした弱い者同士が繋がっていたことへの旧懐から来るものではないか。

【参考文献】五木寛之「赤線を知らない子供たち」『オール讀物』（昭和46年11月号、文藝春秋）／五十嵐典彦「千住柳町調査報告書1」『足立史談』49号（昭和51年、足立区教育委員会）／足立女性史研究会『足立・女の歴史葦笛のうた』（平成元年、ドメス出版）

野坂昭如
ああ寂寥、飛田〝遊廓〟の奥二階

本作では、野坂昭如が旧赤線「飛田」を取材。売防法施行から9年目にあたる飛田の姿を垣間見ることができる。

飛田は今なお娼街として名高い。昼間からサラリーマンや遊び仲間の男性が徒党を組み、娼婦を品定めしながら練り歩く様は、往時の遊廓もかくやという風景である。

現在の飛田は、娼家は法令上、料亭扱いとなっている。給仕する仲居との間に恋愛が芽生え、性交が行われる。金銭のやり取りは個人間の贈与という建前である。当地の娼家内には布団は存在しない。料亭は宿泊する前提になく、もし布団を置けば管理売春の疑いを招くからである。布団代わりに座布団を用いることから、座布団売春と称された。

野坂が取材した昭和42年当時の飛田は、ヤクザが取り仕切るヒモが跋扈し、客もこれを忌避して寄りつかない街となっている。野坂はゴーストタウンと呼んで憚らない。娼婦はヒモに搾取されている。吉原女子保健組合の娼婦が懸念した線後があった。

作中登場するアルバイト料亭とは、アルバイトの仲居が勤める料亭との意味で、昭和20年代なかばから流行したアルバイトサロンの模倣である。素人ホステスが接客するキャバレーは、かえって新鮮味を生んで人気を博した。

現在90歳を超え、かつては当地の組合長を務めるなどし、今も娼家を経営する人物に編者は取材したことがある。氏によれば売防法後にアルバイト料亭としたのは、女性が自由意志で働いていることを示すためであったという。売防法後は、うろつくポン引き（当地で客を捉まえて別の場所で売春をさせる、あるいは売春を提供せずに詐欺を働く者）が原因で客足が鈍ることから、その筋と取り決めてポン引きの営業は0時以降とした過去も明かしてくれた。

現在は昼日中から遊客が途絶えない飛田も、歓楽産業が賑わうはずの高度成長期はむしろ寂寥としていたのである。

川崎長太郎　消える抹香町

本作では、再度、川崎長太郎にご登場願った。川崎が初めて小田原の公娼街へ足を踏み込んだ大正10（1921）年頃から、売防法が施行された昭和33（1958）年まで、川崎の娼街通いは足掛け四半世紀に及ぶ。少なくない著述家が紅灯が消える刹那を取り上げたが、娼街をかほどに長く定点観測した作家は恐らくほかにいまい。

ルポルタージュが頭にあった読者の中には、やがて川上竹六が狂言回しの姿を取って私小説が顕れ、川崎の観察眼に基づくドキュメンタリーが立ち上ってくるような、川崎作品ならではの読後感を残す。

作中、銭湯をめぐって地域女性と娼婦との諍いも伝えられるが、こうした摩擦は小田原に限ったことではあるまい。戦前は籠の鳥であった娼婦は、公娼廃止後の戦後は自由意志に基づく娼婦と建て付けられたことから、娼婦は貧乏な親のために働く孝女から、自堕落な不良娘へと変わった。世間の同情は蔑視に変わった。

作中、娼婦たちの去就にも触れているが、公的な調査も残されている。厚生省の調査によれば、売防法後の娼婦のおよそ8割が、いわゆる水商売・訳ありと見られがちな職業に転職した。売春が地下へ潜ったことも如実に表れている。

本作と同時期に、川崎は『わが新しき人生』と題したエッセイで、「地方都市では、彼女がもと売淫だった、という一事で、当人の転業する足がかりなど、いっぺんに心許ないものになってしまう。（中略）いわば『売春婦』なる焼印は、法律上の前科者に等しく、或はそれ以上に終生拭えない負い目となるようであった」と更生の難しさを綴っている。なお、作中にある抹香町のアーチは書籍『文学のふるさと』で見ることができる。

【参考文献】今官一『文学のふるさと』（昭和29年、毎日新聞社）／川崎長太郎「わが新し

き人生」『新潮』（昭和33年1月号、新潮社）／売春対策審議会編『売春対策の現況』（昭和34年、大蔵省印刷局）

大林清　亀戸天神裏

本作は、赤線「亀戸」を舞台にし、昭和24年に発表されている。前年昭和23年における当地は娼家52軒、娼婦150人を数える。現在は、当時の娼家がただ1棟残るのみである。

娼家のマダムに収まる澄江は、15年前からの稼業とあるように、当地は戦前から続く娼街で、娼家400軒を超え、玉の井と二分するほどの大私娼街だった。戦後は勢いが衰えて100軒以上とはならず、昔日の勢いを取り戻すことはなかった。こうした背景からか、当赤線を舞台とした文芸作品は珍しい。

当娼街のルーツは明治末に遡る。地主某が明治41年頃に土地開発に乗り出し、銘酒屋（娼家）が営業許可されると偽った喧伝につられて、数軒また数軒と出店が相次いだ。この間、増減はあったが、大正12年の関東大震災で被災した、浅草・凌雲閣階下の娼家が大挙して当地へ移転してくるに及び、大私娼街を形成。東京大空襲で焼失。亀戸の娼家は立石、小岩（のちの東京パレス）、新小岩、亀戸（居残り）の4つに分裂して、それぞれの地で産業戦士、あるいは進駐軍将兵の性的慰安を名目に娼街を再興した。

作中に登場する澄江のように、実際に当地の経営者は、高齢者や女主人が多く、料亭経営者の妻名義や、戦争未亡人が経営する娼家も多かった。

【参考文献】内務省警保局編『公娼と私娼』（昭和6年）／玉乃井保健組合『集団接客婦に関する諸調査表』（昭和10年、警視庁衛生部医務課）／全国婦人相談員連絡協議会編『売春防止法と共に』（昭和51年）

永井荷風　吾妻橋

『濹東綺譚』（昭和12年連載開始）が代表作とされる荷風だが、戦後の赤線や売春をテーマにした作品も遺している。本作『吾妻橋』の女主人公の名は、吉行『驟雨』と同じく道子だが、さらに奇しくも作品発表の時期も1ヵ月しか違わない。

本作は浅草のシンボルのひとつである吾妻橋から始まる。荷風の細やかな風物描写から、ありありと景色を目に浮かべることができる。

道子はかつて東京パレス（『赤いガラス玉』参照）に勤めていた娼婦で、今は吾妻橋で袖を引く街娼となっている。戦後の公娼廃止により、娼婦は50％以上の取り分を得られる建前がつくられ、道子のように被扶養者のいない者などは、売春が生活の資として成立していたようだ。

戦前に比べ職場改善されたとはいえ、赤線の娼婦である限り、売上の50％程度は娼家に取られてしまう。防疫、客付け、取り締まりからの逃亡など営業管理ができる者にとっては、街娼のほうが効率的だった。

昭和27年に都内の街娼エリアについて取り上げた雑誌では、吾妻橋周辺をこう紹介している。「戦後の浅草に街娼が現れはじめたのは、浅草が盛り場として復興してしばらくしてからである。だから有楽町（編者註：都内で最も早く街娼が現れたとされる）あたりよりは、大分立ち遅れているわけだ。『泊り』の客は、山谷あるいは吾妻橋向こうの東駒形のドヤへ伴われていく。この部屋代、1泊300〜400円。売春料金は800〜1200円」

これを例にとれば、およそ7割が街娼の手元に残ったことになる。如才なく割り切りの良い道子は、赤線・東京パレスから街娼へ転職する娼婦の姿そのものである。

【参考文献】「東京街娼分布図」「人間探究」（昭和27年7月27号、第一出版社）

小沢昭一「濹東綺譚」と私

川崎長太郎と吉行淳之介の『灯火は消えても』対談中にも挙がったが、娼街の話題となれば、とかく戦前の娼街・玉の井を描いた『濹東綺譚』、そして永井荷風本人に言及される。現代でも永井荷風の奔放な生き方は、本や雑誌に憧憬をもって取り上げられる。

線中派は、荷風をどのように見ていたのか。小沢昭一の本作から一端を窺い知ることができる。小沢は自ら「レッドライン・ユニバーシティーを優秀な成績で卒業した」と諧謔交じりに自己紹介するほど、赤線に馴染んだ人物である。

本書収録『悲シクハアリマセン』にあるように、遊客は籠の鳥の身の上話を聞きたがり、娼婦もまた憐憫を乞う作り話で応えた。

「幾通リモ作ツテアル　身ノ上話ノヒトツヲシナガラ　オ客サンノアイヅチニ馬鹿々々シサガコミアゲテ　眼ヲソラシマス」

ここに荷風が重なってならない。荷風が『濹東綺譚』を執筆するにあたって現地を取材し、同作に先立って同年発表した随筆『寺じまの記』では娼婦と次の会話を交わす。

「お前、家は北海道じゃないか。」
「あら。どうして知ってなさる。小樽だ。」
「それはわかるよ。もう長くいるのか。」
「ここはこの春から。」
「じゃ、その前はどこにいた。」
「亀戸にいたんだけど、母アさんが病気で、お金が入るからね。こっちへ変った。」
「どの位借りてるんだ。」
「千円で四年だよ。」
「これから四年かい。大変だな。」

荷風『濹東綺譚』のラストは、ある種のロマンと一緒に称揚されることも稀ではないが、評論家・紀田順一郎はこう述べる。「社会の最底辺で弱い者、追いつめられた者同士が必死に擬似的な連帯を求めようとする（中略）そのような立場の女が発する『あなた、おかみさんにしてくれない』というのはほとんど必死のシグナルであるはずだが、荷風はそれを冗談半分のように聞いている。（中略）『一たび娼婦に箕帚をとらすれば救いようのない懶婦か悍婦となる』という彼独自の俗流の哲学（世間知）に置き換えられてしまい、ひたすら退路を求める小心翼々たる初老の男に変貌してしまう」

川崎や吉行も口を噤んだ、人を風景化する荷風の酷薄な目線を、小沢は指摘している。

【参考文献】永井荷風「寺じまの記」『おもかげ』（昭和13年、岩波書店）／小沢昭一「スポーツ・ヨシワラ」『小沢大写真館』（昭和49年、話の特集）／紀田順一郎「東京の下層社会」『紀田順一郎著作集 第2巻』（平成9年、三一書房）

竹中労「赤線」とは何であったか？

日本には赤線が遍在したが、しかし一

面正しくない。赤線があった当時、沖縄県は米軍の統治下に置かれていた。正確には沖縄県に赤線は存在しない。ただし同時期に娼街がなかったとの意味ではない（その意味で竹中労は慣習的に「赤線」を用いている）。

本書が『赤線本』を名乗る以上、本来、沖縄県は除外されるが、同県は本土の赤線以上に目を向けるべき地域性がある。

大戦末期の沖縄戦以降、米兵によるレイプが多発した沖縄では、性暴力抑止と地域振興を兼ねて、昭和25年、八重島（現 沖縄市八重島）を皮切りに、特殊飲食店や料亭を名目にして娼街がつくられていく。昭和29年の琉球政府の調査によれば、27箇所、娼家1055軒、娼婦3380人を数える。こうした娼街を媒介として、米兵に性病が蔓延し、昭和28年、全住民地域への米兵の立入禁止令が出された。その後も繰り返し発令されたことで、既存の娼街の多くは衰退していく。

同年、米軍によってAサイン制度が設けられる。Approved（承認済）を示す同制度は、米軍が設けた衛生基準をクリアした飲食店・風俗店にのみ、米兵相手の営業を許可する制度である。風俗店の女性従業員には性病検査も課した。Aサインを受けたバーを俗にAサインバーと呼ぶが、こうしたAサインバーなどで娼婦と米兵は意気投合し、近隣のホテルなどで買売春が行われる。性病抑止の制度を組み込みながら、売春はあくまで自由意志であるという建て付けがここでも再現される。

米兵による買春は、特殊飲食街や料亭街といった一定の囲い込まれた娼街から、繁華街に埋没するバーなどへとシフトしていく。

本土に遅れること14年後、昭和47年に売防法が全面施行された。沖縄県が持つタイムラグは、本土の赤線がとうに失ってしまった時代性の消失をそれだけ遅らせ、私たちに考える猶予を与えてくれる。

吉行淳之介は、「一人の女性の軀に与えられた圧力や歪みが、その心にどう影響を及ぼすか」がテーマであったと『原色の街』の作意を語っている。

沖縄戦以降、米軍基地が島内の多くを占め、日本にある米軍基地の7割が現在も沖縄県に集中している。吉行の言葉を借りるならば、沖縄の売春は「国が与えた圧力や歪み」にほかならない。

しかし一方で、沖縄本島人は奄美大島といった貧しい周辺諸島からの出稼ぎ労働者を蔑視することもあった。本作に登場する17歳の娼婦も、宮古島出身である。圧力や歪みを受けた側は、さらに下へと矛先を向ける多層構造を待つ。

【参考文献】 琉球政府労働局労政課編「特殊婦人の生活実態調査」『琉球労働6号』（昭和29年、琉球政府労働局労政課）／吉行『追悼の辞』（昭和33年4月臨時号、六興出版社）／菊池夏野「Aサイン制度のポリティクス」『季刊 戦争責任研究59号』（平成20年、日本の戦争責任資料センター）／小野沢あかね「米軍統治下Aサインバーの変遷に関する一考察 女性従業員の待遇を中心として」（平成18年）／藤井誠二『沖縄アンダーグラウンド』（平成30年、講談社）

小林亜星　花江

本作は、昭和54年に作曲家・小林亜星が連載した『あざみ白書』の一篇、最終回作品である。売防法施行直後の名古屋市、旧赤線「名楽園」を舞台にしている。本連載は、小林がバンドマン時代の巡業先で出会ったりなどした各地の赤線・青線の娼婦との思い出をもとに書かれたとされているが、のちに単行本化されたあとがきで明かしているように、経験をもとにした短編小説であり、風俗描写も吉行淳之介が貸与してくれた『モダン日本』に依拠している。他の連載回も、かつて赤線で遊んだ女と後々ばったり再会するというパターンで進行する。

水上と田中の対談や、女を風物化する荷風の目線を指摘する川崎や吉行すらも、現代から見れば、どこか鼻白まざるを得ない。これを当時の男性視点ならでは、と捨て置くことを良しとしない読者も多かったのではないか。

小林は本作あとがきにこう綴る。「赤線なんてなくなって、本当によかったね。僕はあの頃へのノスタルジーなんか、これっぽっちも持ち合わせていない。だけどやさしさという言葉が、やたらと商品化されてしまったこの頃、あの頃本当にあった、ぎりぎりに生きる人間同士のやさしさが、思い出されてならないのだ。高度成長と引き換えに、僕らが失ってしまった何か……その何かを僕は無性に書きたかった」

著述業ではないはずの小林の言葉には、救いがある。

【参考文献】小林亜星「わが心の赤線『あざみ白書』に託した郷愁」『週刊サンケイ』(昭和55年、産業経済新聞社)

芝木好子　洲崎の女

芝木好子の小説集『洲崎パラダイス』は、川島雄三『洲崎パラダイス赤信号』の原作とあってか、よく知られている。原作となったのは同名短編「洲崎パラダイス」一篇であり、同小説集は短編6篇から成る。いずれも赤線「洲崎パラダイス」の入口で店を構える一杯飲み屋・千草を軸に物語が進行する。本作は同小説集の最後を飾る一篇である。

芝木は、昭和29年10月に短編小説「洲崎パラダイス」を発表して以来、1年のうちに全6篇を発表している。

本書に収録した作品をはじめとして、男性作者の手による作品の多くは、赤線は「失われたもの」であり、加えて喪失への旧懐がある。が、芝木にはそれがない。芝木の一連の赤線作品は、売防法を境として二分法をとっていない（本作は売防法成立以前に書かれてはいるが、昭和28年の第16回国会では、内閣からも売春取締法案が提出される方向が示され、既に赤線はたそがれの色を帯びつつあった）。

芝木が描こうとした女の悲哀（あるいは連作のひとつ『蝶になるまで』が描くバイタリティ）は、売防法が消し去れるものではなかった。のちに芝木は売防法直前の赤線を取材し、次の言葉で締めくくっている。「今でも胸が痛くなる。誰かに向って憤りたいような詫びたいような、複雑な絶望的な気持ちである」

江戸以来の私娼街であった根津神社参道の娼家が、明治2年に公娼街（遊廓）として公認されたが、東京帝国大学に近すぎることなどから、現在の江東区東陽1丁目に移転、明治21年から営業を再開した。東京大空襲で消失したが、戦後は「洲崎パラダイス」と装いを新たに娼街を再興した。現在の洲崎は、東日本大震災を契機に多くの娼家建築が取り壊され、往時を偲ぶ建物は1棟も残っていない。

【参考文献】芝木好子「たそがれの赤線地帯」『婦人公論』(昭和33年3月号、中央公論社)

渡辺 豪（わたなべ・ごう）
遊廓家・カストリ出版代表
戦後の売春史が主テーマ。遊廓跡・赤線跡を全国およそ500箇所にわたって撮影。2015年、遊廓専門の出版社「カストリ出版」を創業、主に遊廓関連の復刻を行う。翌16年、吉原遊廓跡に遊廓専門の書店「カストリ書房」を開店。著書に『戦後のあだ花カストリ雑誌』（三才ブックス）、『遊廓』（新潮社）などがある。

赤線本（あかせんぼん）

2020年11月25日　第1刷発行

監修　渡辺 豪（わたなべ ごう）
装幀　佐藤亜沙美（サトウサンカイ）
校正校閲　長谷川万里絵
本文DTP　小林寛子
編集　矢作奎太
写真提供　朝日新聞社、毎日新聞社、産業経済新聞社
編集協力　高部哲男

発行人　北畠夏影
発行所　株式会社イースト・プレス
〒101-0051
東京都千代田区神田神保町2-4-7久月神田ビル
電話　03-5213-4700
ファックス　03-5213-4701
https://www.eastpress.co.jp/

印刷所　中央精版印刷株式会社

ISBN 978-4-7816-1922-4
JASRAC 出 2008475-001